中国农业水资源管理制度创新研究

——理论框架、制度透视与创新构想

杜威漩 著

黄 河 水 利 出 版 社

内容提要

本书以新制度经济学、农业经济学等学科的基本理论为基础，运用制度分析的方法对我国农业水资源管理中存在的问题进行了详细的透视，并在此基础上对我国农业水利基础设施投资及产权制度、农业水资源管理组织制度、农业水资源配置制度提出了具有建设性的创新构想。本书适合经济管理及水利经济类研究人员、高校教师、在校本科生和研究生参阅。

图书在版编目(CIP)数据

中国农业水资源管理制度创新研究：理论框架、制度透视与创新构想／杜威漩著.—郑州：黄河水利出版社，2006.5
　　ISBN 7－80734－066－5

　　Ⅰ.中…　　Ⅱ.杜…　　Ⅲ.农业资源：水资源–资源管理—研究–中国　Ⅳ.S279.2

中国版本图书馆 CIP 数据核字(2006)第 038787 号

出　版　社：黄河水利出版社
　　　　　地址:河南省郑州市金水路 11 号　　邮政编码:450003
发行单位：黄河水利出版社
　　　　　发行部电话：0371－66026940　　传真：0371－66022620
　　　　　E-mail:hhslcbs@126.com
承印单位:黄河水利委员会印刷厂
开本:850 mm×1 168 mm　　1／32
印张:7.75
字数:193 千字　　　　　　　　　　印数:1—1 000
版次:2006 年 5 月第 1 版　　　　　印次:2006 年 5 月第 1 次印刷

书号：ISBN 7－80734－066－5／S·82　　　　　定价:23.00 元

前　言

　　生命的繁衍、社会的存续、经济的发展无不以水资源作为最基本的物质基础，一切都与水息息相关，没有水的世界是恐怖和死亡的世界。然而，我们并没有善待给自己带来一切的水资源。我们对水的消费经常是肆无忌惮的，"人类消耗水、泼去水、污染水、浪费水，不停地改变水循环，无视其后果；人太多，水太少，不该有水的地方有水，不该多水的地方多水，人口在迅速增长，但比水需求的增加速度要快1倍"。以至于从亚洲、非洲到欧洲甚至北美洲都存在河川断流、沼泽干涸、干旱肆虐、水位下沉的现象，"无论你把目光转向哪里，到处都见到水供给发生危机的迹象"[❶]。全世界人均水资源拥有量为 7 342 m^3，但由于世界水资源在时间和空间上分配很不平衡，很多国家和地区都缺水。世界上 65%的水资源集中分布在 10 个国家里，而人口占世界 40%的 80 个国家却严重缺水。世界人口在 20 世纪增加了两倍，而人类的用水量却增加了 5 倍(郭玮，2001)。目前，人类可利用的淡水资源，大约只有全球水资源总量的 0.5%，而淡水消耗量每年却以 4%~8%的速度增加，比人口增长率还要大得多(廖少云，2003)。水资源的日益短缺及其需求的不断增长将使水资源具有越来越重要的战略地位：国外的一些专家估计，21 世纪水对人类的重要性将会像 20 世纪初石油对人类的重要

---

　　❶ 世界银行副总裁兼世界水资源委员会主席伊斯·梅耳塞拉格尔语，转引自肖国兴(2004)"论中国水权交易及其制度变迁"一文。

性一样，成为决定国家富裕程度的珍贵商品。一些世界著名的科学家提醒人们，一个国家如何对待其水资源将成为决定这个国家是继续发展还是衰落的关键因素之一，那些将治理水系统作为紧迫任务的国家将占有竞争优势(郭玮，2001)。

中国也同样面临着水资源日益短缺的严峻挑战。第一，从供给方面看，中国人均水资源占有量相对较少，只有 2 300 m³，是世界平均水平的 1/4，相当于美国的 1/4、日本的 1/2、加拿大的 1/44，居世界第 110 位，被列为全球 13 个人均水资源贫乏的国家之一。同时，水资源时空分布极不平衡：从时间分布看，由于受季风气候影响，大部分地区汛期降雨量占全年降雨量的 70% 以上，一年降水量中绝大部分集中在 3~4 个月当中；从空间分布看，南方水多地少，水资源量占全国的 80%，而耕地占全国不到 35%，人口占全国的 53%；北方水少地多，人口占全国的 47%，耕地占全国的 65%，而水资源量只占全国的 20%(吕雁琴，2003)。第二，从需求方面看，中国水资源使用量大、利用率低，是世界上用水量最多的国家。1993 年全国淡水取水量达到 5 255 亿 m³，大约占全世界年取水量的 12%，是美国 1995 年淡水供应量的 1.1 倍。然而，水资源产出率却很低。1995 年中国 GDP 用水收益只相当于美国 1990 年的 1/8、日本 1989 年的 1/25。1993 年，中国平均每立方米农业用水生产粮食仅 0.87 kg，每生产 1 kg 粮食的耗水量是发达国家的 2~3 倍。目前中国万元工业产值的耗水量一般是发达国家的 10~20 倍，个别行业达 45 倍；城市人均耗水量已接近发达国家的中等水平；农业上仅灌区每年缺水就达 300 亿 m³，影响粮食产量近百亿千克(刘静，2002)。第三，从未来的发展趋势看，到 2030 年左右，中国总人口将达到 16 亿，人均占有水资源量将减少 1/5，降至 1 700 m³ 左右；今后几十年，中国经济仍将处于快速增长期，到 21 世纪中叶，国内生产总值要增长 10 倍以上，城市和工业用水将有大幅度增长；21 世纪中叶中国城市化率可能达到 60%以上，城市用水供求矛盾必将更加尖锐；中国北方产粮区水资源条件并不富余，2050 年前需要增加 1.4 亿 t 粮食的要求，将导致水资源短缺的形势更加严峻(冯海发、王征南，2001)。

面对水资源日益短缺的严峻挑战，如何科学合理地构建中国农业水资源管理制度具有极为重大的现实意义和理论意义。正如本书在第一章导论部分中所写的那样，本书的研究不仅有助于实现农业生产用水活动与水资源可持续利用之间的协调，而且通过本书研究所形成的农业水资源管理制度创新理论也将为中国农业水资源管理制度改革实践的顺利进行提供理论指导，同时也有助于新制度经济学自身理论的丰富和发展。作为一个发展中的农业大国，"水利是农业的命脉"在很大程度上说明了农业水资源管理在农业、农业经济中的重要地位，20世纪 70 年代中期到 80 年代初期，技术问题被认为是形成中国农业水资源问题的主要原因，随着中国市场化进程的逐步推进以及新制度经济学理论在中国的不断引入，从制度视角对中国农业水资源问题所进行的研究已初见端倪，本书正是在这样的背景下，通过对新制度经济学经典文献的解读，并在他人研究的基础上开始对中国农业水资源管理制度创新问题进行系统性研究的。

本书对中国农业水资源管理制度创新问题所进行的研究共分八章。第一章：导论；第二章：农业水资源管理制度研究的理论框架；第三章：中国农业水资源管理制度演进及现状的实证研究；第四章：

中国农业水资源管理制度环境因素分析；第五章：中国现行农业水资源管理制度安排的透视；第六章：中国农业水资源管理制度创新的国际参照；第七章：中国农业水资源管理制度创新构想；第八章：总结性结论与政策启示。

　　制度问题是一个老问题，但从现代经济分析意义上讲，制度问题又是一个新问题。在水资源日益短缺、中国市场化改革逐步推进和深化的背景下，农业水资源管理制度问题就更是一个需要广泛、深入、系统进行研究的崭新课题，而在新的研究领域中探索无疑需要付出加倍的努力，但正如马克思所说：在科学上没有平坦的大道，只有那些不畏劳苦、沿着陡峭山路奋力攀登的人，才有希望达到光辉的顶点。根植于中国大地上正经历着的制度变迁的伟大实践，借鉴于国内外先进的理论研究成果，我们完全有理由相信：经过艰苦不懈的探索，在农业水资源管理制度研究领域必将会产生更加丰硕的成果！

作　者

2006 年 3 月

目　录

第一章 导 论

第一节 研究的意义

一、有助于实现农业生产用水活动[❶]与水资源可持续利用之间的协调

在水资源短缺的背景下，农业灌溉的发展面临两难困境：一方面，农业灌溉对农业生产乃至人类生活具有不可替代的重要性，这种重要性说明农业灌溉应该得到进一步的发展；另一方面，农业灌溉活动的开展又会在很大程度上加剧水资源的短缺或者说对水资源短缺具有强化效应，这种情况说明应该对农业灌溉的发展进行一定程度的限制。

(一)农业灌溉对农业生产乃至人类生活具有不可替代的重要性

第一，从粮食生产的角度看，到 20 世纪 90 年代初期，发展中国家 40%以上的粮食及其中 67%的水稻和小麦产于灌溉农田(山姆·约翰逊、马克·斯文特生、弗尔耐多·岗萨雷斯，2002)。中国近 50 年的资料也表明，中国粮食总产量与农业生产用水的变化具有很强的正相关关系，据 1952~1997 年间不同时段上粮食作物单产与各影响因素之间的灰色关联分析所得到的数据显示，在影响粮食单产的各因素中，灌溉所做贡献最大[❷]。第二，从粮食安全的角度看，目前全球约有 24 亿人的工作、食物和收入要靠灌溉农业。世界粮食的 30%~40%来自占耕种面积 16%的灌溉土地，21 世纪的粮食安全某

---

❶ 文中主要指农业灌溉活动。

❷ 参见石玉林、卢良恕主编，《中国农业需水与节水高效农业建设》，中国水利水电出版社 2001 年版，105 页。

种程度上要取决于灌溉的成功与否(朱㔻荣，1997)。第三，从人类生活的角度看，据联合国粮农组织估计，在 21 世纪的前 25 年中，灌溉将被用来生产粮食增加量的 80% 以满足地球上增长的 20 多亿人口的需要(山姆·约翰逊、马克·斯文特生、弗尔耐多·岗萨雷斯，2002)。以中国的情况为例，2030 年中国人口将达到峰值，在 21 世纪前 30 年随着人口的增长，中国人口对粮食作物的需求量也随之增长：中国 1997 年粮食实际产量为 4.94 亿 t；到 2010 年将增加为 5.77 亿 t；到 2030 年将增加为 6.80 亿 t(石玉林、卢良恕，2001)。因此，随着人口增长对粮食需求的增加，农业灌溉的重要性随之增加。

(二)农业灌溉的发展会进一步加剧水资源的短缺

水资源是农业生产中所使用的重要的生产要素之一。从全世界范围来看，70% 左右的水资源量用于农业。随着农业灌溉(特别是在传统的灌溉方式下)活动的扩展，农业生产对水资源需求将日益增加，不仅如此，农业灌溉活动还会将残存于土壤中的化肥和农药带入地表水或地下水，在一定程度上导致水质污染，进一步加剧水资源的短缺(即水质型短缺)。根据联合国教科文卫组织所做的定义，水资源是指可利用或有可能被利用的水源，这个水源应具有足够的数量和可用的质量，并能在某一地点为了满足某种用途而可被利用。按照这一定义,农业灌溉发展所导致的水资源短缺有两方面的含义：从绝对的意义上讲，农业灌溉所导致的水资源污染无疑减少了水资源可利用或可被利用的用途及范围，因为污染程度超过一定临界点的那部分水资源将不属于严格意义上的水资源;从相对的意义上讲，农业灌溉的发展会导致在其他行业、其他用途上可利用或可被利用的水资源量的减少。

以上分析表明，农业灌溉面临着发展与否的两难选择的困境。一般来讲，走出困境的途径有两条——技术创新和制度创新，而制度创新具有更深层次的决定作用，因为如果没有合理制度安排的支撑，技术创新将会因缺乏有效的激励而难以发生。合理的制度安排或者创新性的制度安排对技术创新的激励效应主要表现在三个方面：第一，产权明晰化所产生的激励。在市场经济条件下，技术创新的成果也是商品，其交易本质上是产权的交换，如果没有对其产权本身的明确界定，创新者的利益就不可能得到真正的保护，因为任何产权的有效保护是以其明确界定为前提的。另一方面，技术创新的成果作为一种商品往往是一种特殊的无形商品，"生产"成本极大，而且一旦被"模仿"(如企业的商标被模仿、新产品的配方被盗用、发明的新技术被窃取，等等)，创新者的收益将会极大地丧失。因此，通过明确界定技术创新成果的产权，创新者的利益将会得到有效的保护，创新者的积极性将会明显地提高。第二，交易行为规范化所产生的激励。产权制度不仅能够界定产权的最终归属，保护创新者的权益，而且还可通过产权的界定形成一套公平、有序和规范的交易规则，以规范技术创新成果作为商品的交易行为，降低交易成本，提高交易的效率，从而也提高创新者的创新积极性。第三，未来预期的稳定性所产生的激励。技术创新成果的产权也是由一系列权利与义务的规范组成的。一旦排他性的知识产权建立起来，产权主体就可在法律允许的范围内和不损害他人权益的条件下自由支配、处分产权，并独立承担产权行使的后果。权利的明晰化和对称性使行为人在行使产权时具有稳定的预期，他将全面权衡成本和利益的关系，以效用最大化的原则来支配和处分技术创新成果的产权，效用的最大化将会导致创新者创新积极性的最大化(杜威漩、张金艳，2003)。因此，通过对中国农业水资源管理进行深层次的制度透视并构建相应的创新性制度安排来促进实现农业灌溉的发展与水资源可持续利用之间的相互协调，无疑具有十分深远的现实意义。

二、有助于为农业水资源管理制度改革实践的顺利进行提供理论指导

面对日趋严重的水资源短缺的挑战，包括中国在内的世界各国特别是发展中国家都积极探索并付诸实施了一系列应对措施，其中通过水资源管理体制改革或进行相关的制度安排已逐渐成为解决水

资源短缺问题的重要措施之一。

20世纪90年代，世界银行规定，所有使用世界银行贷款的项目都必须组建用水户协会，进行参与式改革试点。特别是墨西哥的灌区管理体制改革，加快了 PIM(参与式灌溉管理)在世界范围的进程。1994年世界银行在墨西哥召开了第一届用水户参与灌溉管理国际研讨会。在此之后，1996年在土耳其、1997年在日本、1998年在印度尼西亚、1999年在印度又连续召开了第二届到第五届会议。1996年成立了"用水户参与灌溉管理国际网"(INPM)，是独立的非政府国际组织，它专门致力于推进 PIM 在全球推广。目前开展 PIM改革试点和推广的除墨西哥外还有印度、土耳其、巴基斯坦、斯里兰卡、泰国、越南、尼泊尔、孟加拉国、柬埔寨、印度尼西亚、约旦、埃及、突尼斯、摩洛哥、阿尔巴尼亚、罗马尼亚、乌兹别克斯坦等国家。绝大多数发展中国家都在支渠层次上建立了用水户协会，政府把一部分管理权移交给协会。多数试点取得初步成效，农民反映良好。

中国 PIM 试点开始于1995年，在世界银行项目区内的湖南铁山灌区和湖北漳河灌区进行，开始从上到下都对这种管理模式不理解，有抵触情绪。1996年，农水司和中国灌区协会在成都举办培训班，以后又多次召开研讨会普及基本知识，扩大宣传，有的试点尝到了改革的甜头。国家计委在2001年发出的水费改革文件中强调要推广用水户协会。国家农业综合开发办公室也正式发出文件，要求在农业开发项目区推广 PIM，组建用水户协会。目前，全国已有19个省、80多个灌区进行了这项改革，已组建用水户协会1 000多个(冯广志，2002)。

没有理论指导的实践是盲目的实践，国内外特别是国内农业水资源管理体制改革实践尽管取得了一定的成果，但也存在着不少问题。如农业水利基础设施的管理问题、农民用水户如何组织的问题、农业水价的问题、农业水费征收管理问题，等等。这些问题存在的原因是多方面的，而缺乏相关理论指导是重要的原因之一。本书对中国农业水资源管理制度创新问题的研究不仅以中外农业水资源管理体制运行、改革的实践为基础，而且是以日益显示出其旺盛现实生命力的当代新制度经济学的基本理论为指导的，本书的研究结论不仅源于实践而且高于实践，是实践与理论的结晶，从而具有实践上的本源性和理论上的科学性与前瞻性。因此，以农业水资源管理实践和新制度经济学理论为基础的农业水资源管理制度创新理论，必将为启动中国农业水资源管理制度改革实践并使这一实践顺利进行提供理论指导。

三、有助于实现新制度经济学自身内容的丰富和拓展

新古典经济学赖以建立的完全理性、完全信息、完全竞争等"完全性"理论假设极大地削弱了其自身的理论价值，使得新古典经济理论对许多现实问题的解决显得软弱无力。随着产业组织、劳动经济学、经济史和比较经济体制等领域中实证研究和理论研究的不断统一，一个新的、具有洞察力的理论体系出现了，这就是现在被广泛称之为"新制度经济学"的理论体系(Eirik G. Furubotn, Rudolf Richter, 2002)。但新制度经济学体系的建立并不是对新古典经济学的全盘否定，而是在其中融入制度分析的内容，实现制度分析与传统经济学的耦合，正如科斯所说，"新制度经济学不会像改造或取代传统经济学那样改变传统经济学，在我的观点中，新制度经济学是经济学"。因此，新制度经济学不仅是对新古典经济学的一种理论扬弃，而且使得用新制度经济学理论体系对中国农业水资源管理制度进行较为详尽的理论透视以及为中国农业水资源管理制度创新提供理论依据成为可能。

新制度经济学虽然具有很强的透视力，并且"和其他对制度进行经济学分析的现代方法——如公共选择理论、法和经济学、合同理论等一起大大扩展了经济学的内涵"，但"目前这一分析尚未向形成一个严密的、统一的理论的方向发展。许多问题还有待解决，而且这种分散状态恐怕要持续较长一段时间。但是，这并不是一场灾难，相反，对于这门科学目前的发展状态来说，这是一个很平常

的结果。我们已处于一个创新活动日益繁荣的时期，这些活动已产生了丰富的成果，而且预示着一个更灿烂的未来"[1]。因此，尽管新制度经济学理论正日益发展，但新制度经济学理论体系尚未完全成熟，作为一种开放的理论体系，这种未完成状态不断地产生着这样一种需求，一种对其自身日益完善的需求，对这种需求的满足需要其他相关学科的发展及新制度经济学与之交汇、融合。将新制度经济学理论引入农业水资源管理制度研究领域的过程，既是新制度经济学应用领域的拓展，也将使新制度经济学自身的内容得以丰富和拓展。

第二节　研究的现状

新制度经济学的兴起和繁荣是近几十年的事情，人们对水问题的关注也是近期的事情。因此，从新制度经济学的角度对水资源特别是对农业水资源管理问题所进行的研究就显得比较"稀缺"。目前，国内外与农业水资源管理问题相关的研究主要涉及水权、水价及农业水价、农业水资源管理组织、农户灌溉行为、农业水利基础设施等几个方面。

一、水权的研究

(一)关于水权概念

总的来讲，关于水权概念的界定目前理论界存在"单权说"和"多权说"两类观点。"单权说"把水权定义为水资源的使用权。国外的不少研究者持这种观点，如 Singh(1991)对滨岸水权、优先占用水权等方面的问题进行了研究，指出滨岸水权就是合理使用与滨岸土地相连的水体但又不影响其他滨岸土地所有者合理用水的一种权利，或者说滨岸水权就是指毗邻水体和水域的土地所有者对水资

---

[1] 引自 Eirik G. Furubotn, Rudolf Richter 所写的"新制度经济学：一个评价"一文，载于埃瑞克·G·菲吕博顿、鲁道夫·瑞切特编，孙经纬译，上海财经大学出版社 2002年 8 月出版的《新制度经济学》一书，第 29～30 页。

源的使用权；优先占用水权则是以占用日期决定用水户优先用水的一种权利，其基本原则是"时先权先(first in time, first in right)"。Rosegrant和Scheleyer(1994)研究了智利和墨西哥在初始水权确认和分配中的比例水权问题，认为比例水权就是按确认的一定比例并在不失公平的情况下将河道中的水资源分配给相关用水户使用的水权安排，国外的这些研究者都是直接地或暗含地把水权当做使用权加以界定的。"多权说"则把水权定义为包括使用权在内的多种权利的集合。汪恕诚(2000)、傅春、胡振鹏、杨志峰、刘昌明(2001)认为水权就是水资源的所有权和使用权；李焕雅、祖雷鸣(2001)提出了水资源权属的层次划分理论，将水资源的使用权进一步分为自然水权和社会水权，其中自然水权包括生态水权和环境水权，社会水权包括生产水权和生活水权；姜文来(2000)、周霞、胡继连、周玉玺(2001)等人认为水权包含所有权、使用权和经营权三方面的内容；石玉波(2001)认为水权应包含所有权、占有权、支配权和使用权四方面的内容，张范(2001)也持相似的观点，即水权应包含使用权、收益权、处分权和自由转让权等方面的内容；蔡守秋(2002)认为水权是指由水资源所有权、水资源使用权(用益权)、水环境权、社会公益性水资源使用权、水资源行政管理权、水资源经营权、水产品所有权等不同种类的权利组成的水权体系。之所以出现上述水权概念界定上的分歧，在很大程度上是对产权概念理解上的分歧所致，因为水权概念无非是产权概念的延伸而已。根据本书对产权概念所作的界定(详见第二章)，水权应该是指包括水资源所有权(狭义的)在内并以其为前提和基础的，可以分解为使用权、收益权和处置权等权能的"权利束"；是约束和规范人们关于水资源行为的规则。因此，与"单权说"相比，"多权说"更为全面地触及到了水权的实质；从水权及其交易的实践看，水权则更多地涉及水资源的使用权(从世界上绝大多数国家的情况看，水资源的所有权属于国家，水权的交易主要是水资源使用权的交易)，可见，"单权说"更多是基于实践上的考虑。为了将两类观点统一起来，对水权概念应做两个层面上的理解，即从狭义上理解，水权就是"单权说"意义上的水权；从广义上理解，水权则是"多权说"意义上的水权。

(二)关于水权交易

水权既是一个静态的概念，又是一个动态的概念，即水权是交易的水权。水权交易将改变现有用水方式，并以不同方式对用水户产生影响。由于水文的独特规律，水在使用时具有经济外在性，节水是被定义为取水量的减少还是消耗性用水的减少成为一个关键问题。如果水权交易促进了消耗性用水的增加，长期的河道流量将会减少；只有提高某种消耗性用水的效率从而减少这种消耗性的用水量，才能创造更多的水供给；不改变消耗性用水而允许水权转让必然会影响到第三方的利益(Green 等,2000)。Robert A. Yong(1986)在分析了水的供给特性、需求特性以及影响水配置机制选择的其他因素(如交易成本、运水和储水成本等)的基础上，模型化地分析了水权交易的可行性条件：一方面，直接受益人或者购水者的意愿支付要大于卖者所放弃的直接利益加上运水和储水成本再加上交易成本；另一方面，卖者所放弃的直接利益加上运水和储水成本再加上交易成本要小于其可供选择的最小的供给成本。Martha W. Gilliland、Gerald P. Wallin 和 Ronald Smaus(1989)对美国 Nebraska 水权转让的经济可行性及其影响(如对地下水开采、内流河流流量、生活质量及当地经济等方面的影响)进行了研究，并提出了最高效和最优化地使用水资源、对环境质量和对第三方利益加以保护等的相关政策建议。Rosegrant 和 Scheleyer(1994)提出了水权交易的基本前提、水资源政策的基本要素并分析了水权交易所面临的复杂的操作性问题。然而，由于水权交易市场中存在交易成本和第三者负效应(外部性)两大问题，水权交易制度在实际应用上仍然十分困难(Robert 和 Easter, 1997)。钟玉秀(2001)讨论了以市场为基础的水资源管理方法和两种水市场类型，介绍了水权转让过程中存在的两种水权交易成本和美国地表水、地下水市场的贸易情况，提出了建立可交易水权制度的基本条件，并根据国外水权市场建设的成功经验初步提出了水市场的立法原则。王金霞、黄季焜(2002)对智利、墨西哥和美国加州等国家和地区水权交易的发展实践进行了分析，得出了一些对中国建立合理的水权制度、适时开展水权交易的有益的政策启示。傅晨(2002)用相关的产权理论对浙江省东阳和义乌有偿转让用水权的案例进行了尝试性的分析，从中得出了一些有益的结论。王宏江、冯耀龙、练继建、黄津明(2003)借鉴国外水交易的有关研究成果，简要论述了永久性交易、临时性交易、点市场交易和水银行等四种交易方式，探讨了在交易系统整体经济利益最优与单个交易用户效益最优两种情况下交易额确定的方法，并对水交易发生的条件进行了一定的量化分析，以期为中国未来水市场化理论与实践的发展奠定基础。胡继连、葛颜祥(2004)研究了水权分配的人口、面积、产值等六种分配模式，进而分析了黄河水权分配的现有模式及存在的问题、黄河水权分配模式的选择及黄河水权分配的协调机制，同时提出了黄河水权市场建设的构想。肖国兴(2004)分析了水资源从公水到私水、水权从公共产权到私人产权、水消费从许可取水到交易用水、水权管理从水资源配置到水事管制、水工程从公共工程到投资资本的变迁趋势，认为中国水权交易从理论变为现实，特别是成为富有绩效的制度安排，必须有效安排政府管制，更要激发广大用户的投资热情，用户资本性投资的有效实现，是评价中国水权交易及政府管制制度绩效的决定性函数。刘莹(2004)对国外水权交易市场的现有形态、水权交易市场运作的规则进行了一定的概括，对水权交易的相关问题——水权交易的交易成本问题、留川水量问题、对第三者的负效应问题进行了探讨，认为水权交易市场能够很大程度地提高用水效率，从而提高社会总效益，然而伴随而来的一些问题也不容忽视，需要有关部门在交易制度的设计上全方位综合考虑，尽可能地以最低社会成本达到最大化社会经济效益的目的。萧代基、刘莹、洪鸣丰(2004)认为，水权交易制度是指政府依据一定规则把水权分配给使用者，并允许水权所有者之间的自由交易的制度。这样，依据市场交易的水分配制度可以保证高价值用途的用水需求，以避免开发高成本的水源而破坏环境。同时，他们还设计了一套简单易行的水权交易比率制度。

(三)关于水权市场

国外研究者多数对引入水市场持积极的、肯定的态度。因为市场提供了一个根据机会成本来配置水资源的方法(Gardner 和 Fullerton，1968)，水权市场不仅有助于用水者更有效地配置和使用水资源(Colby，1988)，即激励水资源的买卖双方都把水当做经济物品，提高水资源配置的经济效率(Briscoe，1996; Smith, Franks 和 Kay，1997; Perry 等，1997)，而且水市场还可通过增加农民对水价变化反映的灵活性而鼓励农民对农作物种植结构的调整(Rosegrant，Gazmuri Schleyer 和 Yadav，1995)。水市场依据市场压力来决定灌溉水的价格，所以比集中控制的水资源配置机制更具灵活性(Marino、Kemper，1999)。同时，水市场还有助于减少与灌溉有关的水质问题(Weinberg，Kling 和 Wile，1993)。对正式的水市场来讲，其运转首先需要定义良好的、可交易的水权以及适当的基础设施和配水制度(Zilberman, Chakroavorty 和 Shah，1997; Thobani，1997)，同时诸如回流、对第三方的影响和留川使用量(instream uses)等问题也不得不考虑(Easter 等,1997)。而非正式水市场经常在水资源短缺的时候发展起来(Shah，1993; Anderson 和 Synder,1997)。Wim H. Kloezen(1998)通过对墨西哥用水者协会之间水交易的分析提出了引入水市场的三个前提条件，即清晰定义的水权、适当的水利基础设施和低的交易成本、确定合理的交易价格。国内已有的研究也普遍认为，引入水权市场，利用市场机制配置水资源，应该是中国未来水资源配置制度改革和发展的方向(汪恕诚，2000；胡鞍钢，2000)。关于水权市场的定性，国内大多数学者认为，在计划经济向市场经济过渡时期，中国的水市场只能是一个准市场。汪恕诚(2000)认为："水市场不是一个完全意义上的市场，而是一个'准市场'"，并分析了水市场是一个准市场的理由。胡鞍钢(2000)也认为中国的水资源配置应采取既不同于"指令配置"也不同于"完全市场"的准市场，这种思路的实施可以协调地方利益分配，达到同时兼顾优化流域水资源配置的效率目标和缩小地区差距、保障农民利益的公平目标。石玉波(2001)也持"准市场"的观点，认为"水市场只是在不同地区和行业部门之间发生水权转让行为的一种辅助手段。因此，我国所谓的水市场或水权市场是一种'准市场'，表现在不同地区和部门在进行水权转让谈判时引用市场机制的价格手段，而这样的市场只能由国务院水行政主管部门或其派出机构——流域水资源委员会来组织"。其实，"准市场"配置水资源仅仅是计划经济向市场经济转轨过程中具有中国特色的配置模式，它具有过渡性，而不具有恒久性(沈满洪、陈锋，2002)。张维、胡继连(2002)从我国的实际出发，初步论证了构建我国水权市场的必要性、水权交易对水权制度的一般要求、水权初始分配应坚持的原则，在此基础上对水权市场组织的设立、交易制度建设及水权市场运作体系进行了初步的分析和研究。水权制度框架研究课题组(2004)对水权、水市场理论研究和制度建设情况进行了总结，在此基础上对水权制度建设的框架进行了研究并提出了相应的框架设计，具有一定的指导意义。

二、水价及农业水价的研究

(一)关于水价

韩洪云、赵连阁(2001)认为，水价是取用水应付出的价格，合理的水价包括水资源价格、生产成本、环境成本和正常利润。水资源价格是水资源使用者为了获得水资源使用权需支付给水资源所有者的费用，它体现了所有者与使用者之间的经济关系，是水资源有偿使用的具体表现，是对水资源所有者因水资源资产付出的一种补偿。郑通汉(2002)从可持续发展的角度研究了水价的构成，认为水价所决定的水供求不能超出水资源的承载能力和水环境的承载能力，水价所决定的收支水平必须保证供水工程能持续运行和用水户有支付能力。因此，可持续发展水价所决定的水供求关系，要以水资源承载能力、水环境承载能力、供水工程承受能力作为定价的核心内容,以用水户承受能力作为边界条件。Hewitt和Hanemann(1995)对得克萨斯州水需求弹性进行了实证研究,其结果说明实行分段累进制水价体系或者提高水价或者两者兼备都会导致节水。Yacov Tsur([美]Ariel Dinar,石海峰等译,2003)调查分析了信息不对称对有效水价政策的影响。Diao和Roe([美]Ariel Dinar,2003)采用跨期一般均衡模型分析了摩洛哥灌溉农业的贸易改革对水市场改革所产生的经济影响,认为贸易改革可以创造引入水价改革的机会,并促进水权市场的建立;同时还分析了摩洛哥农业的水市场和交易改革对不同利益群体的双赢效应。Musgrave([美]Ariel Dinar,2003)介绍和评价了澳大利亚正在进行的长期的水价改革,调查分析了综合改革的进程,总结了各州和各地的改革效果。Azevedo和Asad([美]Ariel Dinar,2003)回顾了巴西水价改革的经验和教训,同时还回顾了开发国家水资源管理系统背后的政治过程,认为建立水价规则和水价机制过程缓慢、零乱且缺乏协作的原因在于政治权力结构问题、机构设置问题、反复发生的干旱、信息的非对称性以及传统的脱离实际的水价,建议既要进行水的定价改革又要建立分配政策,包括建立明确的、渐进的定价目标(首先是收回成本,其次是经济效益),创造使水市场发展的条件和促进全国引入批发水价。

(二)关于农业水价

一般说来,现有农业水价的定价方法可以分为定量方法和非定量方法两类(Dinar和Subramanian,1997)。定量方法就是根据灌溉水的使用量来确定水价的机制(Easter和Welsch,1986);非定量方法则是以单位产出、单位投入或者单位面积为基础对灌溉用水收费的方法,这种方法易于实施和管理(Easter和Welsch,1986;Easter和Tsur,1995)。Eyal Brill,Eithan Hochman,和David Zilberman(1997)采用数学模型的方法研究了在水供给减少的情况下,水机构的三种政策选择,即行政性定额分配下的平均成本定价、分层定价(block rate pricing)和可交易的水权制度。Bromley(1989)指出,必须将灌溉系统等实物基础设施(干渠、控制性建筑物、渠系)和灌溉系统中流动的水同时作为更大考虑范围中的一部分内容来研究水资源的相关定价模式。田圃德、张春玲(2003)分析了目前中国农业水价的现状、农民对水费的承受力、农业用水价格调整的可能性、农业水费征收、管理和使用状况以及存在的一些问题,并得出了准确核定供水成本、合理确定用水价格、改善用水计量设施、实施合同供水及农民用水协会等民主管理是农业水价改革的重点这一结论。姜文来(2003)回顾了中国农业水价的演变历程,对中国农业水价政策难以落实的原因进行了剖析,探讨了农业水价改革面临的困境,指出农业水价要置于社会经济环境的大背景条件下,充分利用 WTO 规则,提高农产品的国际竞争力。关于农业水价的构成,主要有"累进水价论"和"综合水价论"两类观点,前者认为农业水价应实行累进水价,即在灌溉定额内的农业用水,按成本收回原则定价,以确保农业生产的基本用水和供水企业的保本经营,对超过定额的用水,加收水资源费及供水利润,当用水总量超过水资源的承载能力时,水价中应包含环境成本,为促使水资源向高收益方向移动,还应考虑水资源使用的机会成本(关良宝、李曦、陈崇德,2002);后者认为,农业水价应实行综合水价,其基本内容为最高限价下的用水户协会协商定价加上水价风险补偿金(郑通汉,2002)。郭善民、王荣(2004)通过对江苏省皂河灌区一定量样本农户的调查,分析了农业水价政策的效应。其研究发现,农业水价改革对农民及供水单位的节水行为没有影响,提高水价有利于增加供水单位收益,但却降低了农民的福利水平。水价政策作为单一的政策工具在很多情况下并不能促进水资源的节约使用,要建立水价机制与用水行为的直接联系,水价改革与其他制度的配套改革同时进行也许会有助于价格政策功能的实现,其结论具有一定的启发性。

三、农业水资源管理组织的研究

Douglas R. Franklin 和 Rangesan Narayanan(1988)对美国西部农业灌溉组织问题进行了研究,他们将灌溉组织划分为非公司型的合作组织、公司型的合作组织、行政区、美国垦务局、美国印第安事务局、州和地方政府等类型，同时研究了影响灌溉组织构成的四个因素：农场大小的变化、组织的效率、部门间为了水而进行的竞争以及政府的政策，得出了美国西部灌溉组织以管理控制为取向的发展趋势。许多国家已经开始认识到农业用水的集中性管理机制与非集中化的改革——需要用水者的参与和决策——之间的功能性差异(Wichelns, 1998)。特别地，供水组织的改革产生于三个主要方面的原因(Vermillion, 1997)：CWAs(Central Water Agencies,即中心水管机构)缺乏改进供水管理的激励和责任；管理权利向用水者或私人部门的转移如果得到广泛的社会支持和技术支持，将导致农业用水配置的公平和效率状况的改善；管理权利的转移还将因政府对灌溉系统组织和管理责任的减少而节省财政开支。农业用水中的参与式管理作为一种世界性的趋势，具体表现为农民用水者协会(简称 WUA，后文同)这一组织形式的建立。WUA 的责任范围宽窄不一，有的责任范围较广，而有的则相对较窄(Martin 和 Yoder, 1987)，由于 WUA 是根据用水者的利益管理和运作的，监督和实施成本会大幅度地降低(Easter 和 Welsch, 1986; Wade, 1987; Meinzen-Dick 和 Rosegrant, 1997)。然而，有许多因素对 WUA 的可行性产生影响，产权就是其中的关键因素之一(Easter 和 Welsch, 1986; Meinzen-Dick 等, 1997)。很显然，不拥有水权，用水者组织就无法对水资源的使用、管理等事宜做出决策(Meinzen-Dick 和 Mendoza, 1996; Johnson, 1997)，而定义良好的水权则会给农民参与供水系统组织和管理提供激励，这些权利可分配给用水者个人，也可分配给 WUA 这样的用水者组织(Wade, 1987; Feder 和 Noronha, 1987)。Jules 和 Hugh(2001)提出了用水者组织发展的三阶段理论，指出了这类组织由依赖向自治发展的变化规律，阐述了各个阶段的重点问题与应注意的事项。世界银行的山姆·约翰逊、马克·斯文特生、弗尔耐多·冈萨雷斯(2002)从全球的视角探讨了灌溉部门机构改革方案问题，研究了影响灌溉部门机构改革的机遇和约束条件(如规模及工程的复杂性、法律框架、支持改革机构的能力、水权和产权、水资源短缺、农业商业化和生产率、土地使用安全和政治支持，其中政治支持和机构能力是成功机构改革的基础)，提出了改革的通用准则和改革的取向：综合的国家管理机构将让位于不同部门的多个专业化机构，公司事业部门将负责宏观规划、调控和高层次的管理，地方管理单位和私有部门提供灌溉排水服务，其他单位提供支持服务。从国内状况来看，20世纪90年代中期以来，中国结合大中型灌区更新改造和续建配套工作，在世界银行等国际组织的支持下，开展了"用水户参与灌溉管理"的改革试点。在实践的基础上，理论界对这一新生事物进行了一定程度的研究。张陆彪、刘静、胡定寰(2003)等调查分析了 WUA 运行的绩效和存在的问题，指出 WUA 在解决水事纠纷、节约劳动力、改善渠道管理、提高弱势群体灌溉用水获得能力等方面具有显著成效。胡继连、周玉玺、谭海鸥(2003)利用产业组织学的相关理论与方法，分析了中国小型农田水利产业组织结构的特征、经营者行为和产业绩效，并根据小型农田水利产业组织中存在的现有问题，提出了相应的产业组织政策。张兵、王翌秋(2004)通过对江苏省皂河灌区自主管理排灌区模式运行的调查，分析了 WUA 的作用，指出 WUA 符合市场化运作机制，从而具有为水价改革创造了条件、有助于水费收缴率的稳步提高、实现节水灌溉、减轻农民负担、促进灌区良性运行等方面的作用。

四、农户灌溉行为的研究

Knutson 等(1978)采用工程学的方法对农户灌溉技术的选择行为进行了研究，他们估算出了不同环境下可供选择的各种灌溉技术的使用所获得的利益，并对这些利益进行了比较，最后决定哪一种环境条件对每一种灌溉技术是最适宜的。Margriet Caswell 和 David Zilberman(1985)就加利福尼亚中心河谷的水果生产者对沟灌、喷灌和滴灌等灌溉技术选择的决定因素通过计量经济模型进行了分析，并得出了以下结论：经济因素或者说成本的节省对农户采用新的灌溉技术产生十分显著的影响；灌溉技术的选择与农户所种植的植物种类有着密切关系(如种植干果树的农户更倾向于采用喷灌和滴灌的技术);地下水的使用者比地表水的使用者更有可能采用现代化的灌溉技术；地理位置的差别对喷灌技术(一种相对成熟的技术)的采用影响并不显著，而对滴灌技术(一种相对新的技术)的采用影响却十分显著。韩洪云、赵连阁(2000)对农户灌溉技术选择行为进行了实证分析，在灌溉技术分为传统技术和现代技术两类、农户是利润最大化和既定条件下的理性选择者的前提下对农户技术选择行为进行了研究，其结论是农户的灌溉技术选择行为将包括以下步骤：第一，选择两种技术条件下的最优灌溉水的利用水平；第二，比较不同技术条件下的利润，若采用现代技术实现的利润大于采用传统技术实现的利润，且采用现代技术实现的利润大于零，则选择现代技术，否则选择传统技术。他们同时(2002)还对灌区农户的合作行为进行了研究，认为：灌区农户合作行为是一种相互的协作行为，只有在预期其他农户采取合作行为的前提下，农户才会采取相应的合作行为；农户收入水平和灌区内农户的地理位置是影响农户合作行为的内生因素，私人物品和公共物品对于农户消费的相对重要性和公共物品价格是影响农户合作意愿的外生因素；政府应充分发挥其在合作规则的建立和信息收集方面的优势，为上、中、下游用水者补偿机制的建立创造条件。葛颜祥、胡继连(2003)对不同水权制度(提高水价、水权限制和可交易水权三种水权制度)下的农户用水行为进行了研究，其结论为，通过提高农用水资源价格，可以加大农户的节水投入，提高农用水配置效率，其代价是减少农户的农业经营利润，增加农民负担。采用不可交易的水权限制制度，只要水权配置适当，同样会提高农用水的利用率。在此基础上，实行可交易水权制度，通过向非农产业转移水权，可增加农户的经营利润，提高农户节水的积极性。韩青、谭向勇(2004)依据对山西省农户的调查资料，运用 Multinomial Logit 模型，对农户灌溉技术选择行为的影响因素进行了实证研究。结果表明，粮食作物和经济作物在灌溉技术选择中表现出明显的差异，农户在粮食作物的生产中一般采用水利用率较低的传统技术，而在经济作物的生产中一般采用水利用率较高的现代技术。研究还表明，水资源短缺程度会影响农户灌溉技术的选择；水价和是否有政府扶持对经济作物灌溉技术选择有显著的影响，而这两个因素对粮食作物灌溉技术选择几乎没有影响。其政策建议是：实行有效的促进节水灌溉技术推广的政府支持政策；实行农业灌溉水价的结构性调整和农业生产结构调整相结合的策略；完善基层节水灌溉技术推广机构的服务功能等。

五、农业水利基础设施的研究

傅春、胡振鹏(2000)分析了水利工程管理中的委托代理关系，并运用博弈论的方法初步研究了水利工程产权管理中建立激励机制的问题，指出"对于既有防洪等公益性任务又有兴利要求的水利工程管理，如果委托人期待代理人在防洪等公益性项目的管理上花费一定的精力而该项工作又不容易观测其价值，那么，就不应该在兴利项目上设立激励机制"。李利善、邵远亮、张开华(2002)结合湖北省的情况初步分析了公益性水利工程的经济学特征，剖析了公益性水利工程融资及补偿机制运行的现状与问题：投入机制不完善、补偿渠道不畅通、运营管理机制不健全；提出了完善公益性水利工程融资及补偿机制的思路：实行部分公益性水利工程项目"资产证券化"、完善公益性水利工程耗费补偿机制。施国庆、庞进武、王友贞(2002)对水利工程建设与农民收入的相关性进行了分析。一般来说，无论工程规模大小、类别、施工方法如何，水利工程都或多或少地需要农民直接参加建设、管理。农民直接参加水利工程的建设、管理是水利工程建设对农民就业、收入最直接的影响，其影响程度与工程规模、类别、施工方法有关。另一方面，水利建设、管理对农民就业、收入的间接影响主要是指水利工程在建设、管理期间带动其他行业的发展，为农民提供更多的就业机会，增加农民的经济收入。裴少峰(2003)对中国农业灌溉设施的有效利用进行了制度方面的初步探索，认为农业灌溉基础设施使用效率的提高，不仅仅是一个技术问题，从灌溉基础设施的公共资源角度看，中国农业灌溉基础设施的持续发展更是一个制度安排问题。其基本结论是：第一，技术手段决定着农业灌溉设施利用程度的上限，灌溉设施的制度安排决定着灌溉设施运行的绩效，适宜的制度环境是决定知识和技术在灌溉设施中运用的基础；第二，农业灌溉设施持续发展的制度设计，应行使垄断性的国家制度安排权利，形成包括较高定价和较高税收的市场约束、明确的责任制度与奖惩制度的行政约束、实施较高的宪法和较严的刑法的法律约束；第三，应将可持续发展观上升为国家意识形态，使保护灌溉设施及各类公共资源的观念成为一种国家意志，成为全体民众必须普遍遵守的行为规范；第四，在农业灌溉基础设施的产权制度上应广泛推广自主性治理结构，即吸纳用户参与管理。水利部水利国有资产管理体制改革调研组(2004)对中国水利国有资产的现状、水利国有资产管理体制和运行机制存在的主要问题进行了研究，并提出了建立"分级管理、责权明确、监管有力、配置灵活"的新体制；建立授权经营、权责明确、补偿合理的准公益性水管单位国有资产管理体制与运营机制等方面的改革思路。韩洪云、赵连阁(2004)通过数学模型对灌区资产剩余控制权安排进行了研究并提出了相应的政策建议。认为用水者协会和供水组织的风险态度是决定灌区资产剩余控制权安排的主要因素，用水者协会和供水组织的灌区资产剩余控制权份额随其风险厌恶程度的提高而降低，灌区资产剩余控制权安排内在于水生产过程本身，是资产剩余控制权安排收益和成本对比的结果。只要灌区资产折旧对用水者协会的灌区维护努力水平和供水组织生产努力水平的敏感程度不为零，灌区资产的联合拥有是灌区资产剩余控制权安排的合理选择。建立经济自理灌区和用水者协会不应该是灌区管理体制改革的终极目标，解决灌区资产剩余控制权权属是灌区管理体制改革的核心。

六、建立在国内外研究现状基础上的几点结论

从现有的文献资料看，对农业水资源管理的研究广泛地涉及到

了水权、水权交易和水权市场、水价及农业水价、农业水资源管理组织、农户灌溉行为、农业水利基础设施等领域。这些研究与本书内容具有较高的相关性、互补性无疑对本书的研究具有很高的参考价值。从制度分析的角度看,本书将在他人研究的基础上实现以下四个方面的升华。

(一)从组织上升到制度

制度不仅是"游戏规则",它禁止、允许或要求某种明确的行动(黄祖辉、蒋文华等,2002);而且也涵盖了实施规则的组织,因为"一个组织所接受的外界给定的行为规则是另一组织的决定或传统的产物"(R·科斯、A·阿尔钦、D·诺思等,2002)。因此,农业水资源管理组织同样是重要的制度安排之一。没有对农业水资源管理组织安排及创新的研究,对农业水资源管理制度安排及创新的研究就是不完整的。组织安排作为制度安排的一项重要内容,不仅需要将对制度的研究具体化为对组织安排的研究,而且也同样需要将对组织安排的研究上升为对制度安排的研究。

(二)从行为上升到制度

农业水资源管理活动中,主体行为主要涉及到两类:第一类涉及到农户的灌溉技术选择行为及用水行为(目前的研究文献中较多地涉及到了该类农户行为);第二类则涉及到政府与供水者之间、供水者与用水农户之间甚至用水农户相互之间的交易行为。虽然两类行为的性质有根本性的区别,但我们都可将其纳入到农业水资源管理制度的非制度性环境因素之中,并通过制度环境与制度之间相互关系而将其纳入到制度分析范式之中,从而使得对行为的研究上升到对制度的研究。

(三)从集权上升到分权

传统的农业水资源管理体制是一种政府集权型的管理体制,农民用水户的广泛参与被排斥在这种管理体制之外,体制的僵化所导致的农业水资源管理系统运行的低效成为一种普遍现象。自 20 世纪 90 年代开始,世界上大多数国家特别是发展中国家都不同程度地进行了以农民用水户的参与为核心的灌溉管理体制的改革，这种改革实质上就是通过管理权从集权向分权的转化，以期实现农业水资源管理效率的提高。然而，农业水资源管理体制从集权向分权的上升不应是对传统管理体制的彻底否定，而应是一种辩证否定的制度变迁过程。

(四)从分散上升到系统

从系统的角度看，制度是一个系统，一个由相互关联的各种规则及相应的组织安排之间有序地耦合而形成的系统。作为一个系统，各种子制度只有在结构、功能、组成上相互配合，才能有效地实现制度的整体功能。相应地，农业水资源管理制度也是一个系统，一个包括农业水利基础设施投资及产权制度、农业水资源管理的组织制度、农业水资源配置制度在内的制度系统(详细分析见第二章)，本书的研究目的就是在现有的、与农业水资源管理制度有关的分散(甚至是"无意识"的)研究的基础上，对农业水资源管理制度进行较为综合的、系统性的研究。

第三节　研究的内容

一、研究的基本假设

(一)有限理性

理性可以分为完全理性、有限理性和直觉理性三个层次。完全理性是一种最强形式的理性。按照这种理性假定，决策者总是用敏锐的目光，对面前的一切深思熟虑。他知道可能选择的策略所导致的后果，起码也能给未来的可能状态确定一个联合概率分布。他协调了或者说权衡了一切互有冲突的局部价值，并把它们综合到单一的效用函数之中，按照对它们的偏好来排列所有未来可能状态的优劣次序。直觉理性是一种比较弱的、出于本能反应的理性(刘世锦，1993)。有限理性就是介于两者之间的一种中等程度的理性，正如西蒙(1961)所说，"有限理性就是在主观上追求理性，但只能在有限程度上做到这一点"(埃瑞克·G·菲吕博顿、鲁道夫·瑞切特，2002)。

有限理性产生于两方面原因：第一，环境的复杂性和不确定性。在交易过程中，由于参与者往往数量众多，同一项交易很少重复进行，所以人们面临的是一个复杂的、不确定的世界，而且交易者数量越多，不确定性越强，信息也就越不完全；第二，人类自身理性能力的限制。这种限制可归结于神经生理和语言两个方面。神经生理限制表现在个人准确无误地接受、储存、传递、处理信息的能力在水平和储量上所受到的限制。语言限制表现为个人无力运用文字、数字和几何图形使他人完全理解其知识和情感，不管人们如何努力，都可能是言不及义，从而不得不借助于其他方法，如表演、边干边学等，以达到使对方理解的目的(Williamson，1975)。需要注意的是，只有当复杂性、不确定性的环境与受限制的人类自身理性能力相结合时，有限理性的假设才有意义。如果人的理性是完全的，那么不论遇到多少复杂和不确定的问题，他们都足以应付自如。另一方面，如果给定一个非常简单的经济环境，交易者也不会感到理性能力的不足。只有当交易在具有相当程度复杂性和不确定性的环境内进行，而交易者的理性能力又受到局限时，理性边界的限制才能被实际地感受到，才会出现有限理性的问题(刘世锦，1993)。

(二)追求自身效用的最大化

尽管最大化假设是新古典经济学中经济人完全理性假设的合理推论，但在有限理性的假设之下，本文仍接受追求自身效用最大化这一人类行为假设。这是因为：第一，最大化行为假设是经济活动者理性(无论是完全理性还是有限理性)假设的合理推论；第二，与完全理性的经济人假设相比，在有限理性假设下的经济活动者追求自身利润的最大化要付出一定的成本(如信息成本、寻找成本等)，即有条件的最大化。

(三)机会主义行为倾向

按照威廉姆森的定义，所谓机会主义，是指"欺骗性地追求自利，这包括——但不仅仅限于——比较明显的形式，如说谎、盗窃和欺骗。机会主义更多地涉及复杂的欺诈形式，包括主动的和被动的形式，包括事前的和事后的形式"，"更一般地，机会主义指不完全的或扭曲的信息揭示，尤其是有目的的误导、掩盖、迷惑或混淆"(埃瑞克·G·菲吕博顿、鲁道夫·瑞切特，2002)，机会主义行为倾向的本质是指人们借助于不正当手段谋取自身利益的行为倾向。

二、研究的基本内容

本书是在水资源日益短缺、农业水资源管理制度(或者说体制)改革实践日益勃兴、新制度经济学理论体系日益发展的背景下，在对他人研究的全面回顾和评述的基础上进行的。本书不仅具有现实的针对性、理论的基础性和指导性，而且选择了农业水资源管理制度这一他人尚未系统和深入研究的空间，从而在一定程度上弥补了农业水资源研究领域中的制度研究空白。总的来讲，全书研究的基本内容由三大块组成：农业水资源管理制度研究的理论框架；中国农业水资源管理制度透视；中国农业水资源管理制度创新构想。具体来讲，全书内容分为八章，各章内容及各章之间的逻辑关系(由图 1-1 表示)如下。

第一章为"导论"。该章在阐述了本书的现实意义和理论意义的同时，分别从水权、水价及农业水价、农业水资源管理组织、农户的灌溉行为、农业水利基础设施等五个方面对农业水资源管理问题的研究现状进行了综述，并对本书研究的内容、方法及理论基础、创新和不足之处进行了阐述。

第二章为"农业水资源管理制度研究的理论框架"。该章由两部分内容构成：其一，新制度经济学基本理论。新制度经济学文献内容庞杂且迅速膨胀，本章所要做的是从产权理论、交易成本理论、制度及制度创新理论三个最基本的方面对新制度经济学文献资料加以梳理。产权是新制度经济学中的一个基础性概念和基本分析工具，本书主要从产权的含义、分类、产权治理结构的变迁等方面对产权理论加以综述；新制度经济学继承了康芒斯的理论传统，视交易为经济分析的基本单位，作为新制度经济学的另一个基础性概念与分析工具，交易成本有着多种解释，却又一直未得到科学的界定。本书在他人研究的基础上，对交易成本的概念进行了概括性的界定。同时对交易成本与合约之间的关系进行了简要阐述；在对相关文献资料综述的基础上提出了制度环境的概念，并从制度与其环境之间矛盾运动的角度阐释了制度创新过程。其二，构建农业水资源管理制度范畴。"农业水资源管理制度"是本书的核心范畴，根据相关的制度理论，结合管理学、农业经济学、农学等学科的相关基本理论构建了农业水资源管理制度范畴，本书认为：农业水资源管理制度是由农业水利基础设施投资及产权制度、农业水资源管理组织制度和农业水资源配置制度构成的制度体系。

第三章为"中国农业水资源管理制度演进及现状的实证研究"。该章分别对中国农业水利基础设施投资制度、中国农业水资源管理组织制度、中国农业水资源配置制度的演进及现状进行了实证研究。其结论是：农业水利基础设施投资主体单一、产权安排具有公有性；农业水资源管理组织性质模糊(具体指灌区水管组织的性质模糊)，具有行政代理性、科层性及农民参与的不完善性等特征；农业水权交易制度不完善、农业水价制度具有行政性、农业水费管理制度不规范。

第四章为"中国农业水资源管理制度的环境因素分析"。该章从制度性环境和非制度性环境两个方面对中国农业水资源管理制度的环境因素进行了详细分析。其中，"农业水资源管理制度"的制度性环境因素主要涉及相关法律制度、社会主义市场经济制度、农业经营制度、农地产权制度及相关的非正式制度等；"农业水资源管理制度"的非制度性环境因素主要涉及到农户、农村基层管理组织、政府、农业水利基础设施、农业水资源等。

第五章为"中国现行农业水资源管理制度安排的透视"。该章分别对农业水利基础设施投资及产权制度、农业水资源管理组织制度、农业水资源配置制度中的缺陷进行了透视。现行农业水资源管理制度中的缺陷集中表现在：农业水利基础设施投资主体的单一性及产权安排的公有性，农业水资源管理组织性质上的模糊性、主体上的行政代理性和结构上的科层性，农业水权交易制度的不完善性、农业水价制度安排的行政性、农业水费制度安排的非规范性，农业水资源管理制度与其环境之间的冲突导致了农业水资源管理制度运行中高的交易成本。

　　第六章为"中国农业水资源管理制度创新的国际参照"。进入 21 世纪，水资源短缺的危机是人类共同面对的重大挑战之一，水资源问题正越来越多地引起世界各国的日益关注和重视，无论是发达国家还是发展中国家，都在采取各种措施来解决越来越严重的水问题。由于农业用水在水资源用量中占有极高的比重，世界各国都不约而同地把关注的目光投向了农业用水领域，近些年来，世界上大多数国家(无论是发达国家还是发展中国家)所进行的农业水资源管理制度上的改革或者说创新就充分说明了这一点。对外开放的加深和扩展特别是加入 WTO，不仅使中国农业水资源管理制度能从世界上其他国家农业水资源管理制度的变迁中汲取经验和教训，对中国农业水资源管理制度的创新产生"制度移植"效应，而且中国农业水资源管理制度的创新性安排也必将为中国农业发展与世界农业发展的同步启开制度之门。另一方面，根据制度经济学的有关理论，制度变迁中存在着报酬递增和自我强化的机制，这种机制使制度变迁一旦走上了某一路径，它的既定方向会在以后的发展中得到自我强化而难以扭转，即形成所谓的"路径依赖"，目前中国农业水资源管理制度运行中仍保留了传统计划经济体制时代的一些特征，加之中国水利体制改革滞后并在很大程度上游离于经济体制改革之外，使得这种"路径依赖"性更强，正如著名经济学家诺思所说，要摆脱"路径依赖"，要扭转既有的方向，往往要借助外部效应，引入外生变量。因此，借鉴世界上其他国家成功的经验、汲取其失败的教训无疑是中国农业水资源管理制度取得成功的重要制度条件之一。因此，"中国农业水资源管理制度创新的国际参照"一章主要分析了国外农业水资源管理制度运行状况，旨在为中国农业水资源管理制度的创新进一步提供佐证资料和有益的启示。

第七章为"中国农业水资源管理制度创新构想"。中国农业水资源管理制度形成于传统的计划经济时代，发展于中国由计划经济向市场经济过渡的转型时期。虽然中国现行农业水资源管理制度在动员大规模人力、物力、财力进行农业水利基础设施建设从而形成农业水利物质基础方面曾发挥过巨大的作用，但这种带有明显计划经济体制痕迹的初始制度安排却明显滞后于其环境的变迁，使得农业水资源管理制度本身的缺陷在其新的环境中日益凸现，进而加剧了农业水资源管理制度与其环境的冲突。中国农业水资源管理制度本身的缺陷、农业水资源管理制度与其环境之间的冲突，作为农业水资源管理制度运行中内部矛盾和外部矛盾的表现，必将产生对现行制度安排的否定，使制度创新成为必要和必然。中国农业水资源管理制度创新构想具体包括：构建多元化投资进而多元化的大中型农业水利基础设施产权制度和以联合农户为基础的小型农业水利基础设施私人产权制度；构建以"政府主体＋大中型灌区农业水利基础设施企业＋WUA"为主要内容的农业水资源管理组织制度；构建可交易的农业水权制度、科学的农业水价制度和规范的农业水费管理制度。该章同时还对农业水资源管理制度创新的效益和成本进行了简要分析。

第八章为"总结性结论与政策启示"。农业水资源管理制度就是由农业水利基础设施投资及产权制度、农业水资源管理组织制度、农业水资源配置制度(农业水权制度、农业水价制度、农业水费管理制度)构成的制度体系。在交易者有限理性、交易者追求自身利益最大化和机会主义行为的假设下，以新制度经济学的基本理论以及其他相关理论为基础，对中国农业水资源管理制度的演进及现状进行了实证研究、对中国农业水资源管理制度的外部环境(包括制度性环境和非制度性环境)进行了规范性分析、对中国现行农业水资源管理制度的缺陷进行了较为深入的透视，并在对国外农业水资源管理制度运行中的经验和问题分析的基础上，本书提出了中国农业水资源管理制度安排的创新性构想。该章对全书研究做了概括性的总结，并得出了相应的政策启示：中国农业水资源管理制度必须实现创新性安排；完善中国农业水资源管理制度的外部环境；强化政府对农业水资源管理制度创新的支持、引导和协调。

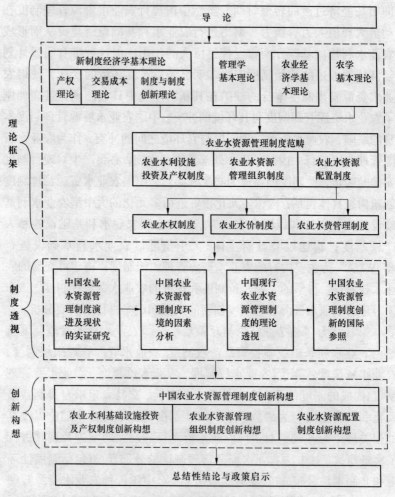

图 1-1　全书各章之间的逻辑关系示意图

第四节 研究的方法及理论基础

一、研究的方法

本书在研究中分别运用了归纳、演绎、实证、规范等方法，这些方法的运用集中体现了以下两个特点。

(一)演绎与归纳相统一

演绎法的特点就是在已知的理论前提下推导出新的认识或理论。该研究方法有两个基本特点：第一，提出理论假设。由于研究对象的复杂性，经济学研究往往不能像自然科学那样对研究对象加以人为控制，而只能在对经济现象观察的基础上，通过提出相应的理论假设对复杂的经济现象进行简单的抽象，以此把握事物的本质。第二，在理论假设的基础上建立理论模型。如本书对中国农业水资源管理制度创新的研究在很大程度上是一种理论上的探索或创新，其中所涉及到的许多新范畴、新理论都是通过演绎的方法而形成的。

另一方面，本书的研究又是建立在实践基础上的理论探索或创新，国内外实践为本书的研究提供了丰沃的土壤。归纳法作为通过事实归纳结论的研究方法之一，也同样为本书在研究中大量采用，如本书对中国农业水资源管理制度演进及现状的实证研究就典型地采用了归纳法，通过该法的运用，找出了中国现行农业水资源管理制度的基本特征，从而为后文进一步深入研究奠定了坚实的基础。

(二)实证分析与规范分析相统一

实证分析法事先不以一定的价值判断为出发点，其研究结果具有客观性，所要回答的问题是"是什么"。规范分析方法则以一定的价值判断为出发点，所要回答的问题是"应该是什么"。本书所进行的"中国农业水资源管理制度创新研究"，既分析了中国农业水资源管理制度演进的历史、现状及进一步创新的原因，又提出了中国农业水资源管理制度创新的构想，研究对象不仅涉及到了"是什么"的问题，而且也涉及到了"为什么"的问题，同时还涉及到了"应该是什么"的问题，研究对象的这些特点使得本书在研究过程中相应采用了实证分析的方法和规范分析的方法，并使两种方法得到了较为有机的统一。

二、研究的理论基础

(一)新制度经济学理论

在研究过程中，本书是以产权理论、交易成本理论、制度及制度创新理论等新制度经济学中三个最主要的也是最基本的组成部分(详细内容见本书的第二章)作为理论分析基础的。

(二)其他相关的理论

尽管本书主要以新制度经济学为理论基础，但在研究过程中还不同程度地运用了以下几个方面的理论。第一，新古典经济学基本理论。新制度经济学是对新古典经济学的扬弃，本书虽然以新制度经济学为理论基础，但并不排斥新古典经济学方法的运用。如本书对农户的生产用水行为研究就运用到了新古典经济学的分析方法。第二，农业经济学基本理论。作为对农业水资源管理制度安排问题的研究，本书与农业经济中的一些基本问题不无关联。因此，本书涉及到了农业经济学基本原理的运用，如本书对农业水资源管理制度环境的分析中涉及到了农业经济学中的一些基本理论。第三，博弈论基本理论。博弈论在经济学理论和应用领域的"嵌入"成为现代经济学最新发展中又一个显著特点。实际上，只要经济主体之间存在着互动关系，博弈论就有应用的空间。第四，公共经济学基本理论。本书不仅涉及到农户行为，而且也涉及到政府行为；不仅涉及到私人物品的分析，也涉及到准公共物品(如农业水利基础设施)的分析。因此，本书也涉及到了部分公共经济学理论的应用。除了以上基本理论外，本书还运用到了委托-代理理论、高等数学、统计学等学科中的一些基本理论。

第五节 研究的创新及不足之处

一、本书创新之处

第一，以新制度经济学的基本理论为基础，运用制度分析方法对中国农业水资源管理制度进行较为全面和系统的理论透视，不仅是本书的一大特色，更是本书在研究方法上的一种创新。

第二，本书在对相关文献综述的基础上重新界定了制度的概念，从管理学的角度重新界定了制度环境的概念，并从制度的内在矛盾及制度与其环境之间的外在矛盾运动的角度对制度创新理论进行了新的阐释和证明，得出了制度创新就是制度均衡态的辩证否定的过程这一结论(详见第二章)。

第三，本书以新制度经济学、管理学、农业经济学以及农学等学科的基本理论为基础，从系统的角度对"农业水资源管理制度"这一全书的核心概念进行了科学的和较为全面的定义，认为农业水资源管理制度是包括农业水利基础设施投资及产权制度、农业水资源管理组织制度和农业水资源配置制度在内的制度体系(详见第二章)。

第四，本书对"农业水资源管理制度环境"这一重点概念进行了科学的和较为全面的定义和分类，认为农业水资源管理制度环境是指与农业水资源管理制度相互联系、相互作用的所有外部因素的集合。农业水资源管理制度环境从其是否具有"规则性"特征为标准可分为制度性环境与非制度性环境两类：所谓制度性环境是指在农业水资源管理制度环境的构成因素中，那些具有"规则性"特征的因素组成的集合，主要包括相关法律规则，与农业水资源管理制度相互联系、相互作用的其他正式规则，非正式规则等内容；所谓非制度性环境是指在农业水资源管理制度环境的构成因素中，那些不具有"规则性"特征的因素组成的集合，主要包括农户、农村基层组织、政府、农业水利基础设施、农业水资源等因素(详见第四章)。

　　第五，本书在对中国农业水资源管理制度环境因素分析、对中国现行农业水资源管理制度透视以及对国外农业水资源管理制度借鉴的基础上，对中国农业水资源管理制度的创新性安排进行了构想：第一，构建多元化投资进而多元化的大中型农业水利基础设施产权制度，构建小型农业水利基础设施以联合农户投资为基础的私人产权制度。第二，构建以"政府主体+大中型农业水利基础设施企业+WUA"为主要内容的农业水资源管理组织制度。第三，构建可交易的农业水权制度、科学的农业水价制度和规范的农业水费管理制度。这些创新构想的有机结合便形成了"三元农业水资源管理制度"理论(详见第七章)。

二、本书的不足之处

　　由于目前基于制度分析的视角对中国农业水资源管理问题所进行的系统性研究尚比较"稀缺"，本人在研究过程中不仅花费了大量精力查阅国内相关方面的研究文献，而且还花费了相当精力查阅国外的相关文献资料，尽管如此，仍觉占有资料不够全面和充分，加之时间有限，本书至多只能算是提供了一个建设性的研究框架，无论是中国农业水资源管理制度的环境因素分析，还是中国农业水资源管理制度本身的透视；无论是国外经验的借鉴，还是中国农业水资源管理制度的创新设计，都有待作进一步的深入研究。

　　从研究方法上看，由于中国农业水资源领域的改革较为滞后，相关方面的数据资料较难收集，所以本书在研究中大量地进行了规范性分析，但实证分析的力度尚显不够，书中所用的一些模型也较为简单，仅能用来表达相应的观点。

第二章　农业水资源
管理制度研究的理论框架

　　新古典经济学理论与现实世界存在着严重的背离，这种背离主要表现为新古典经济学理论关于完全理性、完全信息、完全竞争等"完全性"假设与现实世界的背离。例如，在现实世界中，受自身生理、心理、智力资源的限制，经济人的理性是有限的而非完全的。再如，由于理性是有限的，经济人既不可能完全了解和掌握某一时段上的所有信息，也不可能完全了解和掌握某一地域上的所有信息，更不可能完全了解和掌握所有时段、所有地域上的所有信息；不仅如此，作为一种稀缺资源，获取信息要付出代价，即信息成本。新古典经济学的"完全性"假设与现实世界的严重背离在很大程度上弱化了其自身理论体系对现实世界的解释力和透视力。

　　经济活动者的有限理性、信息的不完全性使机会主义行为倾向不可避免，而机会主义行为倾向又必然会增加交易的治理成本或者说交易成本(如签约和履约成本等)。交易成本的存在凸显了制度的重要性，因为合理的制度安排可以降低交易成本，进而提高资源的配置效率。因此，将制度引入经济学的研究范围以实现新古典经济学理论的"软着陆"——新古典经济学向新制度经济学的变迁——便是一种逻辑的必然。需要注意的是，一方面，新制度经济学(New Institutional Economics, 简称 NIE)是以科斯、诺思、威廉姆森等人为代表的、内容广泛的理论体系。本章仅就其中的产权理论、交易成本理论、制度及制度创新理论等最主要的也是最基本的理论内容进行综述。另一方面，本章在对新制度经济学的这三个基本理论综述的基础上，结合管理学、农业经济学、农学等学科的基本理论来构建"农业水资源管理制度"范畴，并同时将这一范畴与产权理论、交易成本理论、制度及制度创新理论统一纳入农业水资源管理制度研究的理论框架之中。本章内容的具体安排是：产权理论、交易成本理论、制度及制度创新理论、农业水资源管理制度范畴的形成、简要结论。

第一节 产权理论

一、产权概念的界定

"'产权'这一概念常令经济学家莫测高深，甚至时而不知所云，似乎对这一概念的解释非法学家莫属。但'天下英雄，舍我其谁'的习气又使经济学家们欲罢不能，而提出自己的见解。这两类学者对产权的内涵各取所需，却能各得其所。若当时经济学家能另造一名词，与法学概念划清界线，局面当不致如此混乱；但这是费力不讨好的事情，故时至今日，仍沿用旧词"([美] Y·巴泽尔，2003)。产权概念上的混乱情况，由此可见一斑。但总的来看，各种产权观可概化为两大类：一是马克思的产权观；二是西方学者的产权观。

(一)马克思的产权观

严格来讲，马克思并未明确提出产权这一制度经济学范畴，马克思的产权观实际上指的是马克思的所有权观，主要包括三方面内容：第一，马克思考察的是19世纪之前的资本主义私人所有权的运动，因此马克思关于所有权的理论，首要的是以私人所有权为核心内容，而且这种私人所有权既是一种运动于市场机制中的可交易的法权，又是一种作为资本的属性和资本的权利。第二，马克思区分了所有制与所有权，并把对所有权的解释建立在对所有制的系统分析基础之上。马克思特别指出，所有制是一个事实，是一种经济存在，而所有权作为一种权利属于上层建筑范畴，是一法律范畴。因此，严格地说，所有权概念是所有制这一经济基础在法律范畴上的表现。第三，马克思曾从使用价值形态和价值形态两方面考察过所有权的权能结构。从使用价值形态上，马克思以前资本主义社会最基本的生产资料土地为考察对象，指出对土地的所有权包括所有、占有、支配和使用诸方面的权利。显然，这是把所有权理解为所有(狭义的)、占有、支配和使用四方面的权利(刘伟、李风圣，1997)。

(二)西方学者的产权观

20世纪30年代，科斯的产权理论的提出，逐渐引起人们对产权问题的重新关注和研究，特别是20世纪70年代之后，这种关注和研究越来越普遍。从现有的文献资料看，西方学者关于产权概念的观点可归纳为以下三类。

1. 产权"权利观"。该种观点认为产权是一种权利，这种权利主要包括所有权、行为权和人权三种。第一，产权是所有权。如Pejovich(1990)认为产权是所有权，而所有权又可分解为使用权、收益权、处置权和交易权等四方面的权利。第二，产权是行为权，即产权是比所有权外延更广的一种行为权利。德姆塞茨认为"产权所有者拥有他的同事同意他以特定方式行事的权利"，或者说"产权包括自己或其他人受益或受损的权利"(R·科斯、A·阿尔钦、D·诺思等，2002)，R·科斯也曾指出"人们通常认为，商人得到和利用的是实物(一亩土地或一吨化肥)，而不是行使一定行为的权利。但这是一个错误的概念。我们会说某人拥有土地，但土地所有者实际上拥有的是实施一定行为的权利"(盛洪，2003)。产权作为行为权利，是其主体以其拥有的财产去行使的行为权利，而且这种行为权利是与财产相联系的"权利束"。在科斯著名的"走失的牛群损害庄稼"的案例中，使农场主受益或受损的权利包括这样两方面含义：一方面，农场主有使用自己的土地生产庄稼并从中受益的权利，有偿或无偿(要看法律对权利的初始界定)接受养牛人的放牧行为损害的权利，这种行为权利显然包含了农场主对其财产(土地)的使用权和从其财产(庄稼)中的收益权，同时也反映了养牛人对其财产(牧场和牛群)的使用(在其牧场中放牧牛群)权和收益(从放牧中所获收益)权，对养牛人来讲，道理完全一样。另一方面，在受益或受损的初始权利界定之后，交易就会在农场主和养牛人之间发生，他们中的一方必然会调整自己的行为：继续经营还是把资源移作他用。行为调整取决于双方对净收益的权衡，若将资源移作他用的净收益超过继续经营的净收益，资源将会被移作他用，否则将会继续其原有的经营行为。可见，行为权力中也包含了财产或资源的处置权。因此，产权作为行为权，在行使过程中又体现为由使用权、收益权和处置权组成的"权利束"。Louis De Alessi 也从相近的意义上对产权下了定义，即"产权是人们拥有的对资源的用途、收入和可让渡性的权利"(埃瑞克·G·菲吕博顿、鲁道夫·瑞切特，2002)。作为行为权利，产权还是受限制的行为权利，即"产权安排实际上规定了人在与他人的相互交往中必须遵守的与物有关的行为规范，违背这种行为规范的人必须为此付出代价"(Eirik G. Furubotn 和 Rudolf Richter, 2002)。第三，产权是人权，即产权与人权是统一的。巴泽尔(2003)认为，人权只不过是人的产权权利的一部分。Alchian A.A. 和 Allen W.R.(1977)则进一步指出："试图比较人权与产权的做法是错误的。产权是使用经济物品的人权。试图区分使用财产权的人权和公民权的不同同样是误入歧途了，公民权并不与使用物品的人权相冲突"。显然，这里不是一般地把产权作为人对物的权利，甚至不是一般地把产权作为经济性质的权利，而是作为与人权密不可分的，甚至作为人权核心基础内容的权利。

2. 产权"制度观"。这种观点认为产权是一系列保障人们对其财产的排他性权威的规则。例如阿尔钦就明确指出：产权是授予特别个人某种权威的方法，利用这种权威，可从不被禁止的使用方式中，选择任意一种对特定物品的使用方式(Alchian, 1977)。显然，这里不仅是把产权作为一种权利，而且更强调产权作为一种制度规则，是形成并确认人们对资产权利的方式。阿尔钦特别分析了作为人们对资产权威方式的产权的形成，考察了这种产权发生的两条基本途径，即一方面产权是在国家强制实施下，保障人们对资产拥有权威的制度形式；另一方面，产权是通过市场竞争形成的人们对资产能够拥有权威的社会强制机制。由此来定义产权，可以将产权理解为由政府强制和市场强制所形成的两方面相互统一的权利。阿尔钦所说的这种产权定义，在当代西方产权理论研究中，被称为阿尔钦"产权范式"(Alchian A. A, 1974，转引自刘伟、李风圣(1997))。

3. 产权"功能观"。这种观点认为，产权只能就其所具有的某种功能具体地加以定义，脱离对其功能的分析而抽象地定义产权缺乏解释力。持这种观点的代表人物之一是德姆塞茨，德姆塞茨曾指出"产权是一种社会工具，其重要性在于事实上它能帮助一个人形成他与其他人进行交易的合理预期"；"产权的一个主要功能是引导人们实现将外部性较大地内在化的激励"(R·科斯、A·阿尔钦、D·诺思等，2002)。在这里，德姆塞茨显然是根据产权所具有的功能(外在性内在化、交易的合理预期等)来给产权下定义的。

(三)本书关于产权概念的界定：一个综合

综合以上各种观点可以看出，马克思的产权观基本上是一种所有权观，而西方学者关于产权的界定总的来讲可以归纳为以下三点：第一，产权是一种权利。这种权利从性质上看，既可以是所有权，也可以是比所有权的外延更广的行为权，甚至可以是人权；从内容上看，产权是一种包括使用权、收益权和处置权等多种权利在内的权利束；从行使程度上看，产权是一种其行使受到限制的权利。第二，产权是一种规则或者说是一种制度。第三，无论作为一种权利还是作为一种规则，产权都是一定功能的结合体，即产权的行使客观上会发挥一定的功能。

无论是马克思还是西方学者，在对产权概念的界定时都涉及到了所有权的概念。其实，产权与所有权这两个概念是密不可分的。一方面，所有权是产权的前提和基础。没有对财产或资源的所有权，实施一定行为的权利从而使经济主体受益或受损的权利便失去了前提和基础，因此，"无论在逻辑上还是在历史上，产权问题都不能不以所有权为前提"(段毅才，1992)。另一方面，产权是对所有权的完善。在交易过程中，当交易双方各自在其所有权范围内行事时，由于两个所有权范围可能存在相互交叉，各自的界线模糊不定，导致双方的收益不定甚至造成一方对另一方的损害。面对这种所有权失效和不确定性，产权能够有效地界定各自的行动范围，规定所有权主体是否有权利用自己的财产去损害他人(韩洪云、赵连阁，2001)。基于上述的分析，本书认为将马克思的产权观与西方学者的产权观加以融合而形成一种更为全面的产权范畴是必要的，同时考虑到人权这一概念通常是社会学和政治学而非经济学意义上的概念，本书所界定的产权概念将不包括人权这一内涵。

本书对产权概念的界定是：产权是包括所有权(狭义的)在内、并以所有权为前提和基础的，可以分解为使用权、收益权和处置权或交易权等权能的"权利束"；是约束和规范人们建立在财产基础上的行为的规则；其核心是建立物的基础上的人与人之间的利益关系。

二、产权的类型

按本书对产权概念所做的界定，产权既是一种权利，又是一种规则。作为一种权利，产权概念则体现着以下三方面最基本的关系：产权主体对产权客体的占有或者所有关系、产权主体在产权交易中的受益关系、产权主体对产权客体支配和处置的权利关系。这三种不同的关系被赋予不同的产权主体就会形成不同类型的产权。

(一)私人产权

私人产权是指产权概念所体现的三方面最基本的关系被赋予自然人个人时的产权状态，即财产的归属主体、财产交易的受益主体及财产支配和处置的主体均属某一自然人个人时的产权。私人产权具有以下三方面特征：第一，产权边界的明晰性。在私人产权的条件下，产权主体与产权客体之间具有完整的对应关系，即产权主体对其财产拥有的完整的"权利束"，产权客体则完全由其主体施加"权利束"影响。第二，产权行使的排他性。在私人产权的条件下，产权主体对其财产所具有的明晰的产权边界使得产权人在行使权利的过程中所采取的任何行为都不可能对其他人的产权状况产生影响，而其他任何人没有经过该产权人的许可或给予其相应的补偿都无权对该产权人的财产施加任何影响。第三，资源配置的高效性。在私人产权条件下，由于产权边界明晰，市场交易中的摩擦就会减少，交易成本就会降低，从而资源配置的效率就会提高。

(二)企业法人产权

企业法人产权是指产权概念所体现的三方面最基本的关系被赋予企业法人实体时的产权状态，即财产的归属主体、财产交易的受益主体及财产支配和处置的主体均属某一企业法人时的产权。企业法人产权(作为公司的法人)具有以下几个方面的主要特征：第一，产权结构的多元化。或者通俗地讲，产权结构的多元化就是指投资主体的多元化。第二，责权的有限性。责权的有限性包括责任和权利的有限性两个方面。有限责任是指公司出资人以其全部出资额为限对公司治理承担有限责任。这种有限责任和有限权利是对称的，出资人同样以其全部出资额为限享有有限权利。第三，公司治理的法人性。是指公司作为一个法人，能够独立对外承担民事权利和民事义务。现代企业制度与传统企业制度的根本不同点就在于现代企业制度中的产权关系表现为出资人财产和法人财产的分离从而出资人所有权与法人财产权的分离(魏杰、侯孝国，1998)。

(三)公有产权

公有产权是指产权概念所体现的三方面最基本的关系被赋予国家或具有集体性质的某一组织时的产权状态，即财产的归属主体、财产交易的受益主体及财产支配和处置的主体均属国家或者具有集体性质的某一组织时的产权。因此，公有产权又可分为国有产权和集体产权两种。

1. 国有产权是指产权概念所体现的三方面最基本的关系被赋予国家时的产权状态，具有以下两方面的基本特征：第一，产权主体的行政代理性。从理论上讲，国有产权的主体属于"全民"，但由于"全民"这一主体的抽象性，国有产权的实际主体和行使主体便现实地落在了政府身上，即国有产权以政府为实际产权主体。国有产权的这种内在特性决定了国有产权主体之间明显的行政代理特性。第二，剩余索取权的凝固性。在国有产权制度安排下，除政府之外，其他任何主体均无资格行使对国有资产的剩余索取权。这样，国有产权就明显地缺乏流动性。

2. 集体产权是指产权概念所体现的三方面最基本的关系被赋予具有集体性质的某一组织时的产权状态，集体产权具有社团产权的属性，即产权属于各个成员的社团而不属于该社团中的各个成员(苑鹏，2000)。集体产权的社团产权属性又决定了这种产权安排具有产权对外的排他性和对内的非排他性并存、产权的不可分割性、产权转让的限制性、消费上的非竞争性等几个方面的主要特征。

三、产权安排的效率与治理结构变迁

(一)产权安排的效率

在产权得到有效保护的前提下，产权安排包括两个方面：产权的清晰程度和产权的流动性。产权的清晰程度指的是产权的归属状况，即产权是属于国家、集体还是个人。而产权的流动性则描述了各产权主体的竞争状况，它主要体现在产权是否可以自由流通上(谭劲松、郑国坚，2004)，因为任何一个理性的投资者，其在资本市场上的行为都是为了自身利益的最大化，产权持有者必然会在产权高回报原则的作用下，调整自己所拥有的产权投向，决不会把自己所拥有的产权固定于某个企业之中。产权的顺畅流动性就成了现代产权制度的内在要求(魏杰，1999)。作为产权安排的理想状态(产权的明确界定和自由流动)，至少可实现以下两方面的效率。

1. 激励约束效率。第一，交易本质上是产权的交易，而产权交易不可避免会涉及到交易者之间利益的再分配。若产权明晰，交易者的利益边界就会明确，其利益就会得到有效的保护，从而对交易者从事经济活动产生内在激励；反之，若产权模糊，交易者的利益边界就不会明确，其利益就难以得到有效保护，交易者就会失去从事经济活动的内在激励。第二，产权是利益和责任的统一体，产权不仅具有利益上的激励功能，而且也有责任上的约束功能。即明晰的产权界定不仅明确了交易者的利益边界，而且也明确了交易者的责任边界，从而使交易者明确应该和不应该做什么以及做了不应做的所要付出的代价。这样，交易者就会产生一种内在的自我约束，而且这种约束效率的高低也同样取决于产权明晰度的高低。

2. 资源配置效率。产权的明确界定和自由转让可以使产权主体在产权界定的范围内充分行使自己作为产权主体的权利(如处置权、收益权等)，从而使资源用于最佳用途以获得最大利益。或者说，在竞争性产权交易中，交易的均衡意味着：一方面，资源产权的出让方所接受的只是那些效率最高的资源需求者为获得稀缺资源而支付最高的价格，资源产权的出让方由此获得了最大收益；另一方面，效率最高的资源需求者在交易中获得了对稀缺资源占有和使用的优先权，从而使稀缺资源流向效率最高的产权主体手中。

(二)产权治理结构的变迁

产权的明确界定和自由流动所产生的激励约束效率、资源配置效率决定了产权主体行使其产权的激励和能力。但在实践中，由于产权安排两个方面的不同发展状况，可能导致其治理结构沿着产权安排较为可行的方向变迁。如图 2-1 所示，治理机制 1 无疑是最无效率的初始治理模式，而治理机制 4 显然是企业改革的最终目标所在，在可能的改革路径中，我国的企业改革基本上是沿着产权清晰的发展方向进行，即改革路径Ⅰ(谭劲松、郑国坚，2004)。

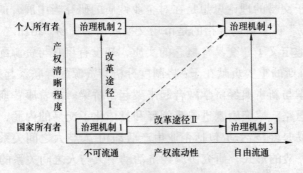

图 2-1　产权安排与治理结构变迁

第二节　交易成本理论

一、关于交易

在古典和新古典经济学中，交易是指物品之间的交换。交易概念的一般化始于近代制度经济学的代表人物之一康芒斯的研究。康芒斯认为，交易"不是实际'交货'那种意义上'物品的交换'，它们是个人与个人之间对物质的东西未来所有权的让渡和取得，一切取决于社会集体的业务规则。因此，这些权利的转移，必然按照社会的业务规则先在有关方面之间谈判，然后劳动者才能生产，或者消费者才能消费，或者商品才会实际给其他的人"。康芒斯还将交易分成三种基本类型：买卖的交易，是指法律上地位平等的人与人之间的交易，主要表现为市场上人们之间的商品买卖关系；管理的交易，是指上下级之间命令与服从的关系，"在管理的交易里，上级是一个人或是一种少数人的特权组织，发号施令，下级必须服从，例如工头对工人、或州长对公民、或者管理人对被管理的人"；限额的交易，也是一种上级对下级的关系，不过"在限额的交易里，上级是一个集体的上级或者它的正式代表人"(康芒斯，1997)，如法院、政府等，因此，限额的交易主要表现为政府与个人之间的关系。科斯关于交易的理论思想是在对企业性质的研究当中展开的，科斯的"交易"在多数场合指的是市场交换或市场交易。相比之下，康芒斯准确地定义了"交易"概念的实质，却没有将它与资源配置联系起来；科斯的重要贡献在于：将制度分析与资源配置联系起来、将制度经济学与新古典经济学融合起来架起了桥梁。沿着康芒斯、科斯的理论思路，威廉姆森进一步阐释和具体化了交易的内涵，同样认为，交易是经济活动(包括企业生产活动)中人与人之间关系的最为基本和一般的形式，研究协调经济活动中人与人之间关系的组织制度，必然从逻辑上要求把交易作为分析的基本单位。威廉姆森还从三个维度分析了交易的特性：资产专用性——为支持某项特殊交易而进行的耐久性投资，如果初始交易夭折，该投资在另一最好用途上或由其他人使用时的机会成本要低得多；不确定性——包括Koopmans所说的初级不确定性(具有状态依赖特征)、次级不确定性(源于缺少沟通，即一个决策者没有办法知道其他决策者同时做出的决策和计划)及威廉姆森所说的行为上的不确定性(源于机会主义倾向或行为)[1]；交易的频率——并不影响交易成本的绝对强度，而只影响进行交易的各种方式的相对成本(费方域，1998)。

根据以上制度经济学家对"交易"的论述，本书将对"交易"范畴作以下概括和扩展：所谓交易就是指个人与个人之间、个人与组织之间以及组织与组织之间所发生的产权转让过程。从本质上看，交易是产权的交换；从形式上看，交易可分为买卖的交易、管理的交易和限额的交易三种。而关于交易形式的划分和界定，需要说明的是：尽管康芒斯将交易概括为买卖的交易、管理的交易和限额的交易三类是一大贡献，这种概括比较全面地反映个人与个人、上级与下级、政府与个人之间的交易关系，同时也可理解为从交易的角度比较全面地体现了市场手段(买卖的交易)与计划手段(限额的交易和管理的交易)配置资源的状况。但这种概括仍存在不足之处：一方面，康芒斯并未将同级行政组织(如政府)之间的交易概括在内，以我国的情况为例，在"分灶吃饭"的财政体制下，地方政府具有较大的相对独立性，同级地方政府之间的交易日趋增多，然而这种同级地方政府之间的交易却很难归入康芒斯所划分的三种交易类型中的某一种；另一方面，康芒斯并未明确将政府与作为微观经济主体的经济组织(如企业)之间的交易关系纳入"限额的交易"概念之中，而把"限额的交易"主要界定为政府与个人之间的交易关系。因此，有必要对康芒斯的分类作以下补充：第一，有必要将同级地

---

[1] 引自埃瑞克·G·菲吕博顿、鲁道夫·瑞切特编，孙经纬译，上海财经大学出版社2002年8月出版的《新制度经济学》一书，第74～75页。

方政府之间的交易归入"管理的交易"之中，这样本书中所说的管理的交易不仅是指上下级之间的交易，而且也指同级地方政府之间的交易；第二，有必要将政府与作为微观经济主体的经济组织(如企业)之间的交易关系纳入"限额的交易"概念之中，这样本书中所说的"限额的交易"不仅指政府与个人之间的交易，而且也指政府与作为微观经济主体的经济组织之间的交易关系。

二、关于交易成本

科斯在"企业的性质"一文中认为，企业的出现和存在是因为通过内化市场交易可以节约交易成本。但企业的规模又不能无限扩大，因为企业组织协调生产活动需要管理成本，而管理成本会随着企业规模的扩大而提高，当边际管理成本与边际交易成本相等时，企业和市场的规模就被界定下来。在这里科斯把交易成本看成了市场机制的运行成本，这种成本至少包括两方面的内容：发现相关价格的成本、谈判及履约成本。在科斯对交易成本进行了开创性的研究之后，其他学者也纷纷对该理论进行了较为深入的研究，其中较具代表性的有威廉姆森、马修斯等人。威廉姆森将交易成本分为事前交易成本(如为签订合约等所支付的费用)和事后交易成本(签订合约后为解决合约本身所存在的问题、从改变条款到退出合约所支付的费用)两个部分，并且较全面地探讨了影响或决定交易成本的因素：第一类因素主要涉及到有关市场的环境和交易的技术结构所具有的特点，包括资产专用性、不确定性和交易发生的频率；第二类因素是人的因素，即有限理性和机会主义倾向。马修斯认为，"交易成本包括事前为达成一项合同而发生的成本和事后为监督、贯彻实施该合同而发生的成本；它们区别于生产成本，即为执行合同本身而发生的成本"(盛洪，2003)。具体来讲，交易成本包括以下各项行为所引起的费用支出：搜寻有关价格分布、产品质量和劳动投入的信息，寻找潜在的买者和卖者，了解他们的行为和所处的环境；当价格可以商议时，为确定买者和卖者的真实要价而进行的讨价还价过程；起草、讨论、确定交易合同的过程；监督合同的签订者，了解他们是否遵守合同上的各个条款；当合同签订者不承担他们所承诺的义务时，强制执行合同；一旦这种违约行为对另一方造成损害，则受害方将提出起诉，要求赔偿；保护产权以防止第三者的侵犯。考特则将交易成本区分为广义的和狭义的两类。狭义上看，交易成本指的是完成一项市场交易所需花费的时间和精力；广义上看，交易成本指的是协商谈判和履行协议所需的全部资源，包括制定谈判策略所需信息的成本、谈判所花时间以及防止谈判各方欺骗行为的成本。肯尼斯·阿罗将交易成本简明定义为：交易成本是经济制度的运行费用，具体包括制度的确立或制定成本、制度的运转或实施成本、制度的监督或维护成本等(程恩富、胡乐明，2005)。

综上所述，所谓交易成本就是一切交易(包括个人与个人之间、个人与组织之间及组织与组织之间进行的交易)过程中产生的摩擦当量，这些成本支出或表现为有形的资源耗费，或表现为时间、精力的支出；从更为广义的角度看，交易成本也是制度的运行成本。

三、交易成本与合约

(一)交易成本与合约选择

合约(或称契约或称合同，本书在行文中统一用合约一词)选择在很大程度上取决于该合约形式是否最大限度地降低了交易成本，是交易过程中的当事人对其所面临的两种交易成本的权衡：一种是可见的或事前与事中的交易成本，如产权的界定费用、合约谈判和拟定等费用、相关的信息费用等，我们称之为合约费用(TC_1)；另一种是不可见的或事后的交易成本，主要是合约、产权保护及争议仲裁费用，这些费用与当事人的机会主义行为有关，我们称之为监督费用(TC_2)。一方面，当事人要确保交易效率，必须成功地防止对方的机会主义行为，这就要求交易各方把合约条款制定的极为详尽。然而，合约条款越完备，产生的合约费用也就越大，并且以递增的速度增大；另一方面，如果当事人不愿承担如此高昂的合约费用(实际上常常如此)，那么合约就不可能完备。对不完备合约来说，当事人之间就出现一个"公共领域"(巴泽尔)，以及相对应的机会主义行为。图 2-2 中，纵轴表示交易成本，横轴表示合约的完备程度，TC 曲线代表总交易成本，它是 TC_1 和 TC_2 的叠加。从该图可以看出，合约越完备，合约费用越高，且以递增速度上升；与此相对应，监督费用越低，且以递增的速度递减；反之则反。总费用曲线先降后升，在其拐点 E 处达到最小，即 E 点就代表了均衡的合约形式(杨瑞龙、周业安，1998)。

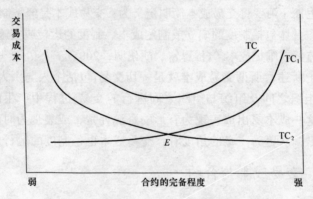

图 2-2　合约与交易成本的关系

(二)合约的种类与基本功能

　　总的来讲，合约可分为完全合约与不完全合约两类。第一，完全合约是一种理想的合约。其特点在于：它能够充分预见合约期间所有可能发生的对于缔约各方来说比较重要的相关事件，并且能够用明晰的语言准确地描述这些事件；它能够针对每一个可能的偶发事件规定缔约各方就这些与事件相适应的行为和支付达成一致意见；它能够使缔约各方愿意遵守签订的条款；它是可以强制执行的。第二，不完全合约。在实际交易中所制定和执行的合约往往是不完全的。也就是说，实际交易中所达成的合约一不能将未来可能发生的事件包罗无遗，二不能在所有这些事件出现时将缔约人必须采取的行动、应有的权利和应尽的责任包罗无遗，三不能用准确的语言在有限的条款中将这些内容描述得包罗无遗，四不能通过第三者如法院来将这些合约条款执行的包罗无遗。因此，合约总是有缺口的，总是需要不断加以协商和修正的(费方域，1998)。

合约的基本功能在于：通过对交易行为的协调和激励来降低交易成本。人们的经济活动从根本上说，都是借助合约(无论是完全合约还是不完全合约)进行协调和激励的。通过合约，交易各方做出在不同情况下做什么和不做什么的承诺，对未来的行为进行约束。通过合约，交易各方在相互兼顾的前提下以较低的交易成本实现自己的个人目的(费方域，1998)。或者说，合约形式选择目的就在于对复杂交易关系的治理，即通过产权界定、保护、流动及相应的秩序设计等来降低交易成本。一个合约安排必须减少以下三方面的成本：与产权转让有关的费用，如产权界定的费用、用于交易的产权选择费用等；与合约本身有关的费用，如在合约的谈判、拟定、执行及争议仲裁等环节中发生的费用；选择费用，选择费用实际上是一种信息成本(杨瑞龙、周业安，1998)。

(三)合约的重要实施机制：默认合约

在现实经济生活中，由于合约的不完全性，合约执行过程中出现争议不可避免。尽管不少合约行为的争端最后可能通过诉诸法院来解决，但大多数合约行为的争端往往是依赖习惯、诚信、信誉等因素的作用来解决，即合约各方可能是尽量依靠他们自己的力量与方式来解决合约的争端，而不是诉诸法律，这就产生了默认合约的概念。威廉姆森(1985)重点研究了默认合约自我实施机制问题，认为：法庭并不适合维护交易的长期性，法庭本身不可能是克服机会主义行为的唯一依靠，而且法庭也受机会主义行为(如律师)和有限理性(如法官)的影响，因此，如果可能，法庭秩序就会被私人秩序即合约双方自我实施协议所取代。在私人秩序中，事前达成的防范机会主义的保证措施起着关键作用。通过提供抵押、公开保证书，通过一体化治理，或者通过订立自我实施协议，承诺具备了可信性，可以保证合约得到实施。一般情况下，交易双方都了解那些强有力的法律范围以外的制裁措施，当基本的行为准则被违背时，这些强制措施就会生效(程恩富、胡乐明，2005)。

第三节　制度与制度创新理论

一、不同制度观的简要评述及制度概念的重新界定

(一)不同制度观的简要评述

目前，制度概念在理论界尚存分歧，为了准确把握这一概念，有必要对几种主要的"制度观"作简要的回顾和评述。康芒斯认为，制度就是"集体行动控制个体行动"，"集体行动的种类和范围甚广，从无组织的习俗到那许多有组织的所谓'运动中的机构'"(康芒斯，1997)。而对凡勃伦而言，制度仅是"一种自然习俗，由于被习惯化和被人广泛地接受，这种习俗已成为一种公理化和必不可少的东西"(张宇燕，1992)。诺思则认为"制度是一系列被制定出来的规则、守法程序和行为的道德伦理规范，它旨在约束追求主体福利或效用最大化的个人的行为"([美]道格拉斯·C·诺思，2002)。诺思意义上的制度大体上可划分为三种类型：宪法秩序、制度安排(是指"约定特定行为模式和关系的一套行为规则")和行为的伦理道德规范(杨瑞龙，2000)。T·W·舒尔茨将制度定义为"一种行为规则，这些规则涉及社会、政治及经济行为"，包括："用于降低交易费用的制度(如货币、期货市场)"；"用于影响生产要素所有者之间配置风险的制度(如合约、分成制、合作社、公司、保险、公共社会安全计划)"；"用于提供职能组合与个人收入流之间联系的制度(如财产，包括遗产法，资历和劳动者的其他权利)"；"用于确立公共产品和服务的生产与分配框架的制度(如高速公路、飞机场、学校和农业实验站)"([美]R·科斯、A·阿尔钦、D·诺思等，2002)。可见，T·W·舒尔茨把制度概念界定成了正式规则和

实施这些规则的组织机构的集合。V·W·拉担认为一种制度通常是"一套行为规则，它们被用于支配特定的行为模式与相互关系"，"制度的概念将包括组织的含义"，因为"一个组织所接受的外界给定的行为规则是另一组织的决定或传统的产物"([美]R·科斯、A·阿尔钦、D·诺思等，2002)。汪丁丁将"制度"界定为"人与人之间关系的某种'契约形式'或'契约关系'"，任意两人之间的某种契约关系可用如下方式描述：第一，"规则，或正式的规则"，包括："界定两人在分工中的'责任'的规则"；"界定每个人可以干什么和不可以干什么的规则"；"关于惩罚的规则"；"'度量衡'规则"。第二，"习惯，或非正式的规则"。张曙光认为，制度"既可以指具体的制度安排，即指某一特定类型活动和关系的行为准则，也可以是指一个社会中各种制度安排的总和，即'制度结构'"(盛洪，2003)。

(二)本书对制度概念的界定

综合上述各种"制度观"，在制度经济学理论体系中，制度概念主要有两种含义：一是"规则论"，即制度是游戏规则，它禁止、允许或要求某种明确的行动。不论是正式的还是非正式的，制度总是被一个共同体的成员所认同和遵循；二是"规则+组织"论，即制度不仅是一种游戏规则，而且也涵盖了实施规则的组织(杜威漩、黄祖辉，2004)。本书采纳第二种含义，即制度是规范人们行为的规则以及实施这种规则的组织机构。其中，作为制度内容的规则又包括正式规则和非正式规则两类。正式规则由法律规则(本书将诺思制度概念中的宪法规范与制度安排中的具体法律规范合称为法律规则)和具体的制度安排组成；非正式规则由习俗和礼仪、风俗习惯和意识形态等组成，其中意识形态处于核心地位。为了研究的方便和具体化，本书进一步将制度限定为"具体的制度安排+相应的组织机构"。与此相对应，本书将法律制度、非正式规则作为制度性环境加以界定(关于制度环境内容将在下一部分加以具体分析)。制度的范畴可用图 2-3 表示。

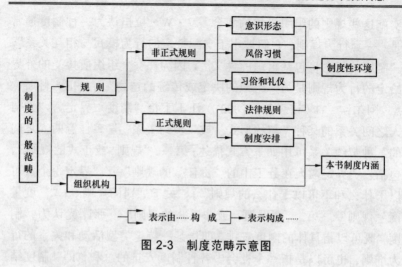

图 2-3 制度范畴示意图

二、制度环境

(一)研究制度环境[①]的必要性

任何制度安排都是在一定的环境中存在并运行的，制度与其环境之间存在着密切的关系，研究制度环境不仅有助于更全面、更深刻地把握制度的内涵，而且也有助于更全面、更深刻地揭示制度创新(或制度变迁)的本质。一方面，制度环境(特别是制度环境中制度性环境，如宪法)在很大程度上对制度有决定作用，有什么样的制度环境就要求有什么样的制度与之相适应。当制度与其环境相互适应时，制度运行就比较顺畅；反之，制度运行就会受阻，甚至无法运行。制度环境的变化决定制度的变迁，即随着制度外部环境的变化，制度会在某些环节上出现与其环境不相适应的情况，这就要求对制度安排进行一定程度的调整，以适应其外部环境的变化。另一方面，制度安排的合理化有助于制度环境的优化，例如，合理的制度安排

[①] 关于制度环境的研究内容主要来自杜威漩、黄祖辉（2004）"灌溉管理制度与其环境之间的冲突及整合"一文的内容。

会引导行为人或者说制度主体行为趋于合理化，而制度主体就是制度环境的重要组成部分之一。因此，对制度的研究不能脱离对其环境的研究，只有通过对制度环境、制度与其环境之间的相互关系加以研究，才能从更广泛的视角对制度的本质加以透视，才能更全面、更系统地把握制度变迁(或创新)的动力、路径和趋势。

(二)制度环境概念

就目前的文献资料来看，对制度环境所进行的研究尚不多见，本书主要借鉴管理学意义上的环境概念来为制度环境下定义。所谓环境是指与某一特定系统相互联系、相互作用的内外部因素总的集合，其中所有外部因素的集合称之为外部环境，内部因素的集合称之为内部环境。相应地，制度环境就是指与某一特定制度相互联系、相互作用的所有内外部因素的集合。为了研究上的需要，进一步将制度的环境限定为制度的外部环境，这样在本书中的制度环境概念具体是指与某一特定制度相互联系、相互作用的所有外部因素的集合。与此同时，本书将制度的内部环境理解为制度本身。

(三)制度环境的分类

本书对制度环境按其是否具有"规则性"特征为标准分为制度性环境和非制度性环境两类。所谓制度性环境是指在制度环境构成因素中，那些具有"规则性"特征的因素组成的集合，主要包括与该制度安排相联系的法律规则、其他正式规则、非正式规则等内容。其中，非正式规则(也称非正式约束)是指人们在长期的社会交往和历史演进中自发形成的、并得到社会认可的一系列约束，包括意识形态、风俗习惯、风俗和礼仪等。所谓非制度性环境是指在制度环境的构成因素中，那些不具有"规则性"特征的因素构成的集合，主要包括两个方面：第一，制度主体和客体。制度主体是指受同一制度规范的交易主体，因其在制度安排中的行为方式不同可以分为两类，一部分人或利益集团(组织机构)在制度安排中处于主动地位，起着决定的作用，是制度的决定者，他们供给制度，我们称之为制度的供给者；另一部分人或利益集团(组织机构)在制度安排和运行中处于被动地位，是制度的接受者，他们需求制度，我们称之为制度的需求者(张曙光，1992)。制度客体是指制度的客体亦即交易过程中所涉及的物的因素。第二，与该制度相联系的主、客体因素。

三、制度创新理论模型❶：一个新的视角

静态地看，制度创新就是做出一项新的制度安排；动态地看，制度创新则是新的制度安排对旧的制度安排进行替代的过程。以诺思、戴维斯等为代表的新制度经济学家运用新古典经济学中的成本——收益分析法对制度变迁的动力、过程及条件进行了研究，极大地丰富了创新理论。然而，制度创新作为一个过程或一种运动同样具有哲学意义。本书试图借用新古典经济学中的均衡概念为分析工具，并在他人研究的基础上，从制度运行的内部矛盾及制度与其环境之间外部矛盾辩证运动的角度重新审视制度创新过程。

(一)模型假设

本章制度创新理论模型的假设除导论中关于有限理性、利润最大化和机会主义行为倾向的假设外，还主要涉及到以下几个方面。

1. 制度创新是制度均衡与非均衡的辩证统一体。制度创新既是对原制度均衡的否定，又是对新制度均衡的肯定。经济学意义上的均衡既具有数量的内涵，又具有行为的内涵，从本质上讲，均衡是一种行为均衡，数量均衡不过是行为均衡的外在表现而已。因此，对制度均衡可以理解为：在某种制度安排下，制度主体从该制度安排中所获利润❷实现了最大化，从而制度主体无意改变这一制度安排的情形，亦即制度需求者和制度供给者同时实现均衡的情形。相反的情形我们称之为制度非均衡，如表 2-1 所示，制度状态 A 属于本文所说的制度均衡，另外三种制度状态则属于制度的非均衡情形。

---

❶ 该处的利润概念是广义的，泛指净收益、净效用等。
❷ 关于农业水利基础设施概念的详细阐释见第四章。

表 2-1　制度状态的分类

制度供给者	制度需求者	
	均　衡	不均衡
均　衡	制度状态 A	制度状态 B
不均衡	制度状态 C	制度状态 D

2. 存在一个初始的制度均衡(即制度供、需双方同时实现了均衡)状态。

3. 制度创新是一个从初始的均衡到不均衡再到新的均衡的动态过程。为了更清晰地说明制度创新的动态过程，我们引入时间因素。设初始的制度均衡状态存在于 $t_0 - t_1$ 时期，新的制度均衡状态存在于 $t_2 - t_3$ 时期，制度非均衡状态则存在于 $t_1 - t_2$ 时期，如图 2-4 所示。

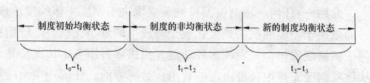

图 2-4　制度创新过程示意图

4. 制度效用给定不变，从而制度利润取决于交易成本的高低。制度具有"公共物品"特性，即作为一种规范人们行为的规则，某一范围内的特定制度安排对该范围内从事某种或某些特定活动的人具有"共享性"，亦即制度功能发挥的方式是"面式"(对大多数人起作用)的而不是"点式"(只对某一个人起作用)的。进一步地，由于特定范围内从事特定活动的人们受同一特定制度安排的规范，因此制度的效用(即制度的规范功能)就具有同一性，即制度对其所辐射范围内的活动者或者说交易者起到同样的规范作用。也正是从这个意义上讲，可以假设制度效用给定不变。这样，制度利润的大小便取决于制度成本或者说交易成本的大小。制度成本一般由两大类组成：一类是制度构建成本。这是相对于制度供给者而言的，是指为建立一种制度安排所必须支付制度设计、制定、实施等方面的成本，包括人力、物力、财力和时间等的消耗，这种成本随着该项制度安排的完成和开始运行而结束。制度构建虽然也可能有一个过程，但相对于制度运行的整个时期来说，终究是比较短暂的，一旦该制度建立起来，构建成本即告停止，运行成本开始发生。另一类是制度运行成本。是指在特定制度安排下，交易者从事交易活动所支付的成本，这是相对于制度需求者而言的。一项制度安排只是为众多交易者提供了一个交易环境，而交易者在这一制度环境下进行交易仍是有代价的，即交易者为完成交易而发生的交易成本。为后文叙述上的方便，本书将制度构建成本定义为交易成本 1，用 Trc_1 来表示；将制度运行成本定义为交易成本 2，用 Trc_2 来表示。

(二)理论命题

命题一：任何一项制度安排的确立取决于制度主体的理性选择，进而取决于制度利润的最大化或交易成本的最小化状态。**证明**：任何一项制度安排都可发挥多种功能，提供多种服务，从而交易者可从该项制度安排中获得一定的效用；另一方面，任何一项制度安排的确立和运行都要花费一定的成本，即制度构建成本和制度运行成本。因此，任何一项制度安排的选择都不是随意的，而是取决于制度主体从该项制度安排中所获效用与制度成本的对比。根据制度主体的理性假设，制度主体对一项制度安排的选择应包括两步：第一，所做的选择要使其效用大于制度成本，即制度利润大于零；第二，在所有可供选择的制度安排中，选择制度利润最大的那一个制度安排。因此，根据制度主体的理性假设，一项制度安排的确立取决于制度利润的最大化。在制度效用给定不变的情况下，制度利润的最大化就等价于交易成本的最小化。

命题二：制度主体之间、制度与其环境之间的矛盾运动导致对初始制度均衡态的否定。**证明**：从内部因素看，制度需求者和制度供给者构成制度的内在矛盾。一方面，制度的需求者作为特定制度安排下的交易者，与制度的供给者相比往往具有数量众多、交易方式多样、交易发生频繁等特点。加之新技术和工艺的采用、市场范围的扩大、人口和资本存量的增加、自然资源状况的变化以及交易者的机会主义倾向或行为，作为一种每日每时都发生的有形或无形支出，Trc_2 有增加的趋势。交易成本的每一次增加都会使制度需求者从该制度中所获制度利润低于制度利润最大化状态，每一次制度利润与其最大化状态的下向偏离都会导致制度需求者对新制度需求的增加。另一方面，与制度需求者不同，制度供给者的制度利润取决于 Trc_1，与 Trc_2 相比，Trc_1 是一次性支出，一项制度安排建立之后这项支出就会停止，因此在一项制度安排的存续期间，制度供给者的制度利润往往是一个处于最大化状态的常量，从而制度供给者对新制度安排的供给与制度需求者对该新制度安排的需求相比就具有明显的滞后性。这样，当制度需求者对新的制度安排产生需求即出现制度需求者的非均衡状态时，制度供给者常常仍处于原有的均衡状态，制度供给者不仅没有提供新制度安排的欲望或动机，而且往往尽力去维持原制度的运行。在这样的情况下，现行的制度安排不能满足制度需求者的需求，制度的有效供给不足，制度的非均衡状态(表现为制度状态 B)出现。而制度供给中的"搭便车"行为会使新制度安排供给的滞后性进一步放大，制度有效供给不足的状态会被进一步延长，从而使制度非均衡状态持续更长的时间。这也就是现实生活中为什么有些制度安排虽然有这样那样的缺陷，人们对这些制度安排有这样那样的不满，但这些制度安排却依然长期存在的原因所在。可见，制度非均衡(制度状态 B)的出现正是制度需求者与制度供给者之间矛盾运动的结果，而这种结果恰恰体现了对制度初始均衡(表现为制度状态 A)的一种否定。

从外部因素看，制度与其环境之间的矛盾构成制度运动的外在矛盾。作为矛盾的双方，制度与其环境之间既相互统一又相互斗争。初始制度安排运行的早期阶段，制度与其环境之间的相互适应是制度运行的主要方面，制度在运行过程中与其环境之间的摩擦较小，运行比较顺利，Trc_2 较低，制度的需求者对该项制度安排或者感到满意而无意改变，或者虽有些不满，但其力量不足以改变原制度状态，制度供给者只要采取某些补救和完善措施，就能保证制度需求者从原制度安排中获得最大的制度利润，制度基本上仍处于均衡状态。但随着制度与其环境之间矛盾的不断展开，两者之间的摩擦不断发生和积累，两者之间的冲突变成了制度运行的主要状态，制度环境对制度运行的阻力不断加大。此时，制度需求者的不满逐渐积累起来，Trc_2 将会大幅度上升，制度需求者非均衡进一步加剧。制度需求者非均衡的加剧会通过以下方式间接地引致制度供给者非均衡的出现：一方面，制度需求者在实践中所创造的、对制度供给者来讲比原制度安排下的制度利润更高的制度形式进入制度供给者可以选择的制度集合中；另一方面，对新制度安排需求力量的增加有可能迫使制度供给者从外部植入制度利润更高的新的制度方式。由此可见，制度与其环境之间的矛盾进一步加剧了初始制度安排的非均衡状态，即从制度状态 B 转变成了制度状态 D，进一步扩展了对初始制度均衡态否定的内容。而当制度的非均衡状态发展为制度状态 D 时，对新制度安排不仅有强大的需求，而且也有供给的压力和动力，制度创新之门得以启动。

命题三：制度创新的完成意味着对制度非均衡态的否定，亦即对制度初始均衡态的否定之否定。**证明**：制度非均衡的出现和加剧成为制度创新的前提和动因。制度非均衡的出现和加剧一方面说明制度初始均衡态的打破，另一方面又孕育着新的获利机会，即在可供选择的制度集合中，存在着比原制度安排的制度利润更大的制度形式，或者说存在潜在利润，主要包括规模经济带来的利润、外部经济内化带来的利润、克服对风险的厌恶或者说对风险的分散与克服所带来的利润、降低交易成本带来的利润。潜在利润成为不断推动制度供给者去进行制度创新的内在动力。创新活动的完成意味着新制度安排的建立，同时也意味着在新的、更高的效率水平上实现了制度需求者的均衡和制度供给者的均衡，实现了制度供给与制度需求之间的协调，亦即制度在更高的效率水平上演变成为制度状态 A 的情形。需要说明的是，由于 Trc_1 与 Trc_2 之间的差别从而使制度供求之间差别存在，制度均衡的实现往往是一部分一部分地进行的，是一个从量变到质变的过程。从一定意义上来看，制度均衡往往是先有一个个局部均衡，然后才可能出现制度的一般均衡和总体均衡。然而，不论制度均衡实现的路径如何，新的制度均衡状态的实现既实现了制度利润的最大化，也实现了制度供给和需求的相互一致，从而实现了对制度非均衡状态的否定。这种否定既是在方向上对初始均衡状态的回归，又是在内容和程度上对初始均衡状态的发展，是一种辩证的否定，体现了制度创新过程中制度均衡状态从低级向高级的演化和变迁。

第四节　农业水资源管理制度范畴的形成

　　农业水资源管理制度是本书最基本、最基础和最核心的范畴。完整、准确地对其加以界定不仅是对制度理论的具体运用，而且也为后续各章节内容的研究奠定基础。鉴于目前理论界对农业水资源管理制度这一概念所下定义的"稀缺性"，本章拟以管理学、农业经济学、农学、制度经济学等学科的基本理论为依据，借用形式逻辑学的有关方法对这一概念加以界定。具体思路是：第一，重新界定管理概念；第二，在管理概念重新界定的基础上，形成农业水资源管理概念；第三，将农业水资源管理概念与制度概念相融合形成农业水资源管理制度概念。

一、管理概念的重新界定

(一)不同"管理观"的简要回顾

　　管理活动几乎和人类的历史一样悠久，但把管理作为一门学科加以研究只是最近一二百年的事情。关于管理概念，理论界至今尚未形成完全一致的定义。不同的研究者往往从不同的侧面做出不同的理解，给出不同的定义。因此，将不同的"管理观"加以比较和综合，就成为重新界定管理概念所必须进行的一项基础性研究工作。在管理理论最近七八十年的发展中，许多学者分别从不同的角度对管理概念进行了界定，形成了不同的观点。美国管理学家赫伯特·A·西蒙(1982)认为管理就是决策。决策过程分为四个阶段：调查情况、分析形势、搜集信息、找出制定决策的理由；制定可能的行动方案，以应付面临的形势；在各种可能解决问题的行动方案中进行抉择，确定比较满意的方案，并付诸实施；了解、检查过去所抉择方案的执行情况，做出评价，导致新的决策。美国的小詹姆斯·H·唐纳利等(1982)认为，管理就是由一个或更多的人来协调他人活动以便收到个人单独活动所不能收到的效果而进行的各种活动。这种表述包含三点内容：管理其他人及其他人的工作、通过其他人的活动来达到预期的工作效果、通过协调其他人的活动来进行管理。这一观点的中心是强调管理是对其他人的协调。美国的丹尼尔·A·雷恩(1986)认为，管理是在某一组织中，为完成目标而从事的对人及物质资源的协调活动。他在《管理思想的演变》一书中写道，可把管理看成这样一种活动，即它发挥某些职能，以便有效地获取、分配和利用人的努力和物质资源，以实现某一目标。这一观点也强调协调，但它不仅强调对人的协调，同时也强调了对物质资源的协调。美国的马丁·J·坎农(1989)与丹尼尔·A·雷恩的观点基本相同，他认为，"管理是一种为取得、分配并使用人力与自然资源以实现某种目标而行使某些职能的活动"。现代管理理论的创始人——法国的法约尔认为，管理就是由计划、组织、指挥、协调及控制等职能要素组成的活动过程。这一观点则是从职能的角度对管理下定义，把管理概念定义为发挥某些特定职能的活动。彼得·德鲁克认为，管理是一种以绩效责任为基础的专业职能。因此，管理与所有权、地位或权力完全无关；管理是专业性的工作，与其他技术性工作一样，有自己专有的技能、方法、工具和技术；管理人员是一个专业的管理阶层；管理的本质和基础是执行任务的责任。显然，德鲁克淡化了管理的社会属性而片面强调了管理的自然属性(杨文士、张雁，1995)。除上述观点外，国外还有一些学者坚持管理的"系统观"。他们认为管理就是根据一个系统所固有的客观规律施加影响于该系统，从而使这个系统呈现出一种新状态的过程(周三多、陈传明、鲁明泓，2000)。中国台湾的学者认为，"管理，就是研究如何将人力与物力，投向一个动态的组织之中，使之达到目标，使得接受服务者得到最大的满足；对内还要使得提供服务者不但士气高昂，而且在工作上感到有所成就"。中国大陆学者认为，"管理就是指由专门机构和人员进行的控制人和组织的行为使之趋向预定目标的技术、科学和活动"(王俊柳、邓二林，2003)。

(二)管理概念的重新界定

上述各种"管理观"的共同点在于它们都强调管理的目标性，并在一定程度上揭示了管理的本质、内容或职能。各种"管理观"的区别主要表现在两方面：一方面，对管理客体或者说管理对象的界定不一致。有的学者认为管理是对人力资源所实施的活动，而有的学者则认为管理既是对人力资源也是对物质资源所实施的活动，即管理不仅是对人的管理，也是对物的管理。另一方面，对管理职能所作的界定不一致。有的学者认为管理的职能是协调，有的学者则认为管理的职能除了协调之外还包括计划、组织、指挥和控制在内。

综合上述各种管理观，本书认为管理概念宜从资源配置的角度重新加以界定，即所谓管理就是管理者为实现一定的目标、以组织为载体所进行的资源配置活动。这样的定义主要基于以下几个方面的原因：第一，管理的目的是为了实现预期的目标。即管理是为实现一定预期目标的活动，同时管理目标的实现也需要管理，两者之间的关系是目的和手段之间的关系。第二，管理的客体或者说管理的对象是资源。从上述各种管理观中可以看出，管理的对象总的来讲可以分为两类——人力资源和物质资源，因此，无论是对人力资源还是对物质资源的管理，总而言之都是对资源的管理。资源(人力资源和物质资源)不仅是管理的客体，一定的资源禀赋还是管理得以进行的前提和物质基础。第三，管理职能的发挥是实现资源配置的手段。无论是协调还是计划、组织、指挥和控制，每一项职能无非是资源配置的手段进而也是实现既定管理目标的手段而已。在管理过程中，管理者对人力资源加以计划、组织、指挥、协调和控制，正确处理上下级之间、同级之间、组织内部的各机构之间甚至组织与组织之间的关系，以最大限度地调动人的积极性，或者说实现对人的活动有效激励的实质是对人力资源的有效配置；管理者对物质资源的取得、利用从而提高物质资源使用效率的实质则是对物质资源的配置。第四，管理的载体是组织。管理总是存在于一定的组织之中，即管理的载体是组织。没有组织，也就无所谓管理。

二、农业水资源管理概念的形成

(一)农业水资源的概念

《中华人民共和国水法》第二条规定，"水资源包括地表水和地下水"；《水利工程供水价格管理办法》(简称《水价办法》)第十条规定"农业用水是指由水利工程直接供应的粮食作物、经济作物用水和水产养殖用水"。根据《中华人民共和国水法》和《水价办法》关于水资源和农业用水含义的规定，结合本书的具体研究对象，本书所说的农业水资源是指经农业水利基础设施加工过的、用于满足农业生产(具体来说是满足农作物发育、生长，下同)所需要的那部分水资源❶。

(二)农业水资源运动的特性

根据上述对农业水资源所下的定义，农业水资源的运动则是指水资源经农业水利基础设施❷系统的"加工"而输出，并直接用于满足农业生产需要的全过程，这一过程总的来讲可分为农业水资源的供给和使用两个阶段。农业水资源的运动主要具有以下三方面特性。

---

❶ 本书对农业水资源所下的定义与《水价办法》中农业用水的概念有很大部分的重合但不完全相同，所定义的农业水资源不包括水产养殖用水，而主要是指狭义的农业(或者说种植业)生产用水，也称农业灌溉用水，关于农业水资源概念的详细阐释可进一步参见第四章。

❷ 关于农业水利基础设施概念的详细阐释见第四章。

1. 农业水资源运动与农业水利基础设施的状况密切相关。农业水资源就是经过农业水利基础设施"加工"过的那部分水资源，因此农业水资源的运动与农业水利基础设施密切相关。从空间存在状态上看，农业水利基础设施可概化为"点"、"线"、"面"三种[1]：所谓"点"水利设施是指存在于一个"点"上的农业水利工程，主要包括水坝、水闸、泵站、机井等农业水利工程；所谓"线"水利设施是指存在于一条"线"上的农业水利工程，主要包括灌溉渠道、排水沟等农业水利工程；所谓"面"水利设施是指存在于一个"面"上的农业水利工程，主要包括水库、池塘等农业水利工程。这三种形态的农业水利基础设施会对农业水资源产生三方面的影响。第一，改变水资源的存在状态。经过农业水利基础设施的"加工"，水资源已经不是原来意义上的水资源，农业水利基础设施作为水资源的"容器"和载体，极大地改变了水资源的原始存在状态，使农业水资源以"面"、"线"的形式或静态或动态地存在着。第二，改变水资源的运动方向。农业水资源是用于农业生产的那部分水资源，农业水利基础设施中的灌溉渠网系统将会有效地把水资源引向田间地头，以供农作物的生长、发育之用。第三，调剂水资源的余缺。一方面，可将一个地区的水资源输送至水资源较为缺乏的另一个地区；另一方面，可将某一时期较为丰沛的水资源贮存起来，以待以后短缺之用。

2. 农业水资源作为农作物生长、发育过程中所需水分的重要来源，其运动与农作物的生命过程密切相关。农业生产是自然再生产与经济再生产交织在一起的再生产过程，作为自然再生产过程，农业(狭义的)生产主要表现为农作物的生长、发育和成熟的生命过程，这一过程必然与水资源密切相关，因为水资源不仅是农作物有机体的重要组成部分、是作物制造有机质的重要原料、是作物所需养料的溶剂和载体，而且也是维持作物叶面蒸腾的必备条件。

---

[1] 受施国庆、庞进武、王友贞(2002)"水利工程建设与农民收入相关性分析"一文的启发。

3. 农业水资源运动与各有关主体的活动密切相关。第一，从农业水资源的供水阶段看，该阶段主要涉及到灌区水管组织及水利行政主管部门的活动。就灌区水管组织来讲，在中国经济体制改革市场化趋动的大背景下，其自身的利益偏好日渐明显，灌区工程供水——农业水资源——的有偿提供就是这一内在要求的具体体现。由于农业生产及水资源自身的特性，灌区水管组织从事农业供水活动的目标函数被规制为弥补成本、收支平衡(见《水利工程供水价格管理办法》第十条)。因此，灌区水管组织的主要职能就是以农业水利基础设施作为物质手段，以弥补成本、收支平衡为其目标函数来提供农业水资源服务；水行政主管部门作为政府的职能部门，作为凌驾于农户和灌区水管组织双方利益之上的行政管理单位，其主要目标函数应是实现社会福利的最大化。第二，从农业水资源的使用阶段看，主要涉及到用水农户或农户联合组织(如在进行灌溉管理体制改革的小型灌区成立的 WUA)。就农户来讲，在农村普遍实行家庭联产承包责任制的条件下，农户已成为自主经营、自负盈亏、自我发展的具有独立经济利益的微观经济主体，在理性的支配下，其目标函数是通过农业水资源的投入，实现自身收益的最大化；农户联合组织的主要职能是将从灌区水管组织所获得的农业水资源分配给用水农户。因此，农业水资源运动是涉及到包括灌区水管组织及相应级别的水利行政主管部门、用水农户的联合组织和用水农户在内的以农业水资源为物质内容、多元主体共同参与的活动过程。

(三)农业水资源管理概念

在分别对管理概念、农业水资源概念重新界定和对农业水资源运动过程及其特性详细分析的基础上，将管理概念与农业水资源概念加以有机融合便可形成农业水资源管理的概念。

1. 农业水资源管理概念的界定。概括地讲，农业水资源管理就是以一定组织为载体的、对农业水资源运动过程中的物质资源和人力资源加以配置的活动。第一，就农业水资源运动所涉及的物质资源来看，主要包括农业水利基础设施和农业水资源两个方面。就农业水利基础设施而言，农业水利基础设施是农业水资源运动的物质基础和前提，对物质资源的配置首先是对农业水利基础设施资源的配置，而对农业水利基础设施有效配置的关键是农业水利基础设施的投资和产权问题(基于制度分析的视角)，所以对农业水利基础设施的管理就可归结为对其投资和产权的管理。就农业水资源而言，对农业水资源配置的关键仍然是农业水资源产权问题(同样基于制度分析的视角)，而且在市场经济这一大背景下，农业水价、农业水费管理问题也同样是农业水资源有效配置的关键，所以对农业水资源的管理可归结为对农业水权❶、农业水价、农业水费所进行的管理。第二，就农业水资源运动所涉及的人力资源来看，农民或者说农户❷是十分重要的人力资源，农业水利基础设施所提供的灌溉服务的直接对象是农业，而农业中的直接生产者就是广大农户。在家庭联产承包责任制下，农户已经成为自主经营、自负盈亏、自我发展的具有自身独立物质利益的微观经济主体，能否有效地调动农户参与农业水资源管理(或者说灌溉管理)的积极性，在很大程度上决定着农业水资源的利用效率和使用效益。所以，农业水资源管理过程中，对人力资源的配置主要是对农户(准确地讲是农民)这一人力资源的配置。在市场经济条件下，农业水资源商品特性(见第四章分析)的日益凸现要求对农业水资源的管理也应尊重客观经济规律、适应建立社会主义市场经济体制的要求。农业水权、农业水价和农业水费作为重要的经济杠杆，必将灵敏地激励、约束和引导农户的用水行为，因此，对农业水资源管理中人力资源的配置同样也可归结为对农业水权、农业水价、农业水费所进行的管理。第三，就农业水资源运动过程中物质资源和人力资源配置的组织载体来看，对农

---

❶ 根据本书对水权的界定，农业水权是指农业水资源产权，同样包含两层含义：广义的农业水权是包括所有权、使用权、经营权、处置权、收益权在内的权利束；狭义的农业水权则仅指农业水资源的使用权。

❷ 严格来讲，农业水资源管理中的人力资源除农户之外，还包括灌区水管单位中的工作人员，甚至包括水利行政主管部门中的工作人员，鉴于农户空间分布的广泛性、在农业水资源运动中的基础性以及对提高农业用水效率的决定性，本书将对农业水资源运动过程中的人力资源的管理界定为对农户或农民的管理。

业水利基础设施的投资及产权安排需要政府、水利行政主管部门、灌区水管组织的参与；对农业水资源的配置或者说对农业水权、农业水价、农业水费的有效安排则不仅需要政府、水利行政主管部门、灌区水管组织的参与，而且更需要用水农户的相关组织的参与。因此，农业水资源管理可以归结为对农业水资源运动过程中物质资源和人力资源的配置活动，这种配置活动又可进一步归结为管理者以一定的组织为载体，对农业水利基础设施的投资及产权，对农业水权、农业水价、农业水费所进行的管理。

2. 农业水资源管理的双重属性。作为一种具体的管理活动，农业水资源管理同样具有两重属性——自然属性和社会属性。第一，农业水资源管理具有自然属性。其自然属性是指农业水资源管理所具有的不以人的意志为转移，也不因制度安排的不同而改变的客观属性。一方面，农业水资源的运动过程是以农业水利基础设施为物质基础的、与农业生产活动(狭义的种植业)中作物的生命过程相联系的过程，农业水资源运动过程所具有的自然特性使得农业水资源管理同样具有明显的自然属性。另一方面，农业水资源管理也是生产力。马克思曾指出："一切规模较大的直接社会劳动或共同劳动，都或多或少地需要指挥，以协调个人的活动，并执行生产总体的运动——不同于这一总体的独立器官的运动——所产生的各种一般职能。一个单独的提琴手是自己指挥自己，一个乐队就需要一个乐队指挥。"❶农业水资源管理活动的本质是对农业水资源运动过程中所涉及到的物质资源和人力资源的配置，这些物质资源和人力资源能否得到有效的配置，即物质资源能否得到充分的利用、人的积极性能否得到充分的发挥在很大程度上都有赖于管理。没有管理，农业水利基础设施、农业水资源就不能得到有效的利用，灌区水管组织、农户的积极性就不能得到充分发挥。可见，农业水资源管理也是生产力。农业水资源管理上述两方面的性质并不以人的意志而转

---

❶《马克思恩格斯全集》，人民出版社 1972 年 9 月第 1 版，第 23 卷第 367 页。

移，也不因制度安排的不同而改变，而完全是一种客观存在，所以，我们称之为农业水资源管理的自然属性。第二，农业水资源管理具有社会属性。从参与主体看，农业水资源管理活动的参与主体具有广泛性。这些参与主体涉及到水利行政主管部门、灌区供水组织和农户(或用水农户的联合组织)三个方面。在现代社会，政府作为一个兼具经济事务和公共管理的双重主体，为其在对农业水资源运动过程进行必要的调控、加强对农业水利国有资产的监管、保障水利公共物品和准公共物品的供给、提供相应的制度安排、对农业水价和水权交易进行规制以保障社会的公平等方面发挥重要作用提供了广阔的空间。在市场经济的大背景下，农业水资源的配置应是一种商品化的交易，但由其基础性、弱质性等所决定的农业需要政府扶持和支持的特性及水资源自身的特性又决定了农业水资源不是一般的商品而是一种特殊的商品，相应地，灌区水管组织就是一种特殊商品的生产者和经营者，因此，只有根据其自身的特殊性加以管理，才能实现对灌区水管组织参与灌溉管理活动的有效激励。农业水资源运动过程与农业生产密切相连的自然特性决定了农户(或用水农户联合组织)参与农业水资源管理的必要性。只有准确掌握农户的特点，才能在农业水资源管理活动中，不仅维护农户的经济利益，而且设计出有效的管理制度来实现对农户参与农业水资源管理活动的有效激励。从参与主体之间的关系看，在市场经济条件下，农业水资源管理活动不可避免会涉及到各参与主体之间的经济利益关系，水价的升降、水费的征收既涉及到用水农户的利益，也涉及到灌区水管组织的利益，这些利益关系本质上反映了不同参与主体之间的利益分配关系，即个人(农户)与个人之间、个人与组织之间、组织与组织之间的利益关系，也即以农业水资源供求为基础的社会生产关系。

三、农业水资源管理制度概念的形成

(一)农业水资源管理制度概念

制度概念、农业水资源管理概念的明确界定为农业水资源管理制度概念的形成奠定了理论基础。所谓农业水资源管理制度[1]就是由农业水利基础设施投资及产权制度、农业水资源管理组织制度、农业水资源配置制度(农业水权制度、农业水价制度、农业水费管理制度)构成的制度体系。其中,农业水利基础设施投资及产权制度是指对农业水利基础设施投资的主体、渠道、方向、投入资金的使用及监督等方面所做的具体规则、具体组织安排和相应地界定个人或者组织在使用农业水利基础设施资源时拥有或不拥有某些权利的制度;农业水资源管理组织制度是指为对农业水利基础设施投资及产权活动和对农业水权、农业水价、农业水费管理活动加以规范而做的组织机构安排及各组织机构之间相互协调的安排;农业水资源配置制度是指为规范农业水资源供、用双方的行为所做的关于农业水权、农业水价和农业水费管理等三个方面具体规则的安排。

(二)农业水资源管理制度的特性

农业水资源管理制度作为农业水利基础设施投资及产权制度、农业水资源管理组织制度、农业水资源配置制度的集合体,具有以下几个主要方面的特性。

1. 整体性。即农业水资源管理制度作为一个系统,是由农业水利基础设施投资及产权制度、农业水资源管理组织制度和农业水资源配置制度构成的一个整体。

2. 动态性。即农业水资源管理制度作为一个系统是在动态的过程中生存和发展的,它不仅作为一个功能实体而存在,而且也作为一种运动而存在。

3. 开放性。即农业水资源管理制度作为一个系统,还必须与其

---

[1] 在许多文献中,与农业水资源管理制度比较相近也较为常见的是农业灌溉管理体制这一概念。本书认为制度与体制是两个既相互联系又有所区别的概念,根据本书对制度概念所作的界定,制度不仅是规则而且包括组织在内,而体制这一概念更多的是指组织安排。因此,制度概念比体制概念更为宽泛,即制度概念内含了体制概念。相应地,本书所界定的农业水资源管理制度的概念也比农业灌溉管理体制这一概念更为宽泛,农业灌溉管理体制概念更相当于农业水资源管理制度中的农业水资源管理组织制度这一概念,在文中个别地方本书在相同的含义上使用管理体制和组织制度这两个概念,特在此加以说明。

外部环境之间进行有效的协调和交流。惟如此，才能使制度的潜在收益得以实现、制度的功能得以增强。

第五节　简要结论

一、产权安排对制度效率有着决定性的影响

不同产权安排决定不同的交易主体状况，进而决定不同交易主体之间的不同交易行为及不同的资源配置效率。而资源配置效率的不同，反过来会导致资源相对价格的改变，加之不同产权安排所产生的激励、约束效应不同，最后都会影响交易者的偏好与决策，进而会影响到交易者的交易行为，产生不同的交易成本，导致不同的制度效率。产权制度是制度安排中的核心，产权制度的缺陷会导致整个制度安排的缺陷，进而导致交易成本的上升，以及制度与其环境之间的冲突(当然导致两者冲突的原因还有制度环境变化方面的)，冲突的出现说明制度非均衡的产生，成为制度创新的前提条件。

二、交易成本是评判制度效率从而制度优劣的重要工具

广义的交易成本也可理解为制度成本，包括制度构建的交易成本和制度运行的交易成本，这样交易成本在很大程度上就可以成为评判一项制度安排优劣的基本工具。其内在逻辑如下：制度的优劣取决于制度效率，而制度效率'又取决于制度效用和制度成本的对比关系，即制度效率=制度效用/制度成本(即交易成本)。由于制度具有"公共物品"特性，制度对每一个交易者来说都起到了交易环境的作用，这样就可以合理假定制度的效用(保护、规范和约束交易行为)对每一交易者来说都是一样的，尽管单个交易者对制度效用的评价很难一致。在这一假定下，制度效率的高低便取决于交易成本的大小，交易成本越大，制度效率越低；反之，则越高。

三、制度的内部矛盾及制度与其环境之间的矛盾运动是制度创新的根本动因

从运动的角度看，制度创新表现为制度均衡态的辩证运动，而这种运动的根本原因就在于制度的内部矛盾及制度与其环境之间的矛盾运动，即这种矛盾运动不断推动制度状态从初始的均衡到非均衡再到新的均衡这样一种否定之否定的创新过程。

四、农业水资源管理制度范畴是建立在新制度经济学理论基础上的一个综合

新制度经济学用有限理性替代了完全理性，用交易成本、产权概念修正了制度运行成本为零的"黑板经济学"(科斯，1994)，实现了经济学质的变迁，从而使当代制度经济学成为"经济学本来就应该的那种经济学"(科斯语)。其中，产权理论、交易成本理论、制度及其创新(或者变迁理论)不仅是新制度经济学最基本的内容，而且也是本书对中国农业水资源管理问题研究最基本的理论基础。农业水资源管理制度范畴是以新制度经济学、管理学、农学、农业经济学等各学科的基本理论为基础通过严密的逻辑推论而形成的，是对新制度经济学、管理学、农学、农业经济学等各学科中相关概念的一个理论综合。农业水资源管理制度包括：农业水利基础设施投资及产权制度、农业水资源管理组织制度、农业水资源配置制度。

五、农业水资源管理制度范畴的形成意味着本书研究理论框架的形成

农业水资源管理制度概念的形成不仅是对新制度经济学有关基本理论(主要是指其中的制度理论)的深化和具体化，而且也为全书的研究奠定了理论基础，同时也意味着本书研究理论框架的形成。

第三章 中国农业水资源
管理制度演进及现状的实证研究

正如第二章所分析的那样，农业水资源管理制度是一个运动着的有机体，它不仅作为一个功能实体而存在，而且也作为一种运动而存在，它是时间的函数。因此，从纵向的角度研究中国农业水资源管理制度的演进，既有助于更深刻地把握中国农业水资源管理制度的本质，又有助于在了解历史、剖析现在的基础上更好地前瞻未来。本章内容的具体安排是：农业水利基础设施投资制度的演进及现状、农业水资源管理组织制度的演进及现状、农业水资源配置制度的演进及现状、简要结论。

第一节 农业水利基础
设施投资制度的演进及现状

始于20世纪70年代末的、以农村经济体制改革为突破口的中国改革开放，成为中国经济发展历程中的一个里程碑式的"分水岭"。它不仅使农村所有制关系、农地产权关系、农村组织制度发生了根本性的变化，而且也使整个经济体制甚至人们的观念发生了十分深刻的变化，从而也在客观上重塑了中国农业水利基础设施投资的外部制度环境。这就使得中国农业水利基础设施投资制度的运行在改革开放这一"分水岭"前后发生了较为明显的变化并呈现出不同的特点。鉴于此，本节拟以改革开放为界分前后两个阶段对中国农业水利基础设施投资制度的演进状况进行分析。

一、新中国成立初期至改革开放时期的农业水利基础设施投资

(一)农业水利基础设施投资总量呈明显的波动性增长之势

新中国成立初至改革开放这一时期，传统的计划经济体制是中国

农业水利基础设施投资的重要外部制度环境，在这样的制度环境下，农业水利基础设施投资总量上呈明显的波动性增长之势。一方面，农业水利基建投资从"一五"时期的 24.3 亿元增长到了"五五"时期的 157.2 亿元和"六五"时期的 93 亿元。另一方面，这种增长又具有明显的波动性："二五"时期比"一五"时期增长了 298%；"三五"时期却比"二五"时期下降了 27%；"四五"时期比"三五"时期增长了 40%，"五五"时期比"四五"时期增长了 34%；但"六五"时期却比"五五"时期下降了 41%(见表 3-1 和图 3-1)。现以这一时期河南省的三大灌区(人民胜利灌区、红旗渠灌区和陆浑灌区)水利工程建设情况❶为例加以说明。第一，关于人民胜利灌区的建设情况。该灌

表 3-1　新中国成立初期至 20 世纪 70 年代农业水利基本建设投资情况

(单位：亿元)

项　目	"一五"时期	"二五"时期	"三五"时期	"四五"时期	"五五"时期	"六五"时期
农业基本建设投资	41.8	135.7	104.3	173.1	246.1	172.8
其中的水利基本建设投资	24.3	96.6	70.1	117.1	157.2	93.0

资料来源：根据《中国农村统计年鉴》2002 年中的相关数据整理而成。

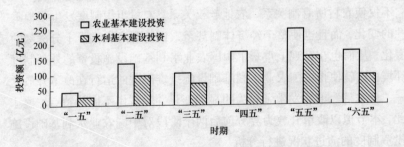

图 3-1　新中国成立初期至 20 世纪 70 年代农业水利基本建设投资变化柱状图

❶ 本书根据李日旭主编的《当代河南的水利事业》一书（当代中国出版社 1996 年版）中有关三个灌区的历史资料整理而得。

区 1951 年 3 月开工,1952 年 3 月完成第一期工程,当年放水灌田 28.4 万亩,增产显著。1952 年 7 月到 12 月底又完成了第二期工程,到 1953 年 8 月,人民胜利渠的干、支、斗、农、毛渠及相应排水沟配套齐全,到 1954 年实际灌溉面积已达到 72 万亩。人民胜利渠的总干渠全长 52.7 km;总干渠以下有 5 条干渠、43 条支渠、200 余条斗渠及相应农、毛渠;骨干排水河道包括卫河及东、西孟姜女河和相应的干、支、斗、农等排水工程。灌排渠系上控制建筑物齐全,灌区控制面积 1 422 km²。人民胜利渠是新中国成立后首例引黄灌溉工程,也是国家水利部重点工程,得到了省、地、县市政府的积极支持:从渠首、总干、干、支、斗、农、毛渠,包括相应引水、分水、配水及排水系统以及桥、涵、道路等辅助工程的设计与施工都由相应的各级政府负责全部完成。工程 1953 年建成,1954 年达到设计效益。第二,关于林县红旗渠工程建设情况。红旗渠总干渠长 70.6 km,三条干渠全长 98.2 km,1960 年 3 月动工,1966 年 4 月竣工通水。总干渠(其中 99.57%是从山腰上开凿出来的渠路或隧洞)及 3 条干渠是红旗渠最艰巨的工程,历时 6 年多,先后穿过悬崖绝壁 50 余处,斩断山岭 264 座,跨越 274 道河沟,修隧洞 69 个,渡槽 57 座,涵洞 216 个,路桥、排洪桥 371 座,总计各种建筑物 1 080 座。总干渠中的咽喉工程是"青年洞"(是 300 名青年男女奋战 1 年零 5 个月凿成的),长 623 m,宽 5.5 m,高 5 m,共挖土石方 1.94 万 m³,投工 12 万余个;一干渠从分水闸接出,沿太行山断层笔直向南延伸,最后与 1958 年建成的英雄渠汇合,总长 41.5 km;二干渠从分水闸分出后,经洹河东北山体西南两侧陡坡折向东南方,在河顺镇西南越过一片谷地,经一道长 41.3 m、宽 4 m、高 14 m 的"夺丰渡槽"("夺丰渡槽"用 5 个月的时间建成,共砌石 1.5 万 m³,投工 25 万个)向南,总长 48 km;三干渠在分水闸北面接出,走向林县东北部最为干旱的东岗乡,全长 12 km,其咽喉工程为"曙光洞",长 4 000 m,宽、高各 2 m,施工历时 1 年零 4 个月,挖土石方 3.93 万 m³,垒砌石料 9 000 多 m³,投工 22 万个。1967 年春,红旗渠进行支渠配套,至 1969 年 7 月底,共建成大小石砌渠道 595 条,全长 1 500 km,同时进行总干渠加高加固，配套维修，直至 1974 年 8 月，红旗渠竣工。红旗渠的建成，使林县从山坡到梯田，从丘陵到盆地，形成了一个较为完善的水利灌溉网。第三，关于陆浑灌区的建设情况。1970 年开始兴建，灌区工程分四部分：第一部分为渠首段工程。主要由灌溉发电洞工程、电站工程，水库输水洞续、改建工程等子工程组成，这些工程于 1970 年 2 月开工，至 1981 年底才相继完成。第二部分为总干渠工程。全长 44.4 km，除渠道土石方工程外，主要建筑物有渡槽 3 座；隧洞 1 条；节制、进水闸及分水闸 11 座；涵洞 56 座；公路、生产、人行桥 81 座；渠涵 3 座；排洪桥 12 座；沿渠公路桥 7 座；测水量水桥 2 座；支、斗、农、门 50 余座，合计 226 座。工程自 1970 年 2 月动工，1971 年底渠道已初具规模。1974 年 10 月开始通水试行。第三部分为东一干渠工程。全长 135 km，总工程量计有干渠挖方渠道长 42.53 km；干渠填方渠道 4.83 km；石渠 2.86 km；干渠建筑物 321 座，支、斗、农渠 48 条，支斗农渠建筑物 2 005 座。该工程从 1974 年到 1988 年，经过 14 年的努力基本完成。第四部分为东二干渠工程。全长 53.58 km，该干渠有大小建筑物 339 座，支、斗、农渠 74 条，总长 173.45 km，各类建筑物 2 139 座，支以下的斗、农、毛渠 231 条，总长 250 km。

(二)农业水利基础设施投资主体单一(即政府是唯一的投资主体)

新中国成立初期至改革开放这一时期(特别是新中国成立初期)，中国实行的是高度集中的计划经济体制，这一外部制度性环境决定了农业水利基础设施投资制度安排的最基本特征是：投资主体单一，即政府是唯一的投资主体(而且这种投资主体的单一性是以政府投资粘合农民的活劳动投入为基础的)，河南省人民胜利灌区、陆浑灌区、红旗渠灌区等三大灌区的投资情况(见表 3-2)就很能说明这一特点。

这里需要说明的是关于政府投资主体单一性的含义。就大中型农业水利基础设施而言，由于其投资规模较大，少则几百万元、多则几千万元甚至上亿元。从客观上讲这些投资是一家一户的农民所无力承担的，甚至连基层政府、地方政府也无力承担，所以这部分投资一直是由政府特别是中央政府承担的。但对小型农业水利基础设施而言，

表 3-2　新中国成立初期至改革开放时河南三大灌区水利设施投资情况

灌区名称	时　期	政府投资、农民投劳的具体内容
人民胜利灌区	1951~1953 年	政府投资 732 万元
林县红旗渠工程	1960~1974 年	自 1960 年动工直至 1974 年竣工，总投资 7 241 万元，总计完成土石方开挖垒砌工程 1 820 万 m^3，投工 2.4 亿个
陆浑灌区	1970~1988 年	第一，渠首工程。自 1970 年开工到 1981 年完成，政府共投资 1 513 万元。第二，总干工程。自 1970 年至 1988 年，投资 4 262.4 万元，共完成工程量 1 531 万 m^3，投工 1 876 万个劳动日。第三，东一干渠工程。从 1974 年至 1988 年基本完成。其中，东一干内埠至东宋段投资 4 083 万元，共完成工程量 1 372 万 m^3，用工日 1 580 万个。第四，东二干渠工程。自 1972 年 12 月开工，1974 年 7 月基本开通，至 1988 年投资 474.6 万元，总共完成土方 258 万 m^3、石方 77.7 万 m^3、砌石 1.1 万 m^3，投工 357 万个

资料来源：根据李日旭主编的《当代河南的水利事业》一书(当代中国出版社 1996 年版)中有关三个灌区的历史资料整理而得。

其投资状况需做具体的分析。小型农业水利基础设施投资主体主要可分为两类：一类是地方政府出资兴建，这类小型农业水利基础设施的投资主体很明显属于地方政府；另一类按照"民办公助"的原则由集体投资兴建(从 20 世纪 50 年代至 70 年代，我国农村普遍实行"三级所有、队为基础"的人民公社集体所有制)，该类小型农业水利基础设施主要是由人民公社这一基层政府投资兴建的，村和队集体投资的情况极少，主要是组织农民投劳。因此，对于小型农业水利基础设施投资主体我们仍可理解为政府，不过这里的政府主要是指地方政府或基层政府。同时，由于村、队集体的投资在包括大中型农业水利基础设施在内的整个农业水利基础设施投资中所占的比例极小，因此"农业水利基础设施政府投资主体的单一性"这一结论具有统计学意义上的合理性。

二、改革开放以来[❶]农业水利基础设施投资

(一)投资总量呈阶段性增长之势

一方面，投资总量呈增长之势。在 1981～2001 年的 21 年间，年平均投资水平为 153.81 亿元，除 1984、1985、1988 年和 2001 年 4 年的投资总量比上年有所下降外，其余各年投资总量均比上年有不同程度的增长，并以平均每年 20.42% 的速度递增。其中，1998 年比上年增幅最大，增幅额达到 153.10 亿元，如表 3-3 所示。另一方面，投资增长具有明显的阶段性(如图 3-2 所示)。第一阶段为 1981～1990 年间，尽管投资总量呈增长之势，但增长极为缓慢，处于徘徊增长阶段。从总量上看，年平均投资额仅为 23.68 亿元，其中最高投资额为 1990 年的 40.7 亿元;从增长速度看，除 1984、1985、1988 年三年投资额比上年有所下降外，其余各年虽比上年有所增长，但增幅最高均不超过 30%(1990 年除外)。第二阶段为 1991～2001 年间，投资增长快、增幅大。从总量上看，年平均投资额增加到了 272.10 亿元，其中最高投资额为 2000 年的 580.1 亿元;从增长速度看，除 2001 年比上年投资有所减少外，其余各年均比上年有较大幅度提高，其中有 5 年的增幅都在 30% 以上，最高增幅为 1998 年的 59.2%。

表 3-3　1981～2001 年中国农业水利基建投资情况

项目	1981	1982	1983	1984	1985	1986	1987	1988	1989	1990
投资(亿元)	13.6	17.5	21.1	20.7	20.2	22.9	27.0	23.6	29.5	40.7
环比发展速度	—	1.29	1.21	0.98	0.98	1.13	1.18	0.87	1.25	1.38
环比增长速度	—	0.29	0.21	- 0.02	- 0.02	0.13	0.18	- 0.13	0.25	0.38
项目	1991	1992	1993	1994	1995	1996	1997	1998	1999	2000	2001
投资(亿元)	50.2	68.3	81.6	98.2	142.5	206.6	258.6	411.7	536.5	580.1	558.8
环比发展速度	1.23	1.36	1.19	1.20	1.45	1.45	1.25	1.59	1.30	1.08	0.96
环比增长速度	0.233	0.36	0.19	0.20	0.45	0.45	0.25	0.59	0.30	0.08	- 0.04

资料来源：根据《中国农村统计年鉴》2002 年中的相关数据整理、计算而成。

---

❶　根据资料的可获得性，"改革开放以来"主要是指 1981～2001 年这一段时间。

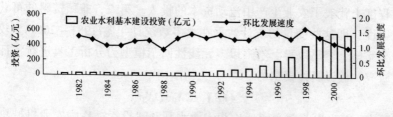

图 3-2　中国农业水利基建投资变化示意图

(二)农业水利基础设施投资增长与国民经济总体水平密切相关

国民经济总体发展水平主要由 GDP(国内生产总值)来衡量，通过农业水利基建投资与 GDP 之间相关关系的分析可在很大程度上说明农业水利基建投资与经济总体发展水平之间的关系。本书采用双对数模型对 1981～2001 年间中国农业水利基建投资与 GDP 之间的相关性进行了分析，所得计量模型❶为：

$$\lg y = -3.424 + 1.204 \lg x$$
$$(-9.867) \quad (15.259) \qquad R^2 = 0.925$$

其中，x 为 GDP 的具体数值；y 为农业水利设施投资总量的具体数值(x 和 y 的具体数值见表 3-6)。结果表明，农业水利基建投资与 GDP 在较长时期内有很强的正线性相关关系，亦即农业水利基础设施投资的增长与国民经济总体发展水平密切相关。

(三)农业水利基建投资贡献显著，但在 GDP、财政支出和基建投资总额中所占比重偏低

一方面，农业水利基建投资对农业(狭义)产出的贡献显著。为了分析农业水利基建投资在农业产出中所做的贡献，本书以农用机械总动力和化肥施用量作为两个参照变量建立模型。之所以选择这样两个参照变量，第一，农业水利基建投资和农用机械投入在很大程度上代表了农业生产中固定资本的投入；而化肥施用量则在很大

---

❶ 该模型及本章后文计量模型中出现的括号内的 t 统计值和 R^2 值均通过 SPSS 软件运算而得到。

程度上代表了农业生产中流动资本的投入。第二，兼顾资料的可获得性，即这些变量的统计数据在大多数统计年鉴(1981~2001)上较为完整，容易取得。本书以多元线性回归模型为分析工具进行实证研究，假设具体模型为：

$$Y = A + BX_1 + CX_2 + DX_3 + e$$

其中，Y 为农业总产值；X_1 为农业水利基建投资；X_2 为农业机械总动力；X_3 为化肥施用量，A 为常数项；B、C、D 为待估计参数，e 为随机变量。相关变量的数据资料如表 3-4 所示。

表 3-4　1981~2001 年的农业总产值、农业水利基建投资、农用机械动力和化肥施用量

年份	农业总产值当年价 (亿元) Y	农业水利基建投资 (亿元) X_1	农业机械总动力 (亿 W) X_2	化肥施用量 (万 t) X_3
1981	2 181	13.6	1 568.0	1 334.9
1982	2 483	17.5	1 661.4	1 513.4
1983	2 750	21.1	1 802.2	1 659.8
1984	3 214	20.7	1 949.7	1 739.8
1985	3 619	20.2	2 091.3	1 775.8
1986	4 013	22.9	2 295.0	1 930.6
1987	4 676	27.0	2 483.6	1 999.7
1988	5 865	23.6	2 657.5	2 141.5
1989	6 535	29.5	2 806.7	2 357.1
1990	7 662	40.7	2 870.8	2 590.3
1991	8 157	50.2	2 938.9	2 805.1
1992	9 085	68.3	3 030.8	2 930.2
1993	10 996	81.6	3 181.7	3 150.1
1994	15 750	98.2	3 380.3	3 317.9
1995	20 341	142.5	3 611.8	3 593.7
1996	22 354	206.6	3 854.7	3 827.9
1997	23 788	258.6	4 201.6	3 980.7
1998	24 542	411.7	4 520.8	4 083.7
1999	24 519	536.5	4 899.6	4 124.3
2000	24 916	580.1	5 257.4	4 146.4
2001	26 180	558.8	5 517.2	4 253.8

资料来源：《中国农村统计年鉴》2001、2002、2003 年，《中国农业统计年鉴》2002 年。

在初次的回归结果中，农业机械总动力未通过 5%显著性水平下的 t 检验，将该项剔除，重新估计的结果如表 3-5 所示。结果表明，农业水利基建投资对农业总产值的贡献较大，其弹性系数为10.712，明显超过化肥施用量在农业总产值中所做的贡献。

表 3-5 回归分析结果

解 释 变 量	系 数	t 值
常数项	− 9 592.574	− 5.886
农业水利基建投资(X_1)	10.712	2.914
化肥施用量(X_3)	7.096	9.883
R^2	0.966	
F	257.492	

但另一方面，农业水利基建投资在 GDP、财政支出和基建投资总额中所占的比重却偏低。尽管 1981～2001 年 21 年间，中国农业水利基建投资在不断增长，特别是 1991～2001 年间有了较大幅度的增长，但其在 GDP、财政支出和基建投资总额中所占的比重却显得偏低(如表 3-6 和图 3-3 所示)。其中，农业水利基建投资占 GDP 的比重均在 1%以下，最高为 1999 年和 2000 年的 0.65%，最低只有0.16%，明显低于国外的 2%以上的水平；占财政支出的比重除 1999年的 4.07%外，其余各年均未超过 4%，最低的仅为 0.95%，明显低于国外的平均 5%左右的水平(王伟，2002)。农业水利设施占基建投资总额的比重除 1999 年和 2000 年两年外均未超过 4%，最低的仅为 1.50%。

(四)以政府为主体的投资主体单一性进而投入资金来源渠道单一性状况仍未根本改变

改革开放以来，尽管国家财政体制和基建投资体制发生了很大的变化(如财政体制上实行"分灶吃饭"，基建投资体制上实行"拨改贷")，但农业水利基建投资以政府为主体的投资主体单一性状况仍未根本改变。多年来，农业水利投资一直采取国家包办骨干工程，地方承建田间工程的"配套建设"模式(石玉林、卢良恕，2001)。

投资主体的单一性状况进而决定了农业水利基础设施投入资金来源渠道的单一性，国家或政府每年向水利工程投资几百亿元，而中国每年因洪涝灾害造成的损害也有几百亿元，国家或政府投资收效甚微，充其量是将灾害损失降到最低。国家或政府忍辱负重，甚至不堪重负，亟待私人投资，中国实行单一的公水制又实际限制了其他投资，以至于政府水工程管理体制的措施依旧局限在行政管理的范畴内，根本未触及水工程最核心的投资体制(肖国兴，2004)。

表 3-6　中国农业水利投资占 GDP、财政支出和基建总投资的比重

年份	农业水利基建投资(亿元)(1)	GDP(亿元)(2)	财政支出(亿元)(3)	基建总投资(亿元)(4)	农业水利基建投资占 GDP 的比重(%)(5)=(1)÷(2)	农业水利基建投资占财政支出的比重(%)(6)=(1)÷(3)	农业水利基建投资占基建总投资的比重(%)(7)=(1)÷(4)
1981	13.6	4 862.4	1 138.41	442.91	0.28	1.19	3.07
1982	17.5	5 294.7	1 229.98	555.53	0.33	1.42	3.15
1983	21.1	5 934.5	1 409.52	549.13	0.36	1.50	3.84
1984	20.7	7 171.0	1 701.02	743.15	0.29	1.22	2.79
1985	20.2	8 964.4	2 004.25	1 074.37	0.23	1.01	1.88
1986	22.9	10 202.2	2 204.91	1 176.11	0.22	1.04	1.95
1987	27.0	11 962.5	2 262.18	1 343.10	0.23	1.19	2.01
1988	23.6	14 928.3	2 491.21	1 574.31	0.16	0.95	1.50
1989	29.5	16 909.2	2 823.78	1 551.74	0.18	1.04	1.90
1990	40.7	18 547.9	3 083.59	1 703.81	0.22	1.32	2.39
1991	50.2	21 617.8	3 386.62	2 115.80	0.23	1.48	2.37
1992	68.3	26 638.1	3 742.20	3 012.65	0.26	1.83	2.27
1993	81.6	34 634.4	4 642.30	4 615.50	0.24	1.76	1.77
1994	98.2	46 759.4	5 792.62	6 436.74	0.21	1.69	1.53
1995	142.5	58 478.1	6 823.72	7 403.62	0.24	2.09	1.92
1996	206.6	67 884.6	7 937.55	8 570.79	0.30	2.60	2.41
1997	258.6	74 462.6	9 233.56	9 917.02	0.35	2.80	2.62
1998	411.7	78 345.2	10 798.18	11 916.42	0.53	3.81	3.45
1999	536.5	82 067.5	13 187.67	12 455.28	0.65	4.07	4.31
2000	580.1	89 442.2	15 886.50	13 427.27	0.65	3.65	4.32
2001	558.8	95 933.3	18 902.58	14 820.10	0.58	2.96	3.77

资料来源：《中国农村统计年鉴》2002 年和《中国统计年鉴》2001、2002 年中的相关数据整理而成。

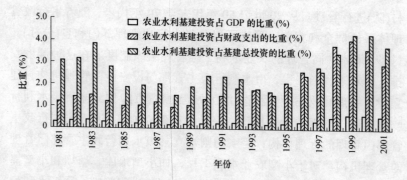

图 3-3 农业水利基建投资占 GDP、财政支出和基建投资总额的比重

另外，中国农业水利基建投资与财政支出之间的相关关系也可从侧面反映农业水利基建投资中以政府为主体的投资主体单一性状况。本书仍然采用双对数模型对 1981～2001 年间中国农业水利基建投资与财政支出之间的相关性进行分析，所得计量模型为：

$$\lg y = -3.484 + 1.478 \lg x$$
$$(-16.06) \quad (24.69) \qquad R^2 = 0.97$$

其中，x 为财政支出的具体数值；y 为农业水利基建投资的具体数值（x 和 y 的具体数值参见表 3-6）。结果表明，农业水利基建投资与财政支出在较长时期内同样具有非常强的正线性相关关系，这一结果也从侧面反映了政府投资主体的单一性状况基本上没有改变。

第二节 农业水资源
管理组织制度的演进及现状

一、农业水资源管理组织制度的历史演进

(一)新中国成立初期至改革开放时的农业水资源管理组织制度

新中国成立后至 20 世纪 50 年代末，由于水利行政管理组织体

系尚未形成，农业水利工程管理主要由农村基层组织——乡(公社)、村(队)进行管理。从 20 世纪 50 年代末至 70 年代末，随着水行政管理体系的健全和完善，形成了以各级水行政管理部门和乡(公社)、村(队)集体共同管理的农业水利工程管理组织制度。在这种制度安排下，对于骨干工程，由水利行政主管部门设立专门管理机构，建立灌区管理局(处)进行管理：灌区如跨地区(市)，则建立省级水利行政主管部门管理的管理机构；跨县的则建立地区(市)级水利行政主管部门管理的管理机构；跨乡的则建立县级水利行政主管部门管理的管理机构。对于小型农业水利工程，如小型水库、塘坝和小型提水泵站及机电井等，主要由乡(公社)、村(队)进行管理，县级水利行政主管部门予以技术指导和服务。在管理形式上，完全与国家实行的计划经济管理体制相适应，农业水利工程管理也实行计划经济管理形式，各级政府或集体在经济方面对管理单位实行统收统支，管理运行也由各级政府或集体下达计划。到 20 世纪 80 年代初改革开放为止，初步形成了分级管理的管理体制(陈军、葛贻华，2003)。

(二)改革开放以后至 20 世纪 90 年代的农业水资源管理组织制度

自 1978 年以来，中国实施了改革开放政策，农村实行家庭联产承包责任制，国家的经济制度开始了从计划经济制度向社会主义市场经济制度的变迁。与之相适应，农业水资源管理组织制度也进行了逐步调整：第一，调整灌区经费来源，水利工程管理经费由财政预算支付逐步转变为由水费承担，例如，经过 1978～1984 年农业水费改革的研究探索，水利部于 1985 年颁布了《水费计收管理办法》，农业水利工程管理所需的经费来源转变为农民缴纳的水费；第二，对集体管理的小型农田水利工程，原则上财政不承担运行管理费用，管理费用由集体自行负担；第三，灌区管理单位大多实行企业化管理，探索并建立内部运行管理新机制，以降低管理成本，提高用水效率。

尽管这一时期中国农业水资源管理组织制度安排发生了以上变化，但其组织体系基本上仍然是"行政组织机构+灌区专业管理组织+农民集体管理组织"的格局。即：一方面，农业水利基础设施在行政上由各级政府的水行政主管部门负责。水利部是中央一级的水行政主管部门，主要负责农业用水的行业指导以及宏观管理。市(地区)水利局或县水利局负责大多数农业水利工程的管理，受益范围跨两个市以上的大型工程直接由省水利厅管理，如图 3-4 所示(中国灌区协会，2001)。另一方面，我国大中型灌区大多数采用专业管理与农民集体管理相结合的管理形式，即由同级人民政府成立灌区专管机构，如灌区管理局等，负责支渠(含支渠)以上的工程管理和用水管理；小型灌区基本上采取农民集体管理(中国灌区协会，2001)。这样，整个灌区的管理机构主要由三部分构成：行政管理机构、专业管理机构和民主管理机构。

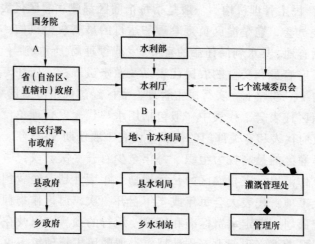

注：其中 A 表示行政隶属关系；B 表示技术指导关系；C 表示行政和技术指导的双重关系。

图 3-4 灌溉管理行政组织体系示意图

1. 行政管理机构。是指灌区管理在行政上由各级政府的水行政主管部门负责，水利部是中央一级的水行政主管部门，主要负责农业灌溉的行业指导及宏观管理，市(地区)水利局或县水利局负责大多数灌溉工程的管理，受益范围跨两个市以上的大型灌溉工程由省水利厅管理。

2. 专业管理机构。负责全灌区的行政和技术管理，包括对渠首和主要输配水渠道、渠系建筑物的管理和运行，包括水费的征收。在专业管理机构中有工程师、技术员、财务和行政人员。大型灌区的管理局一般设局长1人，副局长若干人。下设工程管理处(科、室)、灌溉用水处(科、室)、财务处(科、室)、信息资料处(科、室)以及多种经营处(科、室)等。专业管理人员的工资和管理运行的费用(包括工程的维修养护费用)一般是由征收的水费来开支。但是，由于农业水费的标准低，收集的水费不抵上述费用开支。很多灌区开展了多种经营业务，如水产、养鱼、旅游和兴办一些与水利工程有关的小型企业，作为补充职工的福利。

3. 民主管理机构。一般是指每个灌区都建立灌区代表大会或管理委员会，它是灌区负责管理和运行的最高权力机构。代表大会包括有地、县水利局任命的官员、专业管理局(所)的领导、乡(镇)地方政府官员和受益的农民代表以及灌水员等，灌区在专业管理机构的统一领导下，实行民主管理：灌区经过民主协商选举代表，成立灌区代表会，代表中一般包括用水户代表、管理单位代表、地方政府代表和有关部门的代表，代表一般任期3~5年，灌区代表会是灌区的最高权力组织，每年至少召开一次会议，听取专管机构工作汇报，审查灌区的长远规划、年度计划、经费预、决算等重大事项，代表大会每年或半年召开一次，讨论作物种植和水量分配计划，审定水费标准和管理、运行的预算，以及在非灌溉季节的渠道维修和劳力安排计划，类似的民主管理组织也在干、支渠中成立，其主要任务是协调配水和解决用水纠纷，灌区代表会通过协商产生灌区管理委员会，是灌区代表会闭会期间的权力机构，代行灌区代表会的一切职权，支渠以下至田间的灌溉工程管理由灌溉管理站、斗渠斗长及灌溉委员会负责，乡、村集体管理的小型灌区则由受益户直接推选委员会进行管理，农户自建自用或几户农民合作兴建和使用的小塘、池、井等工程，由农户自己管理，如图 3-5 所示(李代鑫，2002)。

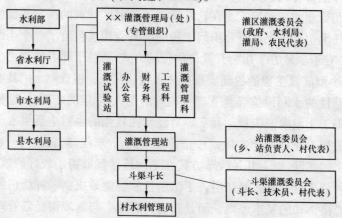

图 3-5　我国灌溉管理形式

专业管理机构和民主管理是一个互相结合的整体，彼此间进行分工、合作和相互监督。这些民主管理形式与国际上受到重视的用水户参与灌溉管理有相似之处。但是，在 1978 年以前中国主要是集中的计划经济，因而在灌溉管理体制上也是以集中管理为主，灌区管理权力过多地集中在专管机构，灌区管理委员会作用没有得到充分发挥，农民参与程度较低。灌区代表大会并没有起到灌区最高权力机构的作用，严格来说有如一个咨询或协商机构；群众管理组织的作用也仅限于田间用水管理工作和提供维修渠道的劳力等。

(三)20 世纪 90 年代至今的农业水资源管理组织制度

20 世纪 90 年代以来，在许多国家特别是发展中国家纷纷已将灌溉管理的权利和责任移交给农民用水者组织为核心内容的灌溉管理体制改革的背景下，中国结合大中型灌区更新改造和续建配套工作，在世界银行和国际灌排组织的支持下，开展了"用水户参与灌溉管理的改革试点"的实践，这一实践的基本内容是在试点地区(灌区)建立 WUA。除此之外，随着经济体制改革的逐步深入，在灌区管理体制改革方面还进行了多种经营方式的改革尝试，目前还有另外三种主要形式：其一，承包责任制，这是把土地承包责任制引入到水利行业的一种形式。在这种体制下，灌区管理的部分职能实行了责任承包，支渠以下和田间工程的灌溉管理承包给了一个小组或个人，有不少地方采用公开竞价承包的方式(基层干部习惯称之为拍卖)。小型灌溉工程的管理实行整体承包。其二，租赁制。把具有一定经营性的水利设施经营管理权租赁给个人(一定的年限)，这种形式多限于小型灌溉工程。其三，对经营性较强的乡村生活供水设施采用股份合作制组建实体，按企业办法经营(李代鑫，2002)。通过多年来的实践，以上几种改革方式在不同地区都取得了较好的效果。这几种形式的共同之处是引入了激励机制、竞争机制、补偿机制等市场经济活动的基本原则，而且在拥有者或参与者取得经营管理或使用权后，不仅在经济上享有受益权、在用水上享有一定的优先权以外，同时要承担相应的管理、维修、养护义务，并要遵守相应的约束机制，保证用水和收费的公开公平。

二、农业水资源管理组织制度运行现状的实证分析

从演进的过程看，中国农业水资源管理组织体系目前有主要行政管理机构、专业管理机构和民主管理机构，具体来讲由行政管理组织机构体系和灌区管理组织机构体系(专业管理机构和民主管理机构)两大部分组成。第一，行政管理组织机构体系是与各级政府机构相对应的、由水利行政主管部门组成的组织序列，即水利部——水利厅——地、市水利局——县水利局——乡(镇)水利站(见图3-4)。在行政管理组织体系中，乡(镇)水利站处于较为特殊的地位，其特殊性在于：乡(镇)水利站是农业水资源行政管理组织体系中的基层组织载体，具有一定的行政性(如在性质上属纯事业编制，部分水利站的经费及人员工资由县水利局负责)；在农村实行家庭联产承包责任制后，土地这一主要农业生产资料已经包产到户，但小型农业水利基础设施仍然是集体所有、集体管理，新形势下产生的问题是：没有了集体经济实体依托的"集体"到底是谁？由什么组织体现？

"集体"虚设,所有者主体自然就"缺位",接着而来的问题就是基层政府代替"集体"承担了本该由集体办的事,造成政府"越位",政府与农民在农村水利中的角色"错位"(冯广志,2001)。这样,乡(镇)水利站就代表乡镇政府成为农村小型水利基础设施原有管理主体——"集体"——的替代者,即成为农村小型水利基础设施的实际管理主体。基于上述两方面的考虑,本书将乡(镇)水利站作为主要考察对象之一。第二,在灌区管理组织体系中,一方面,灌区专业管理组织(即灌区水管单位,亦即大中型灌区中的管理处、管理局和小型灌区中的管理所等水管组织)的地位、性质、职能及作用随着以市场化趋向为主要内容的改革开放的进行发生了较大的变化,也是本书的主要考察对象之一。另一方面,随着 20 世纪 90 年代以来以参与式灌溉管理为中心的灌溉管理体制改革实践的深入,WUA(农民用水户协会或农民用水者协会,后文同)正在成为主要的农业灌溉管理的中介组织,作为一项新生事物,本书也把 WUA 作为重点对象进行考察。

(一)灌区水管组织[1]运行的总体现状——以百家水管单位的情况[2]为例

根据水利部水利国有资产管理体制改革调研组的调研资料,百家水管单位的基本情况主要包括以下几个方面:第一,百家水管单位资产总量情况。截至 2002 年底,百家水管单位资产总额 429.7 亿元,占全国水利国有资产总额的 9%。其中,经营性资产总额 287.14 亿元,占百家水管单位资产总额的 66%;非经营性资产总额 142.59 亿元,占 34%。第二,百家水管单位收支情况。2002 年百家水管单位实现收入总额 54.60 亿元,其中:财政补贴收入 1.25 亿元,占 2%;供水、发电收入 33.39 亿元,占 61%;水利旅游、种养殖收入 2.95 亿元,占 6%;与发挥水利资源优势无关的收入 17.02 亿元,占 31%。

---

❶ 即灌区水管组织或灌区水管单位,在本书中灌区专管组织、灌区水管组织、灌区水管单位三个概念具有相同的含义,行文中未作具体的区分。
❷ 转引自水利部水利国有资产管理体制改革调研组(2004)。

2002 年百家水管单位人员费用及公共经费支出 18.96 亿元，这部分支出全部由单位自行解决的占 74%，由财政负担一部分、单位自行解决一部分的占 26%；2002 年百家水管单位工程日常维修养护经费支出 4.56 亿元，这部分支出全部由单位自行解决的占 65%，在水利工程维修养护岁修资金中列支的占 12%，由财政拨款或水利工程维修养护岁修资金中列支一部分、单位自行解决一部分的占 23%；2002 年百家水管单位工程更新改造费用 4.99 亿元，这部分支出中由计划部门在非经营资金中安排的占 12%，由计划部门在非经营性资金中安排一部分、单位自行解决一部分的占 27%，无资金来源且不进行更新改造的占 47%；47% 的水管单位没有提取折旧或部分提取折旧，其中 19% 的水管单位没有提取折旧，28% 的水管单位对 30%～90% 的部分固定资产提取折旧，年折旧率在 2%～5% 之间，相当一部分水利工程未按规定足额提取折旧。第三，水利工程管理体制及基本情况。百家水管单位中，事业单位 97 户，占 97%，其中企业化管理事业单位 65 户，占 65%；企业 3 户，占 3%。有 84 户单位执行水管单位会计制度，占 84%；5 户单位执行事业单位会计制度，占 5%；11 户单位执行企业会计制度，占 11%。百家水管单位核定编制 57 742 人，实际职工人数 59 161 人，超编 1 419 人。个别单位严重超编，如某水库管理处，核定编制 40 人，而实有职工 254 人，超编达 6 倍以上。

　　上述情况说明，随着中国社会主义市场经济体制逐步建立这一外部制度环境的塑造，灌区水管单位在经营管理上有向市场化趋动的一面(灌区水管单位经费来源方式的转变及其管理上的企业化要求都反映了这一点)；但另一方面，灌区水管单位在经营管理上仍保留了很多计划经济体制的痕迹或者说仍有很明显的行政特性(灌区水管单位的事业性质及灌区水管单位负责人的任命方式都说明了这一点)。因此，灌区水管单位在性质上具有较为明显的行政特性，而在管理方式上又具有较为明显的市场化倾向，具体表现为灌区水管组织在性质上的"事业编制、企业化管理"这种双重定位。

(二)基层农业水资源管理组织运行状况——以湖南省为例❶

湖南省是一个水利大省，水资源优势明显，但水旱灾害频繁。随着水利建设的不断推进，基层水利服务体系逐步形成，目前(2002年❷)全省基层水利管理和服务单位共有 2 536 个(不含地方水电单位)，其中水库、灌区、泵站、堤坝、水闸等水利工程管理单位 779个，乡镇水管站 1 678 个，水土保持站 69 个，灌溉试验站 10 个，这些单位现有职工近 5 万人。这些基层水资源管理组织运行中暴露出了一些问题，主要表现在以下几个方面：

1. 基层水利人员收入低。目前(2002 年)全省有 70%以上乡镇水管站人员没有发足基本工资，不少水管站职工已连续几年没有领到基本工资，有的水管站职工每月收入仅 30 元。耒阳市 34 个乡镇水管站 226 人，年平均工资不到 2 000 元，该市洲陂乡水管站站长说他们站 7 人，已有 29 个月没有正常发过工资；华容、澧县、桃源等县的电排站、堤防管理单位和水管站，年人均收入仅 1 000 多元。之所以收入如此之低，主要原因是乡镇水管单位属纯事业单位性质，主要从事的是公益性、服务性工作，没有稳定的收入来源。另据对341 个大中型灌区管理单位调查，收不抵支的占 79%，无法按政策发放工资的占 80%以上。全省尤其是湖区很多地方水利职工工资近年来都是打白条，南县 1999 年以来已拖欠水利职工工资近 1 000 万元。由于收入低，基层水利队伍目前很不稳定，有专业、有特长、有能力和年轻的水利职工留不住，有的转行跳槽，有的南下打工，很多乡镇水利站已经名存实亡，如东安县 16 个乡镇，有 12 个乡镇的水管站已空无一人。汨罗市乡镇水管站 194 名专业人员中有 73人已自谋生路去了。

2. 管理体制不顺、机制不活。目前全省 1 678 个乡镇水管站的

　　❶ 参见《水利系统优秀调研报告》（第二辑），中国水利水电出版社 2003 年版，第 566～578 页。
　　❷ 本章引用湖南省这些方面的调查资料是来自 2002 所做的调查，所以这里的"目前"是指 2002 年。

管理体制有三种类型：属县派出机构的占 12%，这些乡镇站除党团关系放在属地外，其他主要由县水利局管理；由乡镇直接管理的占 15%，这种情况是人、财、物、事统交乡镇管理；县乡双重管理的占 73%，这种体制又有两种情况，少部分以县水利局管理为主、乡镇为辅，绝大部分以乡镇管理为主、县水利局为辅。以上比较混乱的管理体制，导致了以下四个主要方面的问题：第一，人员难控制。1988 年定编时全省乡镇水管站有人员 13 547 人，一直到 1995 年撤区并乡时人员基本稳定，到 2001 年底，职工人数达到 18 164 人，增加 4 617 人，增长 34.3%；桃源县 1996 年把乡站下放一年，人员增加 31 人；华容县 1993～1996 年三年时间乡镇站人事未由县局管，人数从 86 人增加到了 290 人，翻了近两倍。第二，水利资产被平调。汨罗市的乡镇水管站建设在全省乃至全国都是有影响的，乡乡有站，站站有房，有实体、有实力，但 1995 年下放后至今，乡站不仅没有发展，反而严重萎缩了，目前全市 28 个乡站有 10 个站工资无着落、单位无站址、管理无章程、收入无来源，10 个无站址的乡镇水管站，其中 6 个原来有站址，下放后被乡政府卖了抵债；农村电力体制改革后，原来由乡镇水利水电管理站管理的电站优势资产也被无偿划给了电力企业，水管站失去了稳定的收入来源；资兴市农电改制前，29 个乡站有 189 人、3 400 万元固定资产，水电分离后，只保留了两个乡镇水管站，水利资产流失相当严重。第三，资金被挤占。有些乡镇水管站有电站、水厂、沙石厂等经济实体，单位有一定的经济实力，但乡镇水管站承受的摊派、集资、上缴、捐款等时有发生，有点效益也会"交光"，根本无力发展再生产。据桃源县反映，现在全县乡镇站负债 870 万元，但每年要向乡政府上交 129 万元，该县泥窝塘乡水管站有职工 22 人，年纯收入 30 万元，经济效益较好，但乡政府视水管站为"小金库"，1998 年水管站上缴乡财政 9 万余元，上缴统筹站 2 万元，负担库区生活补偿 7 000 元，欧阳海灌区2001 年应收水费 300 多万元，实际到账水费只有 33 万元，绝大部分水费被乡镇占用。第四，工作难协调。乡镇直接管理的乡镇水管站，水利员变成了乡镇干部，驻村包点，催粮收税，而水利建设、水利管理、水利执法、水利经济等本职工作难以落实；由县水利部门直接管理的乡镇水管站，有时得不到当地乡镇政府的支持和配合，工作开展起来不够顺畅，对于乡镇水管站管理体制不顺的问题，一些乡镇水管员形象地说："乡镇水管站体制变，各项工作断了线，人事关系拎着走，水利员成了流浪汉。"

3. 投入短缺，服务弱化。投入短缺是造成基层水利服务体系生存困难、队伍不稳的重要原因，投入短缺主要表现在三个方面：其一，财政投入严重不足。目前全省乡镇水管员的年工资一直是按 1983 年人均 800 元的水平拨给，而现在工资已涨了 10 来倍，各项事业开支也成倍增长，缺口越来越大。其二，水费收缴严重不足。一方面，水费标准过低，现行的水价仍然是 1990 年的标准，平均每亩不到 15 元，即使全部收取到位，也无法保障正常运转的开支；另一方面，水费收缴率低，每年到位的水费不到 60%。由于湖南省大部分地方的水费仍然由乡财政代收，这部分资金往往被挤占、截留。其三，自我创收非常困难。大部分基层水利单位，由于无门路、无资金、无场地，创收能力很弱。

资金严重短缺，还直接导致了设施萎缩、服务弱化。根据桃源县统计，全县 320 座大小水库有险病的有 270 多座，有效灌溉面积由 115 万亩下降到 78 万亩；700 多处电排机泵，仅 20%左右能正常运行；桂阳县 2002 年汛前检查，全县 259 座中小型水库有 182 座带病运行，该县莲塘水库灌溉面积由 7 个乡减少到 3 个乡。

4. 人员膨胀、素质偏低。目前基层水管单位普遍超编、超员。湖区县市水利部门一般有 1 000 多人，多的近 3 000 人，山丘区的县市一般在 700 人以上，多的也达到 2 000 人，特别是乡镇水管站和水利工程管理单位人员过度膨胀，大多数站比建立之初人员增加 2 倍以上，南县水利系统共有 21 个乡镇水管站，在职职工 1 200 多人，退休职工 421 人，平均每站达 77 人；澧县浣水灌区管理所最初只有 23 人(其中正式职工 14 人)，目前增加到 93 人(含离退休人员

16 人)。人员增多知识结构却不合理，专业技术人员少，基层水利人员有 90% 是中专及以下文化程度，桃源县 2 300 多名水利人员中，学水利的仅 100 人左右，并且这种状况还在恶化，真正的专业人才大量流失；凤凰县乡镇水管站 82 名职工中有 28 名专业人员下海自谋职业；衡阳市 186 个乡镇水管站 1 600 多人中，有 250 多名水利技术人员停薪留职。

5. 观念落后，发展迟缓。基层水管单位自我生存、自我发展的能力不强，适应不了形势变化的要求，主要表现在：其一，思想观念落后，难以适应和跟上时代变化的步伐。水利长期受计划经济影响，相当一部分基层水管站等、靠、要的思想根深蒂固，加之大多数人主要是通过招工、顶职和买户口等途径安排进来的，个人素质较低。其二，竞争意识不强。有些基层水管单位守着丰富的水土资源不去利用开发，缺乏市场经济意识；有的水利职工不善于学习提高，没有一技之长，缺乏开拓创新能力。其三，发展条件较差。绝大部分水利工程单位地处偏僻山区，交通不便，信息闭塞，发展经济受到很多制约。一些水库发展种养业，因农产品卖不出去、卖不起价而增加不了收入，形不成产业。

(三)灌区 WUA 运行现状分析[1]

通过成立 WUA 来引导农民参与农业用水及农业水利基础设施的管理是参与式灌溉管理的中心内容之一。WUA 这一农民参与灌溉管理的组织制度安排在中国出现近 10 年来，其运行绩效如何？还存在那些问题？本章主要对 WUA 产生的背景、现状及存在的问题进行分析。

1. 中国农民用水户协会的发展背景和现状。"用水户参与灌溉管理"理念的树立是用水户协会建立的前提。这一理念的引入并落实为制度经过了两个阶段。一是经济自立灌排区(SIDD)阶段。SIDD是国外一种先进的农业灌溉管理模式。中外各国灌区的形成一般是

---

[1] 参见全志辉(2005)，王雷、赵秀生、何建坤(2005)的有关论述。

由国家投入很多钱建设，然后交给管理部门管理，工程维护一般也缺乏进一步的后续资源，在管理部门和用水户的关系上，用水户不能参与到灌溉管理中去，给灌区的持续运行带来问题。SIDD 则强调灌排区在经济上要自立，并由此设计了一个制度，包括供水公司(WSC)或供水组织(WSO)两类组织，再加上管理田间渠系配水的用水者协会(WUA)。这两个组织建立经济上的契约关系，通过建立符合市场机制的供水和用水的管理制度，按市场运行规则，实现用水者自我管理灌区、灌区经济自立的良性循环，是用水户参与灌溉管理的一种形式。其主要特点是按照市场经济规律，供水公司自主经营、独立核算、经济自立、计划用水、合同供水、按方收费。用水户根据用水合同用水，同时参与合同的制定。

在 20 世纪 90 年代初，世界银行在其资助的中国长江水资源流域项目中开始推行 SIDD 模式，主要在湖北的漳河灌区和湖南的铁山灌区，但在推行过程中发现和我国实际不太相符。因为我国灌区管理部门和地方政府的联系很强，所以在实际执行过程中，我国部分学者提出"经济自主灌排区"的概念，强调灌排区不一定经济自立，还是要国家投入一部分管理经费，但强调自主管理。于是进入第二个阶段即"经济自主灌排区"(英文简称仍为 SIDD)阶段。在这一阶段因为供水公司的建立较困难，就开始越来越强调建立用水户协会。

用水户协会的具体推进过程，应该提及以下的事件：第一，1985 年我国正式加入亚洲开发银行，亚行技术援助项目《改进灌溉管理与费用回收》1988 年在我国启动。在中外专家合作完成的项目报告中，提出了吸收灌区农户参与灌溉管理的建议。这是用水户协会的想法第一次引入我国。第二，1995 年，世界银行贷款的长江流域水资源项目启动，引入"经济自主灌排区"(SIDD)的概念，湖南铁山灌区和湖北的漳河灌区开始试点。1995 年 6 月第一个用水户协会在湖北的漳河三干渠洪庙支渠正式成立。湖南铁山灌区还成立了"铁山供水公司"，对灌区干渠以上工程进行统一管理，对农业用水户、企业用水户推行经济自立灌排区。第三，1996 年，水利部农村水利司冯广志司长率团参加"第二届用水户参与灌溉管理国际研讨会"，我国加入"国际用水户参与灌溉管理网"。然后和国际组织合作，举办系列经济自产灌排区和农民用水者协会培训班，1996 年在都江堰、1999 年在江苏皂河、2000 年在湖南岳阳分别举办培训班，培训形式包括专题授课和经验交流；2001 年，国家农业综合开发办与水利部农业综合开发办公室合编的 SIDD 培训教材出版；2002 年，由水利部主持的第六届用水户参与灌溉管理国际研讨会在北京召开。目前对于农民用水户协会在全国的发展数量，没有权威性的统计数据。据估计，中国有近 20 个省、80 多个灌区开展了试点工作。

2. 当前农民用水户协会组建过程中的两个特点。**第一个特点**：农民用水户协会由政府和专业水利部门大力推广，而不是农民自发成立。有人把用水户协会无法内生的根源归结为农村灌溉设施的产权不清。但是，产权的界定是个动态的过程。实际生活中，如果农民有集体行动的能力，能够形成要求灌溉设施共有的共同意愿和行动，农村灌溉设施的产权状况可能就大不一样。仅仅看到农民的分户经营和生产队组织的解体是不够的，因为没有力量强迫农民在离开人民公社制度下的集体合作制度后，就不能选择其他合作制度，况且，农民现在有了更多的可以进行合作的"个人产权"，如可供自己支配的土地经营权、劳动时间以及更多的生产资料、更多的消费剩余。而且农民在人民公社制度建立以前是有村庄内部的灌溉合作的，在士绅或族长的领导下，有着完善的分水、配水和对水利工程的维护制度。但是这些传统的合作在今日中国的多数村庄中已不复存在。那么，村庄中缺少引导农民合作的"企业家精神"吗？农村有一大批有识之士，他们看到合作的好处，但是由于缺乏相应的机制，他们投入的精力和成本巨大，却难以看到合作的现实和得到回报，包括获得精神上的褒扬，自然就难见制度创新的企业家行为。正是在这样的情形下，协会的产生走了外生的道路。

第二个特点：大多数协会按照行政村边界而不是水文边界组建。

在现有农民合作能力的基础上，要使农民用水者协会变成真正的农民用水者的自治组织，需要投入相当的成本，并且还要辅之以时间上的等待。这对于自身财政状况不佳和工作繁重，而又要在短期内看到用水者协会效益的地方政府和专业水管部门来说，就只有简化工作步骤，靠"领导重视"和"集中时间组建"等强力推进方式。于是，我们看到，作为制度倡导者的世界银行和国家水利部放弃了"以水利渠系为单位组建协会"的方案，转而以行政村为单位组建协会。

3. 农民用水者协会(WUA)的作用。不同研究往往从不同的角度对农民用水者协会的作用进行概括，本书则从以下两大方面对农民用水者协会的作用加以概括。

作用之一：农业灌溉的组织者和管理者。作为农业灌溉的组织者和管理者，WUA 完全替代了乡镇水管站的职能，真正成为农民用水户的利益代表。此时 WUA 的主要作用在于：第一，减少了水费征收的环节，杜绝了水费征收中"搭车收费"的现象，由于 WUA 的财务收支和水费定价都是由代表大会共同审定的，因此用水户心里有底，水费征收率很高，也增加了水管单位的供水收益。第二，加强了协会辖区内渠系工程的管理。WUA 成立以后，协会范围内的灌溉工程由协会负责，变成了农民自己的工程，从而提高了用水户维护渠道、改善灌溉条件的意识。第三，减少了农业灌溉中的用水纠纷。在成立协会之前，农灌紧张的时候，经常会出现因争水而产生纠纷的情况，WUA 成立后实行统一管水，协会成员都必须遵守，因此杜绝了因争水造成的矛盾冲突，有利于农村的社会稳定。第四，保障了农村弱势群体的灌溉权利。成立协会前，由于争水的激烈，老弱病残等农户家庭在争水过程中处于弱势。而成立协会后，由协会统一进行配水、看水，协会成员拥有平等的水权，保障了弱势群体的利益。第五，增强了农户节约用水的观念，提高了水的利用率。一方面，WUA成立后对协会控制流域进行统一管理，避免了原来"上游贪、下游干"的局面，减少了水的浪费；另一方面，农民通过参与水费定价，知道了多用水要多交钱，浪费水就是浪费钱，因此提高了水的利用率，降低了灌溉定额。目前达到这种效果的 WUA 比较少，一般来讲，WUA 要真正承担起农业灌溉管理者和组织者的角色，对外部环境和自身建设都有着一定的要求：首先，在外部环境上，WUA 是农民合作组织，需要政府给予一定的授权，最重要的就是水费收取权，这是 WUA 能否发挥作用的关键因素，也是维持协会运作和灌溉管理的必要条件。但实际上，由于水费是农民比较愿意交的费用，乡镇政府往往也不愿意将收取水费的权利转让给 WUA，即使在世行项目区内很多建立了 WUA 的乡村，水费也往往是由村委会来收取的，WUA 并没有水费收取权。这就使得 WUA 的作用难以发挥。其次，对协会自身来讲，是否具有完善的组织制度，是否具有足够的权威性是协会能否发挥作用的内在原因。完善的组织制度主要体现在 WUA 是否能够吸引农民参与到协会的管理事务中来，只有建立在广泛的群众基础之上，WUA 才能被广大用水户所接受，才能更好地发挥作用。WUA 的权威性很大程度上取决于协会主席是否具有权威性，如果 WUA 的主席在群众中有着较高的威信，那么协会的运作情况一般都比较好。

作用之二：农业灌溉的参与者和监督者。由于外部环境和自身建设等方面的条件限制，很多 WUA 并没有足够的能力来承担农业灌溉的组织和管理工作，而是扮演了参与者和监督者的角色。在这种情况下，WUA 发挥的主要作用在于保障灌溉的公平性和及时性，而水费征收的任务则由水管部门完成，WUA 可以对水费的定价和征收情况进行监督。目前大部分仍在运作的 WUA 其实承担的正是这部分职能，这是由我国的实际情况所决定的。目前中国的资源管理特别是水资源管理均采取自上而下的分层行政管理，最基层的社区水管理行政部门是水管站。而 WUA 如果要担当起管理者角色的话，那么必定和水管站在职能上发生冲突，在世界银行项目区内由于政府的强有力支持，一些 WUA 取代了水管站的职能；而目前在大部分地区，特别是水行政部门比较健全的灌区，不可能通过行政体制改革将基层水管部门撤销，也不可能将水管部门的权利移交给WUA，这也就决定了 WUA 的地位和作用，即协助水管部门开展工作，监督和保证用水过程的公平性和及时性。

4. 农民用水者协会发展中存在的问题。尽管农民用水者协会（WUA）在农业水资源管理制度改革过程中发挥着重要的作用，但其在发展过程中也存在着不少问题，主要表现为以下几方面。

问题之一：**协会登记注册难，法人地位无法确立**。造成这一问题有两个原因：第一，灌区管理机构、地方水利局和用水户协会没有充分认识到登记注册对协会发展的意义，对登记注册工作重视不够，寻求注册登记的努力不够，方法不多。调查显示，较为普遍地存在着"登记注册有什么用，就是多交点钱""登记注册烦琐"等观念。在上述三类主体当中，越是用水户协会越容易有这样的观念。对于水利部门和灌区管理机构来说，由于对民间组织管理这一较新的政府工作缺乏了解，很多时候也不理解登记注册的意义。第二，相当一部分地方民政部门没有把用水户协会登记注册工作作为农村民间组织管理的工作纳入日程，即使启动这项工作也有意无意地抬高登记门槛，使得登记注册非常困难。出于一些地方对中央加强民间组织管理精神的错误理解，一些地方民政部门对用水户协会的注册采取了不批或从严的错误做法。现有的民间组织管理工作还没有把农民用水户协会作为一类登记主体提出来，水利部在推进用水户协会登记注册上也没有具体的工作措施。

问题之二：**工程不配套和老化破损影响用水户协会的推广和正常运行**。协会管辖的工程多为斗渠以下工程。协会的正常管理要求斗渠以下工程具备正常输水、水量调度(如实施轮灌的水闸)、量水的功能，但实际状况却有很大距离。斗渠以下工程完好率普遍较低，相当一部分灌区，由于多年来国家对支渠及其以下田间工程的更新改造基本上没有投入，破烂的田间水利基础设施得不到改善，大面积推广用水户协会就存在困难。如四川省的灌区中，支渠老化、损坏占 52.8%，斗渠老化、损坏占 39.6%，农渠老化、损坏占 51%。

四川通济堰灌区于 2001 年在眉山市组建丛林支渠用水户协会。协会成立前，灌区管理处调集了 50 万元资金，用于协会所管辖工程的建设。丛林协会成功运作起来了，但却无法作为示范进行推广。因为组建协会对渠系工程的投入较大，而各级政府尚未重视并给予支持，光靠灌区专管机构则超出其承受能力，因此通济堰管理处今后暂不打算大面积推广用水户协会。又如，山东省的灌区大多数建于五六十年代，工程质量先天不足，加之长期频繁运行，工程日趋老化，完好率低下，渠道完好率为 70%，建筑物完好率仅 60%。灌溉成本高，灌水周期长，严重影响了灌区效益的正常发挥。1997 年以来，国家已投入较大数量的资金对灌区工程进行续建配套和节水改造，但因改造项目面广量大，投资总量不足，尚有 2/3 的大型灌区未能得到国家的扶持。在这种工程条件下，位山灌区 1997 年建立了山东第一个用水户协会——孙营用水户协会，但目前协会已名存实亡，重要原因之一就是由于工程设施不配套，没有控制和配水能力，更做不到量水到户。

问题之三："两委会合一"限制了协会自主能力的发展。"两委会合一"指大多数以行政村为范围建立的协会中，相当一部分协会执委会成员由现任村委会成员担任，协会主席由村委会主任或副主任担任。由于大多数协会是依照行政村为边界建立，因此在实际操作中，协会执委会成员也大多是村委会成员。也就是给村委会另挂了一个牌子。这使得协会很难独立运作，不能实现农民的参与式管理。"两委会合一"在现实中有一定的合理性，但也带来了严重的问题。第一，协会的运行好坏仅仅取决于协会执委会主席、副主席的工作能力和责任心。第二，造成了协会执委会人员对水管部门的依赖。由于是水管部门牵头建起的协会，协会执委会人员就自然而然产生一种想法：当上专业的水管部门工作人员，由水管部门支付比村组干部工资更高和更具稳定性的工资。在他们的思想意识里，他们不是在替会员收取水费，而是在替水管部门收取水费，因为会员在他们当选为执委会成员和协会的工作中并没有起到什么实质性的作用，其工作好坏也得不到农民有权威性的评估。许多协会执委会成员，尤其是在收取水费上工作量大的主席和副主席，向水管部门提出发工资或补贴的要求。如果没有达到要求，他们工作的积极性就会很大程度上受到影响。在具体操作中，很多灌区都从协会收取水费的总额中提取一定比例，作为对协会工作人员的报酬，这就是对执委会成员要求的一种不得已的顺应。这种顺应就使依赖成为一种制度性的存在，进一步加强了执委会成员对水管部门而不是对协会会员依赖心理，从而弱化了其提供服务的动力。

问题之四：协会运行中无法惩戒违规者。协会运行中无法惩戒违规者(即故意抵赖、拖交、欠交和拒交水费者)是协会发展遇到的另一个严重问题。可以设想作为村庄惩戒手段的有：剥夺或减少承包地、剥夺或减少集体提供的经济福利、村庄舆论谴责、缓浇水或停浇水等。但上述手段的实施非常困难。剥夺或减少承包地遇到的是国家法律政策有关确保农民土地使用权的规定；剥夺或减少经济福利，涉及到用水户协会有无剥夺村民基于集体经济组织成员或社区成员享有的经济福利的权利;村庄舆论在很多村庄已经消失殆尽，即使有力量也大不如前，如能运用，对于"钉子户"也构不成压力;至于缓浇或停水，没有哪个协会主席或副主席敢想，因为这要直接影响到被实施农户的收成和经济收入，受影响的农户会找协会领导人拼命。

问题之五：相当一部分农户用水者协会流于形式。之所以存在此问题，综合分析有以下原因：第一，农民用水者协会(WUA)没有得到地方政府的支持，没有与当地的水管部门进行有效的协调和分工，从而无法发挥作用。第二，没有合适的农民用水者协会负责人。如果协会负责人是普通农民的话，往往并没有足够的权威和能力去组织协调全村的用水纠纷，执行用水规定，从而影响了协会发挥管理作用，导致农民对协会失去信任;而如果协会负责人是村干部的话，农户用水者协会往往就成了村委会的一部分，丧失了独立性。第三，有些灌区组建农民用水者协会是迫于世界银行的压力而不是从实际需求出发。由于世界银行将组建农民用水者协会作为其支持项目的必须条件，灌区为了得到项目，不得不被迫组建农民用水者协会，但实际上由于降雨充分等原因，当地农民对水的需求和管理愿望不强，造成 WUA 没有发挥作用的空间。第四，很多灌区在组建农民用水者协会的时候，并没有结合本地区的实际情况，包括农民对用水的关心程度、水资源利用现状等，而是简单地将试点地区的模式拿过来死搬硬套，推广过程中也没有进行有效的宣传，使得农民不理解 WUA 的性质,更没有参与到其中来。因此，推广和建立农民用水者协会的关键是一定要根据当地的实际要求、农民的愿望、水资源的紧缺程度以及当地政府的支持程度，实事求是地推行参与式的水资源管理,追求的目标应该是解决农民的实际问题而不是只追求建立 WUA 的形式。只有这样，才不会造成建立了农民用水者协会却无法发挥作用的情况。

第三节　农业水资源配置制度的演进及现状

一、农业水权制度的演进及现状：基于交易的视角

(一)无交易的农业水权制度

长期以来，中国实行的是计划经济体制，水资源普遍是一种公有产权的制度安排，如《中华人民共和国水法》第三条规定，"水资源属于国家所有"，"农村集体经济组织的水塘和由集体经济组织修建管理的水库中的水，归各该农村集体经济组织使用"(这一规定说明农村集体经济组织对水资源只有使用权而没有所有权)。水资源的公有产权制度安排使得水资源交易受到禁止(实际上，绝大多数情况下水资源是作为一种公共物品而被无偿使用)。在土地使用权出让制度的拉动下，其他自然资源产权进行资产化管理的时候，整个水行业却稳如泰山，成为中国自然资源行业中政府控制最牢的行业。

以至于中国水权制度的改革开始起步的时候，相关自然资源行业如土地、矿业等已取得较为明显的经济绩效(肖国兴，2004)。在这样的制度背景下，农业水权制度自然是一种无交易的水权制度安排，即在长期的计划经济体制下，农业水资源由灌区水管组织(在计划经济体制下，灌区水管单位在财务上实行统收统支，其行政性更加明显)无偿向农村集体提供，这是一种全民所有制组织(灌区水管单位)与集体所有制生产组织(农村集体经济组织)之间就农业水资源这一公共物品所进行的计划分配行为。

(二)有限水权交易制度安排

开始于20世纪70年代末80年代初农村家庭联产承包责任制的普遍推行，使得农业生产经营活动的主体由原来的"集体"变为农户"个体"。这样，农业生产用水活动就不再是一种集体行为而是一种个体行为。为适应这种变化，同时也是适应灌区管理体制改革的需要，国务院于1985年颁布了《水利工程水费核订、计收和管理办法》(以下简称为《水费办法》)，《水费办法》规定供水成本包括工程的运行管理费、大修理费及其他按规定计入成本的费用，而且农业供水按成本收费。《水费办法》的颁布和实施，说明中国农业水权制度开始进入可交易的水权制度阶段。但这种农业水权交易仅仅是一种有限的水权交易，其原因如下。

1. 交易双方地位的不对称性。一方面，灌区水管单位在交易中往往处于主导地位，代表水利行政主管部门行使管理权，在水权交易中它出让农业水资源的使用权。由于其自身的行政性、垄断性，它可以对其出让的水权产生很大的影响(如可在很大程度上决定灌溉用水的时空配置)。另一方面，农户经营的分散性决定了农户在农业水权交易中的弱势地位。目前在我国尚未完全形成(在灌溉管理制度改革中个别地区出现的如 WUA 这种中介组织尚处于初级阶段)一个代表农户利益的相关组织在农业水权交易中以对等的地位与灌区水管单位进行谈判，这样分散农户在农业水权交易中的谈判地位必定是弱势的(杜威漩，2003)。

2. 交易价格的非市场化。《水费办法》尽管规定了农业供水按成本收费，但在实际运行中，农业水费远远没有达到供给成本(详见下文关于"农业水价制度演进及现状"中的相关阐述)。

3. 从地区之间的水权交易实践看，地区之间的水权交易只能说是一种"管理的交易"。随着经济的发展，地区之间水资源供求矛盾日益突出，水资源的稀缺性日益表现出来，尽管中国目前的水资源法律制度并未给水权交易实践提供规范的指导和有效的激励，但在水资源短缺、供求失衡的客观条件下，在中国市场化趋动的经济改革的逐步深入下，在地方政府的利益驱动下，地区之间的水权交易已从理论变成了实践，虽然这种实践从范围上看是个别的而非普遍的、从程度上看是十分有限的而非充分展开的。本书以浙江余姚和慈溪之间的水权转让为具体案例加以说明，如表 3-7 所示。

(三)农业水权交易制度的现状

总的来讲，农业水权交易制度的现状可以概括为三点。首先，农业水权交易作为一种"买卖的交易"的制度安排尚不完善，主要表现为：交易主体双方的不对称性、交易价格的非市场化、用于农民用水户之间水资源余缺调剂的农业水权交易制度尚未形成。其次，灌区水管单位取得初始水权的制度安排——"限额的交易制度"尚未形成。水资源的所有权属于国家，因此灌区水管单位只能通过一定的方式从国家取得初始水权。尽管国务院 1993 年以 119 号令的形式颁布了《取水许可制度实施办法》(下文简称《办法》)，对国家与水资源取用者之间的关系起到了调整和规范的作用。但具体的关于灌区如何从国家取得初始水权的制度安排——"限额的交易"制度至今尚未形成。最后，地区之间的水权交易是一种"管理的交易"，但这种交易目前尚处于实践状态，有待于理论的提升和制度上的规范。

二、农业水价制度的演进及现状

(一)农业水价制度的演进

第一，零水价制度安排。新中国成立初期，农业生产供水无偿

表 3-7　余姚、慈溪之间水权有偿转让

具体项目	交 易 方	
	余 姚	慈 溪
自然条件	余姚市(县级)地处姚江中游,面积 1 527 km^2,人口 83 万,属北亚热带季风气候,全市多年平均降水量 1 547.1 mm,水资源总量为 11.3 亿 m^3,平均每平方公里水资源产出量达 72 万 m^3,水资源相对比较丰富	慈溪市(县级)位于杭州湾东岸,西部和西南与余姚接壤,总面积 1 717.6 km^2,其中海域面积 342.35 km^2,总人口 101 万。但该市水资源相对缺乏,多年平均水资源量为 5.031 亿 m^3,每年缺水 2 000 万 ~ 4 000 万 m^3
经济状况	2001 年国内生产总值达 163 亿元,财政收入 13.8 亿元,是全国发展实力百强县之一,也是浙江省十强县之一	2001 年国内生产总值达 183.9 亿元,财政收入 17.8 亿元,是全国百强县之一,经济发展综合指数居 22 位
水供求状况	供给方	需求方
交易期限	余姚市从梁辉水库向慈溪市供水,供水期 15 年	
交易数量	前 3 年每年供水 1 000 万 m^3,后 12 年每年供水 2 000 万 m^3	
交易价格	水资源水价 0.02 元/m^3,工程水价(包括水库防洪与兴利分摊以及折旧、大修费分摊)0.46 元/m^3。由于余姚所供的水在慈溪使用,不涉及余姚的水环境容量问题,故余姚向慈溪供水不计入环境水价。总计水价为 0.48 元/m^3,如加上无息借款的利息(月息为 5.85‰),实际供水价格为 0.538 元/m^3	
交易的附加条件	慈溪市向余姚市一次性支付补偿水库工程折旧费 3500 万元,供、输水管道由慈溪市铺设。鉴于余姚市的梁辉水库库容较大而积水面小,紧邻的陆埠水库积水面大,梁辉水库供水必须从陆埠水库调水,而需开挖 12 km 引水隧道工程,慈溪市向余姚市提供 15 年无息借款 2 000 万元	
协议签订、生效日期	在充分掌握了自己所拥有的水资源状况后,在宁波市政府和水利局的引导下,两市通过民主协商于 1998 年 7 月 28 日达成了转让水资源的协议,于 2001 年 7 月 1 日正式实施	

资料来源:《水利系统优秀调研报告》(第二辑),中国水利水电出版社,2003 年 10 月,第 58 ~ 67 页。

使用，水管单位经费及工程维修费由国家财政解决。第二，行政性水价制度安排。1965年国务院批转了水电部制定的《水利工程水费征收、使用和管理试行办法》(以下简称《水费试行办法》)，文件中规定，"凡已发挥水利效益的水利工程，其管理、维修、建筑物设备更新等费用，由水利管理单位向受益单位征收水费解决"。该规定说明，农业水价的实施是通过水管单位向农村集体经济组织(即受益单位)征收水费的方式进行的，属"管理的交易"，因而具有明显的行政性特征。这种制度安排(显然与中国长期实行的计划经济体制相适应)一直持续到改革开放初期。第三，行政性和商品性兼具的水价制度安排。1985年国务院制定发布了《水利工程水费核定、计收和管理办法》(以下简称《水费办法》)。《水费办法》的发布和实施说明中国农业水价制度安排开始向商品经济的方向趋动，例如《水费办法》第一条规定"工业、农业和其他一切用水户，都应按规定向水利工程管理单位交付水费"，与《水费试行办法》相比，两者的主要区别在于水费的"征收"和"交付"，从经济学意义上讲，"征收"体现的是一种行政权力的实施关系，而"交付"体现的则是一种平等主体之间的交换关系。2003年，国家发改委与水利部联合公布了《水利工程供水价格管理办法》(以下简称《水价办法》)。从"水费"到"水价"意味着水利工程供水从事业性收费管理向规范化价格管理的变迁，从而水价制度安排中的商品经济特性更加明显。例如，《水价办法》中第十条规定："农业用水价格按补偿供水生产成本、费用的原则核定，不计利润和税金"，其中"补偿生产成本、费用"的规定就是对农业水资源具有商品属性的肯定。尽管《水费办法》和《水价办法》都体现了农业水价制度的市场化安排，但其行政特性仍很明显(参见《水价办法》第五、第十六、第十七条及《中华人民共和国水法》2002年修订本第五十五条的相关规定)。

(二)农业水价制度的运行现状

农业水价远未达到成本水价，供水单位亏损严重。自国务院发布《水费办法》以来，全国各省(市)、自治区水利部门与物价部门密切配合，加快了水价改革步伐。然而，由于受我国现实条件的影响和制约，各地物价部门规定的实际水价标准与供水成本相比差距较大，仅相当于实际供水成本的 2/3(季仁保，2002)，在经历了一段水价改革后，灌溉用水依然以远远低于成本水价的水平执行着，多数农业灌区的农业水价只有供水成本的 50%～60%。1994 年以来，水利工程供农业用水水价每年都有不同程度的提高，但提高幅度明显低于供工业、生活用水水价提高的幅度(田圃德、张春玲，2003)。水利工程供工业、生活用水价格水平高于农业水价五六倍，见表 3-8 和图 3-6。据 2002 年国家计委、水利部对全国百家水管单位水价所做的调查资料显示：中南 5 省(自治区)农业水价更低，只占供水成本的 35%左右(如表 3-9 所示)，尽管如此，水费的收取率仍在 10.3%～86%(姜文来，2003)。根据 2002 年水利部开展的"百家大中型水管单位水价调研"资料，全国三大灌区之一的安徽淠史杭灌区，2000 年农业供水 18.5 亿 m^3，实际灌溉农田 55 万 hm^2，实际亏损 2.08 亿元(廖永松，2004)。

表 3-8　1994～2001 年全国百家水管单位供水水价　(单位：分/m^3)

年　份	农　业	工　业	生活用水
1994	1.63	8.26	8.68
1995	2.21	8.47	10.07
1996	2.73	9.64	12.11
1997	2.95	14.76	13.73
1998	3.23	15.19	15.09
1999	3.32	16.76	19.35
2000	3.49	19.17	20.37
2001	3.61	22.84	23.95

资料来源：2002 年国家计委水利部全国百家水管单位水价调查报告。

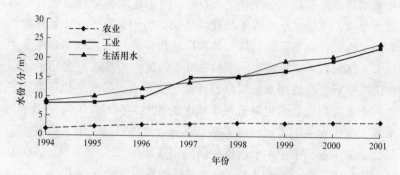

图 3-6　1994～2001 年全国百家水利工程供水价格趋势图

表 3-9　中南 5 省(自治区)农业水价落实情况

省(自治区)	水管单位	农业用水(元/m³)		农业供水成本	农业水费收取率(%)
		粮食作物	经济作物		
湖　北	漳河水库	0.037 8	0.037 8	农业供水成本为 0.07～0.11 元/m³,现行水价占供水成本的 35%左右	86
	危水水库	0.037 8	0.037 8		
湖　南	铁山水库	0.032	0.032		40
	韶山库区	0.02	0.02		
	蓼水库区	0.009	0.009		
广　西	澄碧河水库 洪潮江水库	0.019	0.019		66
广　东	高州水库	0.024	0.024		50～60
	合水水库	0.024	0.024		
海　南	大沙河水库	0.035 7	0.12		10.3
	长茅水库	0.064	0.10		

资料来源: 引自姜文来(2003)"农业水价承载力研究"一文。

三、农业水费管理制度的演进及现状

(一)农业水费管理制度的演变

第一,改革开放前,农村实行人民公社集体制,农业水资源的配置方式是:灌区水管组织以计划的方式把农业水资源分配给农业集体经济组织使用。这样,农业水费便包含在农业生产成本之中,通过各级财政与集体组织、集体组织相互之间统一核算,即农业水费管理采用的是传统的计划管理方式。第二,改革开放后,农村实行家庭联产承包责任制，农业生产成本的核算由集体变成了由农户个体进行。此时农业水费管理主要变成了灌区水管组织与分散农户之间"一对多"的交易。而基于自身利益的考虑，农户必定以下列偏好顺序安排积累资金的使用：生产、生活必需品支出＞改善自身生活质量的支出＞包括灌溉支出在内的农村公共支出。当一个家庭的积累只能维持其必需的生活和生产费用时，向农户征收水费会面对如何使分散农户统一认识和有效地组织实施的问题(杜威漩，2003)。

(二)农业水费管理制度运行现状

1. 关于农业水费管理的物质技术基础与手段。一方面，物质技术基础落后。由于水费由水价和水量构成，且农业用水量的时空变异性大，因此水量至少与水价同等重要。水价确定后，准确计量是准确确定水费的关键。我国灌区现有的供水工程大多数是20世纪50年代或60年代修建的，且多数只修建了比较完整的骨干工程，经过几十年的运行，多数灌溉工程已超过规定的使用年限，普遍老化、损坏，效益衰减严重。根据水利部农村水利司1999～2000年对全国195处30万亩以上大型灌区的调查，骨干建筑物的完好率不足40%，有20%已报废或失效(李远华、闫冠宇、刘丽艳，2003)。以洛阳市为例，全市共有万亩以上灌区35处，其中水库灌区13处，引河灌区22处，灌区总人口200余万人，设计灌溉面积166万亩，有效灌溉面积97万亩，实际灌溉面积50万亩，多年可利用水量23亿 m^3，年平均引水量10亿 m^3。全市大部分灌区始建于20世纪50～70年代，经过几十年的运行，骨干工程建筑物老化失修率接近60%，其中35%已经报废，80年代以后中型灌区由于老化失修，灌溉面积每年减少近10万亩，目前实际灌溉面积已不足设计灌溉面积的1/3、不足有效灌溉面积的一半；渠系配套率低，全市中型灌区尚有40%以上的渠系、50%的建筑物没有配套，田间工程配套不完善的占60%～80%。因此，我国灌区供水工程尚不具备对农业用水全面准确计量的条件，无法有效控制和计量进入田间或农户的水量。另一方面，农业用水的计量手段落后，在灌溉水量的计量、监控方面，计算机等先进的现代化技术手段几乎没有得到任何应用。在调查中发现，应用计算机手段对灌溉供水计量、监控的没有一家。

2. 关于农业水费管理的主体。目前我国农业水费管理主体主要是灌区水管组织，在灌区水管组织委托乡镇、村(组)代为征收水费的情况下，虽然乡镇、村(组)也部分参与了农业水费管理活动，但这些乡镇、村(组)等农业水费的代征单位并非真正的管理主体，这些单位所从事的代征业务只是以收取代理手续费为回报的"副业"。

3. 关于农业水费计量管理。由于缺乏合理、简易、经济和有效的计量设施，计量到户难以实现(目前我国农村以家庭为基本生产单位分散用水，安装计量设施成本较高，因此按量收费还难以全面推广)，我国目前多数灌区水费的收取实行按耕地面积均摊或按人头均摊的方式进行。

4. 关于农业水费的收费管理。目前农业用水收费主要采用两种方式：直接征收方式，即水管组织直接对农户收费；间接征收方式，主要是指委托乡镇(村组)代为征收水费。

5. 关于水费征收率情况。从百家水管单位 1999、2000、2001年三年的情况看，农业水费征收率普遍较低，最高仅为 75%，如表3-10 所示。

表 3-10 百家水管单位 1999～2001 年水费实收情况

项目	1999 年			2000 年			2001 年		
	供水量 (万 m³)	实收水费 (万元)	实收率 (%)	供水量 (万 m³)	实收水费 (万元)	实收率 (%)	供水量 (万 m³)	实收水费 (万元)	实收率 (%)
农业	4 337 788	71 267	72	3 948 391	69 469	75	3 908 977	67 379	66
工业	543 023	36 851	84	559 902	40 589	89	570 825	43 021	91
自来水	206 285	29 556	88	209 428	37 084	93	195 142	35 880	88

资料来源：《水利系统优秀调研报告》(第二辑)，中国水利水电出版社，2003 年 10 月，132 页。

综上所述，在农业水费管理过程中，不仅涉及到对农业水利基础设施、农业生产用水资源等物的管理，而且还会发生水管单位与用水户之间的交易,在通过代收单位向农户收取水费的间接方式下,还会发生水管单位与代收单位之间、代收单位与用水户之间的交易。这样,农业水费管理制度运行现状可由图 3-7 表示。

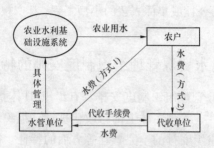

图 3-7　农业水费管理过程示意图

第四节　简要结论

一、农业水利基础设施投资及产权制度安排的特性

从演进的过程看,尽管中国农业水利基础设施投资具有总趋势的增长性与增长过程的波动性及阶段性并存、投资的重要性与投资不足状况并存、投资水平与国民经济的总体发展水平高度相关等方面的特征,但农业水利基础设施投资所具有的政府投资主体单一性和产权安排公有性则是其最基本也是最主要的特性。改革开放前,中国农业水利基础设施投资一直采取“政府投资+农民投劳”这种制度安排。改革开放后,尽管农业水利基础设施投资的外部制度环境发生了很大的变化,但政府投资主体单一性的状况并未改变。在农业水利基础设施政府投资主体单一性的制度安排下,农业水利基础设施产权安排具有明显的公有性。第一,大中型农业水利基础设施和部分小型农业水利基础设施的产权具有国有产权性质。即农业水利基础设施的产权从理论上讲属于“全民”,“全民”是灌区水利基础设施这一国有资产的最终所有者,但由于“全民”这一概念的集合性质及国有产权的整体

性质，全民所有只能采取国家所有、进而政府所有制的实现形式。因此，农业水利基础设施的国有产权制度安排必然进一步表现出明显的行政代理特性。第二，部分小型农业水利基础设施，即过去按"民办公助"的原则由公社或集体兴建的小型工程，其产权具有集体产权的性质。

二、农业水资源管理组织制度安排的特性

农业水资源管理组织制度安排具有组织(具体指灌区水管组织)性质上的模糊性、管理主体上的行政代理性、组织结构的科层性及农民参与管理组织安排的不完善性等方面的特性。第一，就灌区水管组织的性质看，农业水资源管理组织的性质具有明显的模糊性，具体表现就是灌区水管单位在性质上的"事业编制，企业化管理"的这种双重定位。第二，就行政管理组织与灌区水管组织之间的关系看，农业水资源管理组织制度具有明显的行政代理性及科层性。一方面，"全民"是最终的所有者(委托人)，政府(包括中央政府和地方政府)则是"全民"的代理人；另一方面，政府又将灌区农业水利基础设施的具体管理和经营委托灌区水管组织去执行，从而政府又成为灌区水管组织的委托人，而灌区水管组织则成为政府的代理人，这样，在农业水资源管理的组织结构体系中实际上隐含了一种行政性双层级委托——代理关系，并进而使农业水资源管理组织结构安排还具有明显的科层性(或等级性)。第三，就灌区农民参与管理的组织安排看，WUA 的运行既表现出明显的绩效，又存在着较多的问题，这就说明 WUA 这种农民参与灌溉管理的组织安排尚不完善，尚有进一步改进的空间。

三、农业水资源配置制度安排的特性

农业水资源配置制度安排具有水权交易制度的不完善性、农业水价制度的行政性和农业水费管理制度的非规范性。第一，从水权交易制度上看，尽管中国出现了诸如浙江东阳—义乌、余姚—慈溪之间的

水权交易的实践，但严格来讲，两例实践均属于"管理的交易"，包括"限额的交易"、"买卖的交易"等交易形式在内的完整的水权交易制度尚未形成。第二，从农业水价制度上看，目前农业水价制度的运行仍处于水价低于供水成本的状态，而这种状态与现行水价制度安排的行政特性不无关系。如《水价办法》第五条规定"水利工程供水价格采取统一政策、分级管理方式、区分不同情况实行政府指导价或政府定价。"第十六条规定："中央直属和跨省、自治区、直辖市水利工程的供水价格，由国务院价格主管部门商水行政主管部门审批。"再如《水价办法》第十七条中规定："地方水利工程供水价格的管理权限和申报审批程序，由各省、自治区、直辖市人民政府价格主管部门商水行政主管部门规定。"《中华人民共和国水法》(2002年修订本)第五十五条规定："供水价格应当按照补偿成本、合理收益、优质优价、公平负担的原则确定。具体办法由省级以上人民政府价格主管部门会同同级水行政主管部门或者其他供水行政主管部门依据职权制定。"第三，从农业水费管理制度上看，农业水费管理主体、计征收管理方式尚不规范(如水费征收中的委托代收方式)。

第四章　中国农业水资源
管理制度环境因素分析

　　根据制度环境的概念，可以合理推论出农业水资源管理制度环境的概念。所谓农业水资源管理制度环境是指与农业水资源管理制度相互联系、相互作用的所有外部因素的集合。与制度环境的分类相一致，农业水资源管理制度环境也可分为制度性环境与非制度性环境两大类：制度性环境是指在农业水资源管理制度环境的构成因素中，那些具有"规则性"特征的因素组成的集合，主要包括相关法律规则，与农业水资源管理制度相互联系、相互作用的其他正式规则，非正式规则等内容。非制度性环境是指在农业水资源管理制度环境的构成因素中，那些不具有"规则性"特征的因素组成的集合，具体包括农户、农村基层管理组织、政府、农业水利基础设施、农业水资源等。如果说第三章是中国农业水资源管理制度透视的起点，那么，本章则是中国农业水资源管理制度透视在外延上的扩展。本章内容的具体安排是：制度性环境因素分析、非制度性环境因素分析、简要结论。

第一节　制度性环境因素分析

一、与农业水资源管理制度相关的法律制度

　　与农业水资源管理制度相关的法律制度一般包括三个层次：一是由国家制定的相关法律；二是国务院发布的相关行政法规；三是水利行政主管部门和地方政府颁布的各种执行规则、协调措施和对有关法规的解释。

(一)国家制定的相关法律

　　《中华人民共和国水法》(以下简称《水法》)，特别是 2002 年

10 月 1 日生效的《水法》(修订)，不仅是对原《水法》的总结，也是对原《水法》的完善，是目前水资源管理的重要法律之一，它对水资源的所有权、取水权、水资源管理体制以及水量的分配等方面的内容都有较为详细的规定❶，是农业水资源管理制度运行的重要制度环境之一。除《水法》之外，相关的法律还主要有《中华人民共和国水土保持法》等。

(二)国务院发布的水行政法规

如《中华人民共和国河道管理条例》、《水库大坝安全管理条例》、《中华人民共和国防汛条例》等。

(三)水利行政主管部门和地方政府颁布的各种执行规则、协调措施和对有关法规的解释

其中，与农业水资源管理密切相关的主要是《水利工程供水价格管理办法》(以下简称《水价办法》，2003 年 7 月 3 日颁布，2004年 1 月 1 日起实行)。《水价办法》对水利工程供水价格的构成、水利工程供水价格制定及具体管理都做了较为详细的规定，同样也是农业水资源管理制度运行的重要制度性环境之一❷。除《水价办法》之外，还有《灌区管理暂行办法》、《农田水利建设和管理暂行规定》、《基层水利、水土保持管理服务机构工作条例(试行)》、《水利产业政策实施细则》等。

二、社会主义市场经济制度

中国要建立的社会主义市场经济制度，就是要使市场在政府宏观调控下对资源配置起基础性作用的制度模式，是市场经济同社会主义基本制度结合在一起、受社会主义基本制度制约和影响、并反映社会主义基本制度特点的经济制度。

---

❶ 参见《水法》(修订)第三条、第十二条、第四十五条、第四十八条的具体规定。

❷ 参见《水价办法》第四条、第五条、第六条、第十条、第十三条、第十四条、第十五条的具体规定。

(一)社会主义市场经济制度的主要特征

社会主义市场经济制度作为市场制度与社会主义制度有机结合的一种制度模式，应具有以下几个方面的基本特征：首先，市场机制对资源配置的基础性，即通过充分发挥市场机制的特有功能来提高各微观经济主体的资源配置效率；通过建立开放、竞争、有序的市场体系，在全社会范围内进行有效的市场化资源配置。其次，市场运行的法律保证性。经济活动者的机会主义倾向或行为不可避免会导致市场交易行为和竞争行为的无序状态，这就需要制定共同遵守的市场法规，以保证市场经济有序运行。正是从这个意义上说，市场经济是一种法制经济。再次，政府的宏观调控性。市场经济本身所固有的自发性、滞后性和盲目性使得政府宏观调控成为必要；政府在社会管理活动中所处的特殊的政治、经济地位使其所具有的把经济活动主体的当前利益和长远利益、局部利益和整体利益有效结合起来等方面的优越性使得政府的宏观调控成为可能。最后，所有制结构从而分配制度上的共存性与互补性。即在所有制结构上，公有制与其他多种所有制形式的共存和互补；在分配制度上，按劳分配与其他多种分配制度的共存和互补。

(二)社会主义市场经济制度的主要内容

社会主义市场经济制度作为市场制度与社会主义制度有机结合的一种制度模式，应由以下几个主要方面的内容构成：首先，现代企业制度。简单地说，就是以产权结构的多元化、责任的有限性、公司治理的法人性为主要特征的企业制度(魏杰、候孝国，1998)。通过现代企业制度的规范，企业将被塑造成为自主经营、自负盈亏、自我完善、自我发展的市场经济运行的微观主体。其次，市场运作制度。主要是指为规范市场主体的行为及相互关系并保障市场的正常运行而制定的各种规则、规范和秩序，包括市场主体制度，即关于市场主体的资格、权利、责任的一系列制度；市场交易秩序制度，即确定市场交易规则的制度，具体包括定价规则和竞争规则；产权法律制度(杜威漩、张金艳，2003)。完备的市场运作制度是市场机制充分发挥作用、企业成为真正市场主体的必要条件。再次，政府宏观调控制度。市场经济并不是自由放任而是内含政府宏观调控的经济，政府在一定时期所采取的相应的财政政策和货币政策构成政府宏观调控制度的主要内容。最后，社会保障制度。完善的失业、养老、医疗等社会保障制度是市场经济制度运行的必备的社会稳定器。

三、农地产权制度

(一)农地产权的一般含义

根据本书对产权概念所做的界定，农地产权是指以农地所有权为基础的包括对农地使用权、收益权、处置权在内的权利束；是规范和约束人们建立在农地这一财产基础上的行为规则；其核心是建立在农地基础上的人们之间的利益关系。

(二)中国现行农地产权制度的特征

中国现行农地产权制度是以家庭联产承包责任制为主要内容的农地产权制度，具有农地所有权的集体性(即农地所有权属于集体)、农地使用权的承包性(即农地的使用权以承包的形式出让给农户，农户只能在承包期内行使对其所承包农地的使用权)、农地收益权的多元性(这一特性可简单地概括为"交够国家的、留足集体的、余下全是自己的")、农地处置权的有限性(承包期内，农户只有使用权而无处置权，农地的处置权仅表现为承包期满后集体对农地使用权的适当调整)等方面的特征。

(三)中国现行农地产权制度的缺陷

随着中国市场经济制度的逐步建立和日渐完善，现行农地产权制度自身的一些缺陷也逐步暴露出来，主要表现在以下三个方面。

1. 农地产权缺乏完整性。第一，从农地的空间分布看，农地空间分割的碎化，农户经营土地的零碎现象十分严重。例如，1985年，全国农户平均经营土地只有半公顷，且被分为 8~9 块，每块不足 0.1 hm²，其中，人均拥有 0.05~0.18 hm² 土地的农户占全部农户的

88%。农地过分细碎，不仅造成了土地资源的浪费，影响国家的宏观调整和布局，而且不利于建立在规模经营基础上的技术进步，从而导致农业生产的单位成本不断上升和农业劳动生产率下降。第二，从国家、集体、农户三者之间的关系看，国家不仅限制集体土地所有权——如集体所有的土地除国家征用外不允许流动，国家通常是以较低的价格甚至无偿征用集体所有的土地而又缺乏公平的补偿机制，目前的农地产权仅意味着土地发包、土地经营、土地出租、抵押等权利以及对承包的集体土地的管理和监督职能等，而且国家还干涉农民的承包权和土地使用权——如在原来的粮食定购体制下，农民种植作物的选择权、生产决策权、农产品的收益权和处置权都是不完整的(郑顺伟、张陆阳，2002)。

2. 农地产权缺乏明晰性。第一，农地产权主体不明晰。虽然法律规定农地属于集体所有，但在农村存在乡、村、村民小组三级集体经济组织，究竟谁是真正的所有者，却没有做出明确的界定，法律规定非常含糊。如《中华人民共和国宪法》中规定，农村土地归集体组织所有，但在现实生活中，国家却成为土地的实际所有者；《中华人民共和国民法通则》中规定农村土地所有权归属于行政村，而《中华人民共和国土地管理法》中却规定农村土地所有权属于合作经济组织(任辉、赖昭瑞，2001)。第二，农地产权内容不明晰。所有权的具体内容没有严格界定，国家的土地管理权和集体的土地所有权内容交叉。农地承包制度虽然规定实行所有权与经营权分离，所有权归农村集体经济组织，经营使用权归农户，但对所有者和经营者各自的权、责、利都没有明确规定，致使产权边界模糊。此外，收益权和处分权也没有清楚界定。要么是集体动辄以土地所有者的名义，随意侵犯农民承包土地的使用权，随意向农民摊派，更有甚者随意收回农民的承包地；要么是农民把土地看成自己的私有财产，不承担相应的义务，集体利益得不到相应的保障，承包合同纠纷也日趋增多。第三，农地产权期限不明晰。尽管第二轮承包将农地的承包期限延长为30年，但在实际工作中，许多地方仍然三五年一调整、土地使用期限短，而且按农户规模的变动重新调整土地，农民缺乏长期使用土地的安全感，对未来缺乏稳定的预期，难以形成长期投资(郑顺伟、张陆阳，2002)。

3.农地产权缺乏流动性。中国现行的两权适度分离、家庭承包分散经营的农地产权制度模式，虽然消除了土地收益分配中的平均主义，却导致了土地使用权的平均化和土地经营主体的细小化，从而极大地阻碍了土地的适度流转与合理集中；而在现实土地经营制度格局下，除政府征用外，基本上排除了集体所有权形态的土地流动，而农户土地使用权形态又只能通过农民的相互转包与集体调整来进行，这样就排除了土地的商品属性与引入市场机制的可能性；况且现实中的农地转包与调整缺少必要的法律规范与制度保障，带有明显的自发性、盲目性和随意性。上述问题的存在共同导致了目前农地流转基础的非市场性、流转内容的不完整性、流转价格的不确定性、流转目标的非效率性以及流转格局的不稳定性(任辉、赖昭瑞，2001)，最终无法形成适度规模的、符合市场经济发展要求的农地产权制度。

四、农业经营制度❶

无论是发达国家还是发展中国家，农业普遍以家庭经营为基础，这种制度安排最适合农业生产的自身特点和规律，可以使农户根据市场、气候、环境和农作物生长情况及时做出决策，保证农业生产顺利进行，也有利于农户自主安排剩余劳动和剩余劳动时间，同时能有效地解决农业劳动的控制问题和剩余索取问题，形成理想的自我激励和约束机制。中国现行农业经营制度也同样是以农户家庭经营为基础的农户经营制。实行以农户家庭经营为基础的农业经营制度主要取决于以下几个方面的因素。

---

❶ 该部分内容适当参考和借用了朱道华(2002)主编的《农业经济学》一书中的部分论述。

(一)农业生产过程的自然性和生产成果的直接性

农业(这里指狭义的农业或称种植业)生产过程是人类通过利用植物有机体的生命力将自然界中的光、热、水、汽以及各种矿物质养料等物质和能量转化为生物产品,以满足社会需要的过程。农业劳动对象——农作物生产发育的规律决定了农业生产的季节性、周期性、时序性,进而决定了农业生产只能按自然界的时间,即受季节约束的生长过程依次进行各种作业,加之农业生产一般在固定的土地上进行,不宜移动,不能像工业生产那样把非常大量的生产条件进行集结,采取多种和大量作业同步并进的办法。这就决定了农业生产过程中,同一时期的作业比较单一,不同时期的不同作业多数又往往可以由同一劳动者连续完成。这样,农业生产过程中的协作多是简单协作。简单协作在许多人手同时共同完成统一的、不可分割的操作时优于单独劳动,但在管理水平不高的情况下,往往还不如单个劳动者力量的机械总和,因为这既要增加监督成本,又有可能产生偷懒等机会主义行为。因此,农业生产的自然性及由此决定的季节性使得农业家庭经营成为一种较为合适的形式。另一方面,农业劳动成果的直接性是指农业劳动很少有中间产品,成果大都集中在最终产品上。这一特点决定了劳动者在生产过程各环节的劳动支出状况只能在最终产品上表现出来,而各个劳动者物化在最终劳动成果中劳动量的多少、质的高低却很难计量。因此,只有将农业生产者在生产过程中的各项劳动与最终的劳动成果及其分配直接挂起钩来,才能对农业劳动者产生最大的激励,而这只有在家庭经营时才能更好地做到。

(二)农业自然环境的复杂性、多变性和不可控性

这些特点要求农业的经营管理要具有灵活性、及时性和具体性,种植决策、生产决策、经营决策都要因时、因地、因条件制宜,要准、要快、要活。要做到这一点,只有将农业生产经营管理的决策权分散到直接生产者身上,即将劳动者和经营管理者结合起来,才能取得好的效益。从某种意义上讲,农业劳动和经营管理具有较强

的分散性，其成果具有很大的差异性。农民的劳动成果，在很大程度上要靠各个农民对生产进行合理安排，靠农民对全过程细心地作业和管理，以及对市场的预测。这些特点决定了家庭经营是农业生产的一种较为合适的组织形式。

(三)农户自身在生产经营上所表现出的目标的一致性、激励的多样性、持久的稳定性、分工的灵活性

农户不是单纯的经济组织，也不是单纯的文化或政治组织，维系家庭存在的决不限于经济利益这一纽带，而且还有血缘、感情、心理、伦理和文化等一系列超经济的纽带。这就使家庭成员可以从多方面对组织的整体目标和利益认同，即把家庭其他成员的要求、利益和价值取向，比较自愿地当成自己的要求、利益和价值取向。多半是由于这种互补机制的存在，家庭无需靠纯经济利益的激励就能保持对其自身的目标和利益的基本一致性。另一方面，家庭成员还具有利益目标的认同感，使得农业家庭经营的管理成本最小，劳动激励多样。同时，家庭的婚姻、血缘关系，使得家庭经营具有持久的稳定性，上一代对下一代多方面的寄托所形成的继承机制，使得家庭经营一般具有较长的预期，并能为实现这种预期而长时间地自愿协作，这使得农业家庭经营表现出其他经济组织都不具有的激励规则，家庭成员的工作努力无须以内部精密的劳动计量并同报酬挂钩来激发。因此，农业的家庭经营一般无需监督，管理成本差不多总是最小的。除此之外，家庭成员在性别、年龄、体质、技能上的差别也可实行分工和劳动力的充分利用，即家庭劳动者及其全体成员可以进行家庭内部分工，使劳动力得到充分利用。

五、非正式制度

(一)非正式制度与正式制度的区别

1. 从历史来看，在正式制度建立之前，人们之间的关系主要靠非正式制度来维持，即使在现代社会，正式制度也只占很小的比例，人们生活的大部分空间仍然由非正式制度来约束。由于正式制度规范的成本过高，或者由于正规组织未能演进到更有效率的程度，因此还广泛地存在着正式制度未予规定的行为规范，这些行为规范常常是以一种习俗、惯例等方式出现，它们是调整和处理组织内部成员间或与外部交往中的相互行为和关系的重要原则。

2. 非正式制度与正式制度的区分还与实施惩罚的方式有关。对违反正式制度的惩罚，由正式制度的制定者或代理者来执行，由国家或政府权力来保证；而非正式制度主要依靠社会舆论、道德约束、良心谴责和来自社会的不规则的"自发性强制"来保证执行(黄祖辉等，2002)。

3. 从变革的速度看，正式制度可以在一夜之间发生变化，而非正式制度的变迁却是长期的过程。

4. 从制度的可移植性来看，一些正式制度尤其是那些具有国际惯例性质的正式制度，是可以从一个国家移植到另一个国家的。而非正式制度由于内含着传统根性和历史积淀,其可移植性就差得多。一种非正式制度尤其是意识形态能否被移植，其本身的性质规定了它不仅取决于所移植国家的技术变迁状况，而且更重要的取决于后者的文化遗产对移植对象的相容程度。如果两者具有相容性，那么制度创新的引入，不管它是通过扩散过程，还是通过社会、经济与政治程序所进行的制度转化,它们都会进一步降低制度变迁的成本。

(二)非正式制度的主要内容

1. 意识形态。意识形态可以被定义为关于世界的一套信念，它具体化为人们的价值观念、伦理道德规范以及个人与国家关系的观念等方面。它不仅可以蕴涵其他非正式制度的内容，而且可以在形式上构成某种正式制度的理论基础或最高准则。人们对制度变迁过程的价值认同感越强，就越愿意暂时放弃某些个人利益，参与、支持这一过程；反之亦然(黄祖辉、蒋文华等，2002)。在非正式制度的诸构成因素中，意识形态居于核心地位，发挥主要作用。意识形态之所以存在是因为世界是复杂的，而人的理性是有限的。当个人面对错综复杂的世界而无法迅速、准确和费用很低地做出理性判断，以及现实生活的复杂程度超出理性边界时，他们便会借助于与价值观念、伦理规范、道德准则、风俗习惯等相关的意识形态来走"捷径"或抄近路。其有效性取决于人们对意识形态的虔诚程度([美]R·科斯、A·阿尔钦、D·诺思等，2002)。

2．习惯。就非正式制度而言，可以与意识形态相提并论的也许只有习惯。在新制度经济学看来，习惯就是在没有正式约束的地方起着规范人们行为作用的"惯例"或"标准行为"(诺思，1991)。它是在长期历史和文化发展中积淀形成的，是社会文化传统的重要部分。在正式制度产生之前，习惯就已经起着规范和协调社会经济活动的制度作用。正式制度产生之后，作为非正式制度的习惯仍然普遍存在并在比正式制度广泛得多的范围内发挥制度作用。习惯之所以能够普遍存在并发挥制度作用的原因就在于，正式制度"细化"到一定程度后，建立和维护更为详尽细致的制度所带来的收益不足以弥补建立和维护该制度的成本。因此，在正式制度的"边际"(即不值得再建立更为详尽细致的制度安排的场合)，就是习惯发挥作用的始点(黄祖辉、蒋文华等，2002)。熊彼特认为，若没有习惯的帮助，无人能应付得了每日必须干的工作，无人能生存，哪怕是一天。尼尔森和温特尔认为，一种行为若能成功地应付反复出现的某种环境，就可能被人类理性固定下来成为习惯(卢现祥，2003)。

3．习俗和礼仪。习俗和礼仪也是非正式制度的主要组成部分。如果说惯例的作用常常是隐性的，那么习俗和礼仪则更多地被赋予程式化、符号化和场景化的形式。它们的程式化程度或严格与环境的不确定性程度成正比，而它们的约束作用往往随着正式制度的健全而逐渐衰落，最终可能更多地只具有文化符号意义(黄祖辉、蒋文华等，2002)。

(三)非正式制度的作用

非正式制度的作用是："个人与环境达成协议"的一种节约交易成本的工具；约束组织成员的行为，减少搭便车现象的出现；帮助个人对他和其他人在劳动分工、收入分配和现行制度结构中的作用做出道德评判；减少正式制度安排的实施成本，提高制度绩效。同时，它也往往成为阻碍正式制度实施、变迁和创新的因素，干扰正式制度的作用，降低制度绩效。无论如何，实际制度的作用和变迁过程总是非正式制度和正式制度的互动和统一过程(黄祖辉等，2002)。

第二节　非制度性环境因素分析

一、农户

在以家庭联产承包责任制为核心内容的农村经济制度安排下，农户作为自主经营、自负盈亏的微观经济主体，有限理性、追求自身效用的最大化和一定程度的机会主义倾向自然成为其最基本的特征。在经济活动中，农户不仅是生产经营者，而且也是消费者，具有角色的双重性。但考虑到本书研究目的的需要，该部分主要研究农户作为农业生产者的用水行为及农户相互之间的信息特征。

(一)农户作为生产者的用水行为分析

在市场经济条件下，农户作为生产者，其用水行为与水权、水价状况密切相关，为了详细把握农户作为生产者的用水行为特性，本书采用数学模型[1]加以分析。假设：第一，农户使用农业水资源的目的是为了实现自身利润的最大化。第二，农户的生产函数为单一的投入产出函数。即农户只投入农业水资源这样一种可变生产要素，其他生产要素给定不变，只产出一种农作物。若农户生产过程中的实际需水量为 q(假设也是农作物的实际需水量)，作物的产出量为 Q，则农户的生产函数可表示为 $Q = f(q)$。第三，π 表示农户的利润，农作物的价格为 p，单位面积水价为 w_h，每立方米水价为 w_i。第四，农业水权制度分为三种：农业水权量不受限制、农业水权量受到限制和农业水权可进行交易。同时假设每种水权制度安排下的农业水费征收方式有两种：按耕地面积征收水费和按用水量征收水费。这样，就会有 6 种农业水权制度模式，如表 4-1 所示。

---

[1] 该模型受段永红、杨名远(2003)的启发。

表 4-1　农业水权与农业水费征收方式之间的匹配关系

农业水费	农业水权		
	农业水权量 不受限制	农业水权量 受到限制	农业水权 可进行交易
按耕地面积 征收水费	制度模式一：农业水权量不受限制、按耕地面积征收水费	制度模式三：农业水权量受到限制、按耕地面积征收水费	制度模式五：农业水权可进行交易、按耕地面积征收水费
按使用量征 收水费	制度模式二：农业水权量不受限制、按使用量征收水费	制度模式四：农业水权量受到限制、按使用量征收水费	制度模式六：农业水权可进行交易、按使用量征收水费

制度模式一：在这种模式下，农户的利润函数为：$\pi = pQ - hw_h = pf(q) - hw_h$，其中，$h$ 表示耕地面积。则利润最大化的一阶条件为：$\pi'_q = pf'(q) = 0$，其中 $pf'(q)$ 为农户所用水资源这一生产要素的边际产品价值，若用 VMP 表示边际产品价值，利润最大化的一阶条件也可写成如下等式：$VMP = 0$。该式说明，在农业水资源配置达到均衡时，农户对水资源的使用量会增加到其边际产品价值(VMP)等于 0 时为止。此时农户对农业水资源价值的主观评价(或效用)为 0，农业水资源使用量为图 4-1 中的 oq_1。

制度模式二：在这种模式下，农户的利润函数为：$\pi = pQ - qw_i = pf(q) - qw_i$，则利润最大化的一阶条件为：$\pi'_q = pf'(q) - w_i = 0$，即 $pf'(q) = w_i$，亦即 $VMP = w_i$。该式说明，在农业水资源配置达到均衡时，农户对水资源的使用量会增加到其边际产品价值等于 w_i 为止，此时农户对每立方米农业水资源的主观评价(或效用)为 w_i，由于 $w_i > 0$，相应地农业水资源的使用量减少，此时农业水资源的使用量为图 4-1 中的 oq_2。

制度模式三：在这种模式下，给农户确定一个农业水资源的最高使用量标准，假设为 u，并按耕地面积征收水费。由于按耕地面积征收水费，农户的用水量将会达到 u，即 $q = u$，或 $u - q = 0$，这也是农户使用水资源进行生产的约束条件。这样，农户利润的拉格朗日函数为：$\pi = pQ - hw_h + \lambda(u - q) = pf(q) - hw_h + \lambda(u - q)$，利润最大化的一阶条件为：$\pi'_q = pf'(q) - \lambda = 0$，即 $pf'(q) = \lambda$，亦即 $VMP = \lambda$。该式说明，当农户的水资源使用量配置达到均衡时，农户所使用的农业水资源量会增加到其边际产品价值等于 $\lambda(>0)$ 为止。此时农户对每立方米水资源的主观评价(或效用)为 $\lambda(>0)$，即农户在农业水资源的边际产品价值等于 0 之前就停止了对其使用，此时农业水资源的使用量为图 4-1 中的 oq_3(此处假设 $\lambda > w_i$，从而有 $oq_3 < oq_2$。若假设 $\lambda \leq w_i$，则 $oq_3 \geq oq_2$，但这并不影响对问题的分析)。

制度模式四： 在这种模式下，给农户确定一个农业水资源的最高使用量标准，仍假设为 u，并按农业水资源的使用量征收水费。农户有一定的节水激励，农户的用水量不会超过 u，假设节约下来的那部分水量为 v，则有 $u - q - v = 0$，这也是农户使用农业水资源进行生产的约束条件。这样，农户利润的拉格朗日函数为：$\pi = pQ - qw_i + \lambda(u - q - v) = pf(q) - qw_i + \lambda(u - q - v)$，利润最大化的一阶条件为：$\pi'_q = pf'(q) - w_i - \lambda = 0$，即 $pf'(q) = w_i + \lambda$，亦即 $VMP = w_i + \lambda$。该式说明，农户的水资源量配置达到均衡时，农户的农业水资源使用量会增加到其边际产品价值等于 $w_i + \lambda$ 时为止，此时农户对农业水资源主观上的评价为 $w_i + \lambda$，高于制度模式三下农户对农业水资源的主观评价，相应地农业水资源的使用量进一步减少，其使用量为图 4-1 中的 oq_4。

制度模式五： 给农户确定一个农业水资源的最高使用量标准，仍假设为 u，同时允许其将过剩的那部分农业水权量以较高的市场价格 w^*(一般来讲，这一水价要高于供水部门所确定的农业水价 w_i，否则农户不会转让这部分农业水权)转让出去，并按农户的耕地面积征收水费。在这种模式下，农户的节水激励较强，假设除满足农业生产的那部分水量外，农户所节余下来的水量全部转让出去，且转让出去的那部分农业水权量为 q_t，则有 $q + q_t = u$，或 $u - q - q_t = 0$。这样，利润的拉格朗日函数为：$\pi = pQ + q_t w^* - hw_h + \lambda(u - q - q_t)$ $= pf(q) + (u - q)w^* - hw_h + \lambda(u - q - q_t)$，利润最大化的一阶条件为：$\pi'_q = pf'(q) - w^* - \lambda = 0$，即 $pf'(q) = w^* + \lambda$，亦即 $VMP = w^* + \lambda$。在这种情况下，农户的农业水资源使用量为图 4-1 中的 oq_5。

制度模式六：在该模式下，除农业水费按使用量征收这一点外，其他与农业水权制度模式五下的假设相同，此时农户利润的拉格朗日函数为：$\pi = pQ + q_t w^* - qw_i + \lambda(u - q - q_t) = pf(q) + (u - q)w^* - qw_i + \lambda(u - q - q_t)$，利润最大化的一阶条件为：$\pi'_q = pf'(q) - w^* - w_i - \lambda = 0$，即 $pf'(q) = w^* + w_i + \lambda$，亦即 $VMP = w^* + w_i + \lambda$。在这种情况下，农户的农业水资源使用量为图 4-1 中的 oq_6。

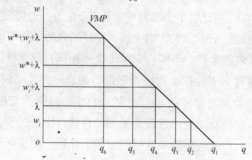

图 4-1 农户作为生产者的用水选择行为模型

综合以上对农户作为生产者的农业用水行为的模型分析，可得出以下两个方面的结论。第一，农业水权制度安排方式不同，农户的用水行为也不同，从而导致农业水资源的配置效率也不同。其主要原因在于不同的农业水权制度安排方式对农户用水行为的激励或约束效果不同，例如，在农业水权制度模式一的情况下，不仅农户的农业水权量没有限制，而且农业水费按耕地面积征收，农业水权难以精确计量，农户的用水行为就很难受到约束。目前中国大多数灌区的农户在灌溉活动中，采用落后的灌溉手段(如大水漫灌等)而导致农业水资源的浪费就是主要的表现。第二，农业水权制度模式一下，农业水资源配置效率最低；而农业水权制度模式六下，农业水资源配置效率最高。这说明对农业水权给予一定的限制、同时对农业水资源按使用量征收水费并允许部分农业水权转让是鼓励农户提高农业水资源配置效率的有效制度安排。

(二)农户(同一农村社区内的)相互之间的信息状况分析

总的来讲，农户相互之间的信息较为充分。首先，从农户的居住条件上看，农户程度不同地深深扎根在他们所生息的那块土地上，因此农户的居住范围具有明显的区域性和相当的固定性，即不同农户之间长期同村而居。其次，从农户生产场地的空间分布上看，农户的生产作业场地——耕地往往相互毗邻，即农户往往是同地而作。再次，从农户耕作的内容上看，由于农作物的生长、发育明显地受到土壤、气候等自然条件的制约，在一地能够丰产的某种农作物，在另一地可能减产甚至绝收，其根本原因就在于适宜农作物生长、发育的自然条件不同，这样，在同一地块从事农业生产的不同农户由于受到相同自然条件的约束，其耕种的农作物在种类上往往相同或者相近，即农户往往是同种而作(生产相同或相近种类的农作物)。最后，从农户生产时间的安排上看，由于农业生产是以农作物的生命过程为基础的自然再生产过程，因此具有明显的季节性，农户的生产活动在时间安排上往往是同季而作、同季而收。农户在居住、生产上的上述几个方面特性决定了在某一区域生活的农户相互之间的信息较为充分，即农户相互之间对对方关于农业生产的技术条件、经营规模、农业水资源的需求量甚至收入状况及其信誉度等方面的信息都有较多的了解和掌握。

二、农村基层管理组织

农村家庭联产承包经营责任制的普遍推行导致了人民公社体制的最终解体。从 1982 年起开始撤销人民公社到 1985 年，全国农村共建立了 9.2 万多个乡(镇)政府(包括民族乡镇)，82 万多个村民委员会，并相应建立乡财政，"乡政村治"模式已基本形成(吴士健、薛兴利、左臣明，2002)。鉴于此，本书认为农村基层管理组织包括乡镇政府、村级组织(村民委员会和党委，下同)两个基本层次。

(一)乡(镇)政府

20 世纪 80 年代中期人民公社体制解体后，乡(镇)一级的机构设置分为党、政、经三大系统。其中，经济职能通过建立农工商联合总公司或乡(镇)经济联合社等机构来履行。然而，从近20年的实际运作看，乡(镇)一级并没有真正形成一个独立于乡(镇)党委、政府的社区合作组织，传统的人民公社体制的影子仍然没有消失，一个以农民为主体、为农民服务的乡(镇)社区合作组织始终没有成为现实。乡(镇)社区合作组织引导农民进入市场的中介功能更多的是在乡(镇)党委、政府的直接领导或协调下，通过政府的有关农业技术职能部门牵头来完成的。并且在一些地方，建立乡(镇)社区合作组织成为当地政府机构改革、分流人员的一项措施("社会主义市场经济条件下农民中介组织的发育和完善"课题组，2002)。

　　另一方面，乡镇政府作为基层行政管理机构，拥有相应的财权，承担着社区内公共产品供给的责任，按《中华人民共和国宪法》规定，乡级政权的职能是"领导本乡的经济、文化和各项社会建设，做好公安、民政、司法、文教卫生和计划生育等工作"，其职责范围几乎涵盖了农村社会生活的各个方面。与如此庞大的职责相比，乡镇制度内财政所能筹集到的公共资源显然是力不从心的。事实上，随着国民经济重心的转移，农村经济的比较优势逐渐丧失，农业税收的调节机制进一步弱化，农村的财政力量已大为缩减。在全国3 000多个县市中，财政赤字的县市已经超过半数，成为"吃饭财政"，根本没有余力顾及公共产品的生产。在这种情况下，乡镇企业上缴的利润、管理费、国家明令收取的乡统筹费以及集资、摊派、捐款、收费、罚没收入等制度外收入便成了弥补地方公共财政萎缩的手段(吴士健、薛兴利、左臣明，2002)。

　　改革开放后，中国原来统收统支的财政体制被打破，取而代之的是中央向地方政府的放权让利。乡镇政府作为最基层的政权机构，其财政更是岌岌可危。一方面，在分税制下，各农户缴纳的农业税和乡镇企业税收成为乡镇财政的主要来源，农业税长期的轻税政策和几年来乡镇企业的衰退使地方税收极其有限；另一方面，省级以下的转移支付缺少监督，为保证中心城市建设而牺牲农村已成为普遍现象，乡镇政府取得的转移支付额很少(熊巍，2002)。

(二)村级组织

村委会(这里不妨不严格区分村委会与党支部)无疑是正式、合法的村级基层管理组织。1982年宪法规定：村民委员会是基层群众性自治组织，其职能是办理本居住区的公共事务和公益事务，调解民间纠纷，协助维护社会治安，并且向人民政府反映群众意见和提出建议。1998年通过的《村民委员会组织法》更加具体规定："村民委员会是村民自我管理、自我教育、自我服务的基层群众性自治性组织。"从法律上看，村委会的性质是被明确规定了的，它是村民的代言人，采用非行政手段治理村社。而在实际运作中，村委会带有明显的"政府化"倾向，即它事实上成了乡政府在农村的进一步延伸，担负着上级政府对应的职能。因此，村委会的性质(法律上所明确的)与其在实际运作中的"政府化"倾向形成了矛盾。即在现行体制下，村民委员会既要办理村务，又要执行政务，扮演着双重角色——"政务"执行的强制性造成了对"村务"的冲击，致使村民委员会过度组织化，村民自治组织成了具有行政权力的"准政府"(吴士健、薛兴利、左臣明，2002)，难以准确地表达农民的意愿——从而导致其地位角色相当模糊。正如许多学者认为的那样，在国家与社会之间，存在着一个"相当自由的政治空间"。村委会借助自身地位的模糊性，拥有一片自由活动的空间——一个具有浓重的非正式制度性质的制度空间。在此空间中，村委会往往采取"变通"的手段来调和国家(或政府)的正式制度与乡村的"熟人社会"之间的矛盾，并从中牟取一定的私利(黄祖辉、蒋文华等，2002)。

三、政府[1]

(一)政府的基本职能

在现代社会中，政府既是一个经济主体，又是一个公共事物管

---

[1] 该处的政府不包括乡镇政府在内，因为在本书中乡镇政府属于农村基层经济组织的范畴。

理主体，从而具有经济和公共事务管理双重基本管理职能。

政府的经济管理职能主要表现为：为市场体系的有序运行创造良好外部环境；运用一定的财政政策和货币政策间接地影响经济发展的方向、结构和速度；强化对国有资产的有效监管，确保国有资产的保值、增值。

政府的公共事务管理职能主要表现为两方面：一方面，保障公共物品的供给。由公共物品的本质特性(消费上的非竞争性和非排他性)所决定，单靠市场机制调节不能保证公共物品的足够供给，但公共物品与私人物品一样，都是满足社会成员需要所不可或缺的，因而只能由政府部门来提供。另一方面，提供制度安排。在政府主体和非政府主体参与制度安排的社会博弈中，政府主体在政治力量对比与资源配置权利上均处于优势地位，所以政府主体是决定制度供给的方向、速度、形式、战略安排的主导力量(杨瑞龙，2001)；保障社会公平，即为各市场主体创造公平的竞争环境，在效率的前提下保障社会公平。

(二)政府在农业水资源管理活动中的基本行为模式

根据政府所具有的经济和公共事务管理职能，政府在具体的农业水资源管理活动中应实施以下行为：

1. 协调行为。农业水资源管理活动涉及到农户、农业用水管理组织(如 WUA)、灌区水管组织、水行政主管部门和政府有关职能部门等多个主体。政府作为市场经济条件下的宏观管理者和农业水资源管理活动的重要参与者，对各参与主体之间的关系加以协调，是其参与农业水资源管理活动的重要职能之一。通过政府的协调行为，可有效解决农业水资源管理活动中遇到的盲目性、分散性、低效性等问题，并进而形成综合服务强化、部门垄断弱化、农户积极参与的农业水资源管理新机制。

2. 水事监管行为。如私人水权的许可或登记，取水权或用水权市场准入和退出的管理是政府对私人水权交易的初始安排，政府对私人水权的效率负责，因此，政府要将水权授予讲诚信和资信状况好的用户；水权交易规则的制定和维护，政府要依据法律和水权交易规则确定相应的细则，并依法公平地充当裁判员；有关现场监督检查，政府有权进入用水现场办公，主要是监督其取水或用水是否符合许可登记的有关项目，如用途、用量等；水质与水环境管理，监督水权人必须保护水环境，以防止污染，保证水的可再生性；水工程管理，主要是执行有关标准，确保水权人的工程质量与安全；解决水事纠纷，协调特定地域或流域的水事关系，避免或调解纠纷等(肖国兴，2004)。

3. 手段行为。通过财政手段，建立政府农业水利基础建设投入的激励约束机制，增加财政投资总额，确保财政资金的稳定增长；通过货币手段，建立政府对农业水资源管理制度有效运行的政策支持机制(如增加农业水利基础设施投资及 WUA 构建、运作过程中所需资金的贷款；通过国家政策性银行对农业水利基础设施项目给予相对优先的政策性贷款支持，使那些对农业生产发展具有全局性的，同时又具有经济效益、社会效益和生态效益的农业水利基础设施得以建设和运行)；通过法律手段，维护农业水资源管理制度运行过程中各主体之间交易的安全性、公正性和公平性，从而为供水、管水、用水各环节顺利运转提供良好的法律环境。

四、农业水利基础设施

(一)农业水利基础设施的含义

迄今为止，基础设施尚无精确的定义，鲍尔·罗森斯坦—罗丹、阿尔伯特·赫希曼等发展经济学家称其为"社会沉淀资本"。根据世界银行的归类，基础设施主要包括公共设施、公共工程和交通设施等三类。其中公共设施包括电力、电信、自来水、卫生设施以及排污、固体废物的收集与处理、管道煤气等；公共工程包括道路、大坝、灌溉及排水用渠道工程等；交通设施包括城市与城市间铁路、城市公共交通、港口、航道和机场等(世界银行，1994)[1]。可见，根据世界银行的分类，农业水利基础设施属于基础设施中的公共工程类，结合农业生产用水的特征，农业水利基础设施应是指包括水库、池塘、水坝、水闸、泵站、机井、输水管道、灌渠、排水渠等物质内容在内的，具有蓄水、输水、配水等多种功能的农业水利工程设施。从现有的文献资料看，农业水利设施的分类标准主要有三种：第一是按规模大小进行分类——可分为大、中、小型农业水利基础设施；第二是按空间存在的物质形态进行分类——可分为点、线、面水利设施三类[2]；第三是按发挥的功能进行分类——可分为蓄水工程、输水工程和配水工程等三类。其中，蓄水工程主要是指水库、池塘等水利工程；输水工程主要是指灌溉水渠、排水渠等水利工程；配水工程主要是指水坝、水闸、泵站等水利工程。

根据研究目的的需要及研究逻辑上的一致性，本书对农业水利基础设施的分类将与灌区的分类相联系，即凡在大型灌区发挥作用的农业水利基础设施就属于大型农业水利基础设施，凡在中型灌区发挥作用的农业水利基础设施就属于中型农业水利基础设施，凡在小型灌区发挥作用的农业水利基础设施就属于小型农业水利基础设施。同时考虑到大、中型农业水利基础设施之间功能和特性的相似，本书将大、中型农业水利基础设施合为一类加以分析。这样，农业水利基础设施就可分为两类：大中型农业水利基础设施和小型农业水利基础设施。这种分类方法与按规模大小对农业水利基础设施分类的方法基本上是一致的。

(二)大中型农业水利基础设施的主要特性

1. 从物品特性[3]加以考察，大中型农业水利基础设施属于准公

---

[1] 转引自胡家勇（2003）"论基础设施领域改革"一文。

[2] 受施国庆、庞进武、王友贞（2002）的启发。

[3] 本部分对农业水利基础设施物品特性的考察主要参考了黄祖辉、蒋文华（2002）、杜威漩、黄祖辉（2004）等人的相关论述。

共物品。第一，与传统经济学不同，现代公共经济学把社会总产品分为私人物品、纯公共物品以及介于它们之间的准公共物品三类。其中，私人物品是指具有消费的排他性和竞争性的物品；纯公共物品是指具有消费的非排他性和非竞争性的物品；准公共物品则是介于两者之间的一类物品。第二，现实生活中，纯公共物品并不多见，大量存在的是准公共物品。准公共物品又可分为两类：一类是收费物品或称俱乐部物品。是指消费上具有非竞争性或者说竞争性的程度很低，但却具有很高的排他性，消费者只有付费，供给者才愿意提供这种物品。另一类是公共资源或共同资源。是指消费上具有非排他性或者说排他性的程度很低，但却具有竞争性，这类物品一般是公共资源或共同资源。公共资源的非排他性意味着排他成本很高，排除潜在消费者的难度很大，因而很难阻止他人的消费；公共资源的竞争性意味着当不能有效制止消费时，就会导致资源的枯竭和对公共资源的破坏，即产生所谓的"共地的悲剧"。这样，根据排他性和竞争性这两个物理特性可把物品分为三类(具体来讲是四类)，如表4-2所示。第三，从提供农业用水服务这一功能来看，大中型农业水利基础设施的排他性很高，即农户只有付费才能得到相应的农业水资源；从所提供的社会性服务来看，农业水利基础设施又具有一定程度的非竞争性和非排他性，即大中型农业水利基础设施作为国家公共基础设施的一个重要组成部分，其正常运行所产生的效益往往渗透到社会的许多方面(如水库、河道等农业水利基础设施运行可产生防洪、水资源保护等方面的社会效益)，具有明显的公益性。特别是大中型农业水利基建工程建设周期长，资金、劳力等投入量大，工程技术也较为复杂，一旦建成，在保证正常维修、养护和更新改造的前提下，能长期发挥经济和社会效益，具有很明显的纯公共物品特性。因此，大中型农业水利基础设施具有准公共物品的特性。

表 4-2　物品的分类

竞争性	排他性	
	高	低
高	私人物品	准公共物品 (又称共有物品)
低	准公共物品 (又称收费物品或俱乐部物品)	纯公共物品

2. 从交易特性角度考察，大中型农业水利基础设施具有很强的资产专用性。所谓资产专用性是指"为支持某项特殊交易而进行的耐久性投资。如果初始交易夭折，该投资在另一最好用途上或由他人使用时的机会成本要低得多"(威廉姆森语)。显然，大中型农业水利基础设施具有很强的资产专用性。一方面，其建设投资巨大，一旦建成便很难甚至无法迁址，即这种投资会"沉淀"下来，形成巨大的"沉淀成本"，具有很强的地点专用性；另一方面，在用途上主要用来向农户提供灌溉服务(当然也具有防洪、环境等方面的公益性作用)，是一项专用资产。

3. 从经济技术特性角度考察，大中型农业水利基础设施具有自然垄断的特性。大中型农业水利基础设施所具有的极强的资产专用性导致其投资具有严格的不可分性，而且初始投资量巨大，然而一旦建成，随后所需的经营资本数额较小。这就使得大中型农业水利基础设施的投资从而固定成本在其提供产品的总成本中占很大的比重，一旦建成使用，增加每一单位产品(农业水资源)供给的追加成本在总成本中的比重并不大，产出量越大，平均成本就会下降，生产规模越大，平均成本随提供农业水资源量的增加而持续下降的过程就越长，因而必须把生产规模扩大到独占市场的程度。这就使得大中型农业水利基础设施具有很强的自然垄断性。

值得注意的是，许多经济学家都对自然垄断现象进行了深入的研究，萨缪尔森和诺德豪斯在其经济学教科书中指出，当存在的规模经济和范围经济是如此之强，以至于只有一个厂商才能够生存时，便产生了自然垄断。斯蒂格利茨(1997)在其《经济学》中认为,当一个厂商的平均成本在市场可能容纳的产量范围内不断下降时,自然垄断就会出现;而当平均成本随产出的增大而下降时,亦即当产出处于边际成本小于平均成本的阶段时,存在着规模经济收益。一般地说,自然垄断的特征是具有巨大的规模经济性,但更确切地说,其特征在于它具有显著成本弱增性。由于规模经济与成本弱增性具有密切联系,同时,规模经济在理论研究和经济生活中更为常用,因此,人们通常把自然垄断性理解为显著的规模经济性(王俊豪,1997),本书也主要是以规模经济来界定自然垄断特性的。

(三)小型农业水利基础设施的特性

按常见的分类方法,小型农业水利基础设施通常是指灌溉面积 1 万亩、除涝面积 3 万亩、库容 10 万 m^3、输水流量 1 m^3/s 以下、装机容量 5 万 kW 以下的水利工程(黄晓丽,2003)。主要包括机井、塘坝、泵站、小水库、大中型灌区中的斗、农级渠道以及各种模式的灌排设施和机具等。据统计,全国现有耕地灌溉面积 7.7 亿亩,其中,大中型灌区为 3.4 亿亩,占 44%;其他 4.3 亿亩,靠小型水利工程灌溉,占 56%。而且大中型灌区能否充分发挥灌溉效益,在很大程度上要看末级渠道和田间灌溉工程等小型灌溉基础设施的配套情况(国务院研究室农村司、水利部农水司联合课题组,2001)。而根据本书的分类,小型农业水利基础设施则是指在小型灌区发挥作用的农业水利基础设施;按受益范围的大小,小型农业水利基础设施又可分为两类:一类是由农户自建(或从集体手中购得)、自管、自用的小型农业水利工程,如一口机井、一个池塘、一个流动的排灌机船等(不妨称之为微型农业水利基础设施),这类工程产权明确、管理简单,不是本书的研究对象。另一类是规模较大从而受益范围也较广(如几户、几十户、几百户甚至一个村、一个乡等范围)的小型农业水利基础设施。从历史状况看,该类小型农业水利基础设施多是过去由公社或集体兴建、或由地方政府(县区水利局等)出资兴建,在目前的管理中存在较多的问题,属于本书的研究范围,因此本书所说的小型农业水利基础设施指的是这类水利基础设施。与大中型农业水利基础设施相比，小型农业水利基础设施主要有以下几个方面的特性。

1. 从空间分布看，包括引水、蓄水和提水等灌溉工程在内的小型农田水利设施遍及全国各省区的山区、丘陵和平原，空间分布极为广泛。

2. 从与农地、农户的联系看，一方面小型农业水利基础设施基本上露天赋存于田间地头，与农地具有密切的近距离联系；另一方面，小型农业水利基础设施无论其作用范围的大小，其直接目的是为农户进行农业生产、改善农业生产的水环境、提高农产品产量和质量服务的，因此，小型农业水利基础设施与农户的生产活动密切相关。

3. 从地位和作用看，中国水资源短缺，且时空分布不均，小型农业水利基础设施分布于田间地头，对于农业生产条件的改善具有大中型农业水利基础设施所不可替代的直接作用；另外，大中型农业水利基础设施作用的发挥，也依赖于小型农业水利基础设施的配套，因此小型农业水利基础设施在农业生产中的地位显得尤为重要。

4. 从物品特性和经营特性上看，小型农业水利基础设施最基本和最主要的功能是向农户供给农业水资源，这种服务具有明显的私人物品特性；但小型农业水利基础设施在发挥灌溉服务功能的同时还会产生一定程度的外部性，即经营者不能也无法阻止农田经渠道引水和排水。另一方面，小型农业水利基础设施服务对象是农业生产，而农业生产活动是自然再生产与经济再生产交织在一起的再生产过程，这就决定了农业生产对水资源的需求会受自然因素(气候)的影响而呈现出较大程度的波动性，进而使得小型农业水利基础设施具有一定程度的经营波动性。

五、农业水资源

(一)农业水资源的含义

总的来讲，农业生产用水有两个方面的来源：自然来水和从农业水利基础设施系统中输出的水资源。本书将农业水资源界定为从灌区农业水利基础设施系统中输出的、用于农业生产的那部分水资源。

(二)农业水资源的基本特性

1. 农业水资源具有自然特性。农业水资源也是水资源，不过是经过农业水利基础设施"加工"过的水资源，农业水资源的自然特性主要表现为三个方面。第一，稀缺性。随着社会、经济的发展，水资源从而农业水资源的稀缺性将日益凸现。第二，不可替代性。即水是农作物生长、发育所不可缺少的原料，这是其他任何物质所不能替代的。第三，波动性。即受气候等自然条件的影响，农业水资源的运动具有明显的波动性。

2. 农业水资源具有经济特性。在社会主义市场经济的大背景下，农业水资源的经济特性又主要表现为商品特性，是使用价值和价值的对立统一体。商品"是一个外界的对象，一个靠自己的属性来满足人的某种需要的物"●，农业水资源的使用价值表现在它能满足农民进行农业生产的需要，对我国的农业生产来讲，农业水资源的使用价值尤为突出。我国人口、耕地、气候、水资源等自然条件，决定了我国农业必须走灌溉农业的发展道路。灌溉在我国农业生产中具有十分重要的地位，每年灌溉面积上生产的粮食占全国总量的3/4，生产的经济作物占90%以上(李代鑫，2002)。灌溉对我国农业的极为重要性决定了农业水资源极高的使用价值。进一步地，如果把农业水资源的具体使用价值抽象掉，农业水资源就只剩下一个属性，即劳动产品这个属性。在社会主义市场经济条件下，农业水资源有偿向农民提供实质上是供水劳动与农业生产劳动之间的交易，这种交易将把农业水资源中凝结的供水单位职工的具体劳动转化为一般的无差别的人类劳动——抽象劳动。因此，在社会主义市场经济的背景下，农业水资源是使用价值和价值的对立统一体。其统一性表现在：农业水资源作为商品的使用价值和价值是相互依存、不

● 马克思，《资本论》第1卷，人民出版社，1976年3月，第47~48页。

可分离的，如果农业水资源仅是使用价值，没有一般人类劳动凝结其内，它就没有价值，也不可能成为商品，这也是农业水资源和自然形态存在的水资源之间的重要区别所在。其对立性表现在：对于供水单位来讲，它"生产"农业水资源在很大程度上是为农业水资源中所凝结的价值；而对农户有意义的则是农业水资源的使用价值。而供水单位为了实现农业水资源商品的价值，就必须让渡农业水资源的使用价值；农民为了获得农业水资源的使用价值，就必须支付农业水资源商品的价值。对单独一方来讲，他不可能既占有农业水资源的使用价值，又同时实现它的价值，这就是矛盾。解决这一矛盾的方式就是交易。

3. 农业水资源具有社会特性。第一，人们在利用农业水资源时会产生对水资源的占有、使用、支配与收益等生产关系，这种关系构成了水资源一定社会关系的基础。第二，水资源在用于农业生产的过程中，农户的用水行为对其他经济主体所产生的有利或不利影响。从空间上看，由于水资源具有流域的特性，在一定时期内，一个地区农户用水量的增加，将会导致另一地区农户用水量的减少，特别是在一定时期内上游农户用水量的增加会直接导致下游农户用水量的减少；从时间上看，当代农户对水资源的过度使用将会从数量和质量上影响到其后代对水资源的使用。农业水资源概念可由图4-2表示。

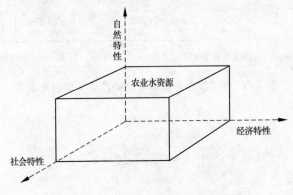

图4-2　农业水资源综合概念示意图

第三节　简要结论

综上所述，中国农业水资源管理制度的环境可概括为两大组成部分：制度性环境和非制度性环境。其中，制度性环境由相关的法律制度、其他相关的正式制度和非正式制度等因素构成；非制度性环境则主要由农户、农村基层管理组织、政府、农业水利基础设施、农业水资源等因素构成。中国农业水资源管理制度环境的构成因素可由图 4-3 表示。

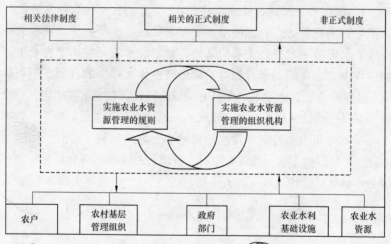

注：表示农业水资源管理制度与其环境之间的相互关系；　表示农业水资源管理制度运行

图 4-3　中国农业水资源管理制度环境的构成因素

第五章　中国现行农业
水资源管理制度安排的透视

如果说第三章"中国农业水资源管理制度演进及现状的实证研究"是制度透视的起点，第四章"中国农业水资源管理制度环境的因素分析"是制度透视外延上的拓展，那么本章则是制度透视在内容上的深化。中国现行农业水资源管理制度透视可从两个层面进行：一方面从农业水资源管理制度本身加以透视；另一方面从农业水资源管理制度与其环境之间冲突的角度加以透视。本章内容的具体安排是：农业水利基础设施投资及产权制度透视、农业水资源管理组织制度透视、农业水资源配置制度透视、农业水资源管理制度与其环境之间的冲突、简要结论。

第一节　农业水利基础设施
投资及产权制度透视

一、农业水利基础设施投资制度安排中的缺陷

长期以来，中国实行的是高度集中的计划经济体制及与之相适应的统收统支的财政体制。与统收统支的财政体制相适应，中国农业水利基础设施一直由政府进行无偿性投资和建设，在这样的投资制度安排中，政府起着主导作用，扮演了十分重要的角色。然而，随着中国经济体制的市场化变迁，这种以政府为主体的单一性投资制度安排(详见第三章)的局限性也日益凸现出来。

(一)相对于财政体制变迁的滞后性

自20世纪80年代开始，中国大部分地区实行了"划分收支、分级包干、五年不变"的财政体制，俗称"分灶吃饭"。这一财政

体制与以往的财政体制相比，具有以下几个特点：第一，由过去全国"一灶吃饭"改为"分灶吃饭"。地方财政的收支平衡也由过去的中央一家平衡，改为各地自求平衡。第二，各项财政支出，不再由中央归口下达，均由"块块"统筹安排，调剂余缺。第三，包干比例或补助数额改为一定5年不变。当1985年"分灶吃饭"体制到期时，在全国大部分地区实行了"划分税种、核定收支、分级包干"的财政管理体制，但这一体制的内容与"分灶吃饭"体制实质上仍然是相同的(刘溶沧、赵志耘，1999)。从1994年开始中国财政体制进入"分税制"阶段，这一体制实质上仍保持了中央与地方之间事权、收入及支出之间的分配关系，是对"分灶吃饭"体制的深化。财政体制由"一灶吃饭"到"分灶吃饭"、再到"分税制"的变迁打破了财政支出中的"大锅饭"，塑造出了比较独立的地方经济利益主体。这样，政府对农业水利基础设施投资的无偿性与地方政府对利益追求之间发生矛盾，导致地方政府对农业水利基础设施投资激励的弱化。而且，随着财政体制的变迁，从20世纪80年代开始，国家对基本建设实行"拨改贷"，基本建设投资的"拨改贷"导致中央政府对农田水利的投入明显减少。而且采取投资切块到地方的做法，不少地方因财政拮据，没有地方配套资金投入，有的甚至挤占国家的农田水利投资。20世纪80年代后期，虽然国家通过建立农业开发基金和喷灌贴息贷款增加了投入，但用于灌区农业基本建设的投资仍显不足(缪瑞林，2001)。

(二)相对于农业经营制度变迁的滞后性

自1978年以来，中国农村开始了以家庭联产承包经营责任制为核心内容的农业经营制度的变迁。这一制度变迁重塑了独立的农业经营的微观经济利益主体，从而产生了十分显著的经济绩效。但家庭联产承包责任制的普遍推行却凸显了现行农业水利基础设施投资制度的滞后性，这种滞后性表现为农户对农业水利基础设施的强依赖与农户对农业水利基础设施投资及管理的弱激励之间的矛盾。一方面，在家庭联产承包责任制普遍推行的情况下，农业经营是以农户家庭为主体的分散经营，这种分散的农业经营方式使得单个农户抗御自然风险的能力十分有限，也使得农户对农业水利基础设施具有强烈的依赖性。尤其是中国农村生产力发展水平还处在相对落后的阶段，很大一部分农村仍然是靠天吃饭，农业水利基础设施在抗御干旱等自然灾害等方面显得尤为重要。另一方面，在现行农村普遍推行家庭联产承包责任制的条件下，农民承包的只是用于耕作的农地，并不包括田间原有的灌排系统，因此农户不是农田水利基础设施投资和管理的主体，或者说农户游离于农田水利基础设施投资及管理主体之外，从而也就缺乏对农田水利基础设施投资及管理的有效激励。

总之，现行以政府为主体的农业水利基础设施单一性投资制度安排无疑会导致水利资金来源渠道狭窄、数量有限、增长缓慢(特别在国家财力紧张的情况下尤甚)。在现行制度安排下，虽然政府鼓励社会资本向农业水利基础设施的注入，但由于相关制度安排尚未配套，在农业水利基础设施领域投资的低甚至负的回报率极大地限制了社会资本的注入，严重地阻碍了农业水利事业的持续、快速发展。

二、农业水利基础设施产权制度安排中的缺陷

(一)农业水利基础设施国有产权制度安排缺陷的透视

如第三章所述，中国农业水利基础设施投资制度产生和演进的特殊制度环境导致了其以政府为主体的投资主体单一性，进而导致了灌区绝大部分农业水利基础设施的产权属于国有产权，这种产权制度安排在运行中日益表现出了以下三个方面的缺陷。

1. 农业水利基础设施国有产权安排导致了产权主体的虚置。第一，各级政府只是农业水利基础设施所有权(从理论上讲，所有权的主体是"全民")的代理者，政府对农业水利基础设施具有实实在在的管理决策权(包括投资决策权)，但并无实实在在的人格化代表承担决策责任，这种权责非对称性说明各级政府难以成为农业水利基础设施真正的产权主体。第二，就目前的状况而言，灌区水管组织

只是作为政府部门的代理人来管理灌区农业水利基础设施的，这种状况必然导致两方面的后果：一方面，灌区水管组织不能按照自己的意愿拥有对灌区水利国有资产的占有、支配和处置权；另一方面，由于农业水利基础设施的所有权由各级政府机构来履行，当政府部门的行政职能、所有者职能结合在一起时，所有权的约束就带有明显的行政干预属性，灌区供水组织无法也不能对水利国有资产的盈亏完全负责，从而使得灌区水管组织也难以成为真正的产权主体。第三，灌区水管组织的职工虽然名义上是全民财产的所有者，但实际上他们既不享有灌区水利国有资产的所有权，也不对资产的损益承担责任，他们同样难以成为真正的产权主体。

2. 农业水利基础设施国有产权制度安排导致了灌区国有水利资产保护的乏力。第一，行政权对经营管理权的干预使灌区农业水利基础设施经营管理效率低下。如第四章所述，政府既是一个经济主体，又是一个公共事物管理主体。因此，政府在行使对灌区水利基础设施的所有权时，不仅关注经济目标，更可能关注社会管理目标。这样，政府就常常会凭借其公共事务管理者的身份，为灌区水管组织设置体现社会偏好(如防洪、环保及社会公平等)的激励约束规则，甚至不惜牺牲灌区水管组织的效率(如为体现社会公平，政府长期实行低于成本的农业水价)来实现政府目标，行政权对经营管理权的这种干预结果必然是农业水利基础设施管理效率的低下。第二，政府难以运用"退出权"来保护农业水利基础设施国有产权。从合约论的观点看，政府与灌区水管组织之间的委托代理关系可被看做是一种隐含的长期合约关系，在这种长期合约关系中，由于政府作为公共事务管理主体的特性和农业水利基础设施特别是大中型农业水利基础设施准公共物品的特性，使得政府作为合约一方履行所有者职能时，很难通过行使退出权(如宣布灌区水管组织破产等)来惩罚对方。因为政府所承担的社会责任使其一旦解除与灌区水管组织的合约将承担巨大的潜在退出成本(如农业水利基础设施的衰落和农业生产的不稳定等)。第三，剩余索取权与监督权完全由政府或其主管部门控制在很大程度上导致了农业水利基础设施经营效率的损失。因为当剩余索取权与监督权完全由政府或其主管部门控制时，灌区水管组织的管理者完全是政府或其主管部门的代理人，权威来源于组织的外部(如灌区水管单位负责人的任命来自于政府或水利行政主管部门)。于是，一方面由于缺乏必要的信息反馈机制，政府或其主管部门很难及时根据需求的变动做出正确决策，这是导致灌区水利国有资产效率不佳的一个重要原因；另一方面，由于灌区水管组织是政府及其主管部门的附属物，不仅缺乏提高资产营运效率的外在压力，而且其管理者也缺乏改善水管组织的经营管理水平的内在动力，这也导致灌区水利国有资产经营效率的低下。

3.农业水利基础设施国有产权制度安排导致了其产权约束的软化。第一，政府作为灌区水利基础设施的投资主体，政府机构相关工作人员自然就成为灌区农业水利基础设施产权真正的和实际上的主体，实际主体的目标函数与资产保值增值这一资本人格化的目标函数经常性的不一致无疑会弱化产权的约束力。第二，灌区农业水利基础设施产权主体的错位(灌区农业水利基础设施产权实际上的主体为政府机构中的相关个人的这种状况)同样也会导致个人机会主义行为的膨胀，秉代理者之名、行产权主体之实的政府机构相关工作人员实施机会主义行为(在缺乏监督情况下的以权谋私等行为)的结果是其个人效用增加，而产权主体"全民"中每一个体的直接效用却不会因此而受到直接的、一一对应的损失，这就使得灌区农业水利基础设施国有产权主体(即"全民")对其代理人的约束力大大软化。第三，由于政府负有包括社会稳定和社会保障在内的多种职责，如果政府让管区水管组织停止运转甚至破产，将会危及到农业水资源的供给进而影响到农业生产的稳定。这样，灌区农业水利基础设施就很难建立起真正的法人产权约束机制。

(二)农业水利基础设施(小型)集体产权制度安排缺陷的透视

根据第二章的论述，集体产权是指财产的归属主体、财产交易的受益主体及财产支配和处置的主体均属具有集体性质的某一组织时的产权。集体产权具有排他性、不可分割性、转让的有限性和消费上的非竞争性等主要特征。

从第三章对农业水利基础设施投资及产权制度的实证研究来看，部分小型农业水利基础设施属于集体产权制度安排。这就意味着这部分小型农业水利基础设施在其服务的农村社区范围内的农户之间是完全重合、不可分割的，亦即产权属于各个农户所构成的集体，而不属于集体中的各个农户。结果农户只是在名义上拥有集体小型农业水利基础设施的全部产权，但实际上却无法知道自己在小型农业水利基础设施这一集体财产中所拥有的份额，从而造成集体的"有"与个体的"无"这样一种矛盾的局面。这种产权制度安排的直接后果是：一方面，农户对小型农业水利基础设施漠不关心，基础设施缺少应有的维修和养护；而另一方面，对集体农业水利基础设施过度使用，产生一定程度上的"共地的悲剧"。具体表现为：第一，新工程发展缓慢、老工程年久失修，管理上效率低下。由于建、管、用脱节，造成所有者缺位，管理不到位，相当一部分小型农业水利基础设施老化失修，不仅不能正常发挥效益，还存在严重安全隐患。第二，在投入上难以粘合资金这一生产要素，产生了国家集体无力投资、农户不愿投资的局面，难以形成有效的自我维持、自我发展的投入机制。农村水利投入不足，资金缺口很大。据测算，全国每年大约需要投入农村小型水利建设资金400亿~500亿元。目前全国各级财政每年用于农村小型水利的资金只有120亿元，农村集体和农民投劳集资200亿~300亿元，缺口100亿元。第三，管理体制不顺，乡镇水利所处境艰难。目前集体所有的小型水利问题比较突出，农村骨干水利工程责任制无法落实，产权界定不清，许多工程有人用无人管，由于长期以来水价标准低、水费收取难，加上水利设施管理落后，大部分小型水利工程处于亏损、半亏损状态，这种情况又造成乡镇水利站(所)普遍无站房、无办公设备的恶性循环(刘铁军，2004)。

随着农村经济体制改革的不断推进，尽管农村小型水利基础设施产权制度改革进行了一些探索，但总的来讲目前传统计划经济体制下形成的小型水利基础设施由政府、集体"大一统"的产权制度格局并未根本改变(钟焕荣，2003)。这就必然导致以下两方面的制度性缺陷：第一，由于小型农业水利基础设施所具有的面广量大等自然特点，加之随着农村以家庭联产承包责任制为核心的经济体制的普遍实施，农村集体组织功能日趋弱化甚至淡出，这就在客观上导致原集体组织对小型农业水利基础设施既管不好也管不了的局面。第二，自20世纪80年代中国财政体制实行"分灶吃饭"以来，中央财政的事权向地方财政转移，大量过去由中央政府包下来的事情现在要由县乡政府承担，但由于基层政府制度内财政资金不足，而制度外资金的投放又缺乏有效的激励(相对于非生产性公共产品的供给来说，投资于生产性基础设施并不能较快地给地方政府带来更大的"政绩")，农村生产性基础设施产品(小型农业水利基础设施占很大的比重，作者注)供给不足，国家投资的减少并没有为基层政府投资所弥补。事实上，改革开放后农村基层政府动员农业劳动力的能力较以前大为降低，加之财力弱，投资激励小，小型农业水利基础设施的投资更为不足(吴士键、薛兴利、左臣明，2002)。因此，从财力上讲，乡村集体对小型农业水利基础设施既管不好也管不了。

(三)小型农业水利基础设施承包制(含租赁制在内)的缺陷分析

在目前小型农业水利基础设施产权改革实践中，相当部分小型农业水利基础设施的产权是以承包的方式进行转让的。在承包制的条件下，小型农业水利基础设施的使用权、管理权及经营权在承包期内被界定给了承包者，从而在一定程度上形成了对小型农业水利基础设施经营、管理的内在激励。然而，承包制没有触及小型农业水利基础设施产权的重新安排，又没有打破旧的利益格局与行政协调机制，使得这种制度安排仍具有以下几个方面的主要缺陷。

1. 承包制没有使承包者对小型农业水利基础设施产权独立化。产权独立化意味着产权主体作为独立的法人对其所管理的小型农业水利基础设施具有完全的占有、使用、收益和处分权。然而，在承包制这一制度安排下，承包者所获得的仅仅是对小型农业水利基础设施的管理权、使用权，而不是完整的产权(如承包者无权根据市场变化来拍卖和重组在寿命期内的小型农业水利基础设施资产，无权独立处置财产收益)，而且由于承包者所管理的小型农业水利基础设施的所有权由基层政府或基层水利行政主管部门代表，使承包者难以真正对小型农业水利基础设施的损益负责。承包制下，小型农业水利基础设施产权的非独立化也意味着承包者在承包期内对小型农业水利基础设施投资所形成的资产增量在处置上的两难困境：资产增量归属承包者固然可对其形成长期激励，但与承包制的宗旨相悖；若归属政府或集体，则难以激发承包者增值资产的动机。

2. 承包制下的所有权约束基本上是一种行政性约束。承包制通过基层政府或基层水利行政主管部门与承包者签订承包合同，使小型农业水利基础设施的所有权在承包期内转化为承包者的管理权、使用权及收益权，但毕竟没有从根本上消除小型农业水利基础设施所有权由政府行政机构掌握并以行政手段对承包者实施所有权约束的事实。

3. 承包制下信息不对称引发高的交易成本。承包制条件下，小型农业水利基础设施的所有权与管理权相分离，从委托——代理的角度分析，承包方也是代理人，一般来讲，它对小型农业水利基础设施的实际营运状况更为了解，而小型农业水利基础设施的所有者(基层政府或基层水利行政主管部门)则是委托人，它受到承包方私人信息的约束。当委托人向代理人了解相关信息时，往往需要通过设计某种激励约束机制，否则代理人要么无可奉告、要么不会如实相告。作为委托人的基层政府或基层水利行政主管部门本身监督动机不强和目标多元化使其很难设计出一个最优的激励约束机制。于是，承包者一旦获得小型农业水利基础设施的承包权，作为委托人的基层政府或基层水利行政主管部门就难以充分了解小型农业水利基础设施的使用状况和承包者经营管理状况等方面的真实信息，难以对代理人的行为进行有效地监督，导致高的交易成本，即监督成本、信息成本和承包制下可能导致的水利国有或集体资产的流失。

第二节　农业水资源管理组织制度透视

从第三章对农业水资源管理组织制度的实证研究可以看出，现行农业水资源管理组织制度安排具有灌区水管组织性质上的模糊性、管理主体上的行政代理性和组织结构上的科层性、农民参与管理组织安排的不完善性等方面的特性。考虑到第三章已经对 WUA 这一新兴的农业用水组织的绩效和存在的问题都做了较为全面的实证分析以及本章第一节已对小型农业水利基础设施产权改革中的承包制进行了较全面的理论透视，本节主要对现行农业水资源管理组织制度安排所具有的灌区水管组织性质上的模糊性、管理主体上的行政代理性和管理组织结构上的科层性等三个方面的制度特性进行理论透视。

一、灌区水管组织性质安排(事、企不分)上的缺陷

(一)事、企不分导致管理职能边界模糊

农业水利基础设施在管理组织形态上主要涉及到政府主体和灌区水管组织两个层次。政府的参与使得灌溉管理组织具有明显的行政性，而灌区水管组织在性质上又被界定为"事业单位、企业化管理"这样一种双重存在，如百家水管单位中 97%的单位是事业单位(水利部水利国有资产管理体制改革调研组，2004)。管理组织在性质上的事、企不分的结果必然是：其一，很多灌区水管组织或灌区水管单位的负责人既是灌区水利国有资产的监督管理者，又是具体运营者。在现实工作中很难区分这些负责人什么时候履行监管的职责，什么时候履行运营的职责，由此导致灌区水利资产运营的结果无人负责，灌区水利国有资产的保值增值得不到保障现象。这种体制上的事、企不分也导致水利公益性资产与经营性资产边界模糊，给国有资产的分类管理造成阻力(水利部水利国有资产管理体制改革调研组，2004)。其二，"事业单位、企业化管理"的组织定位与

管理制度使灌区水管组织或水管单位的营运陷入两难困境：一方面，灌区水管组织作为事业单位，财政部门不安排事业经费(个别差额补助)，由于没有事业经费，目前灌区水管组织的收入来源主要是水费收入，由于水价偏低且长期固定不变使得水费收入杯水车薪，难以维持灌区水管组织正常经营活动的需要。另一方面，灌区水管组织被要求企业化管理，却又要求它承担一些公共品的服务，不能完全像企业那样追求利润。结果是目前水管单位亏损现象普遍存在，以百家水管单位为例，截至 2002 年底，百家水管单位整体亏损，累计未分配利润为–28.68 亿元。百家水管单位中在计提折旧未到位的情况下，只有 19 家水管单位有盈利(占 19%)，80%以上的水管单位处于亏损状态(水利部水利国有资产管理体制改革调研组，2004)，经营管理难以为继。

(二)事、企不分导致管理主体缺位 [1]

农业水利基础设施特别是大中型农业水利基础设施作为准公共物品往往提供综合服务，在功能形态上很难将其提供的公益性服务与收益性服务区分开来。所以在具体的管理上造成了主体缺位，即对大中型农业水利基础设施的管理既非按经营性资产管理(如由国有资产管理委员会监管)，也非按行政事业性资产管理(如由财政部门履行管理职能)，而是由水利行政主管部门代行管理主体的职责。由于水利部门既不能像国资委那样可以出台相关政策帮助水管单位解决问题，也不能像财政部门可以对公益性耗费给以补偿，再加上没有得到正式授权，没有边界清晰的责、权、利来提供管理的激励和约束，所以水利部门只能以工程管理代替资产管理，以行政管理代替产权管理，其结果是注重工程使用，忽视产权管理。另一方面，管理主体缺位也是灌区水管单位运行成本得不到合理补偿的制度性原因之一。在事、企不分的条件下，灌区水管组织运行成本的补偿没有正常的来源，尽管有时可以得

---

[1] 这里是指缺少权、责、利相互统一的管理主体。

到一些财政补助,但象征性的居多,有时财政补助还不足以支付离退休人员的医疗费(水利部水利国有资产管理体制改革调研组,2004)。农业水利基础设施的运行维护只能靠水费或单位的多种经营来维持。结果是水利工程老化失修严重,服务能力降低,没有自我积累、自我发展的能力,灌区水管组织整体上经济效益较差。

(三)事、企不分导致外部监督机制低效、人员超编、持续运行能力低下

首先,灌区水管管理组织事、企合一的性质定位弱化了财政部门、国有资产管理部门甚至水行政主管部门对水管单位的监督与约束机制,如水利部水利国有资产管理体制改革调研组(2004)所作的调研资料显示,财政部门、水利行政主管部门没有对水管单位的国有资产提出保值增值的要求,也极少对水管单位进行绩效考核。由于缺乏外部监督,一些水管单位国有资产隐性流失现象很普遍。同时,由于外部监督机制低效甚至缺失,经营者没有压力,内部缺乏有效激励,经营者没有动力,许多水管单位内部管理粗放,水利工程运行成本很高(水利部水利国有资产管理体制改革调研组,2004)。

其次,灌区水管组织的事业性定位导致许多水管单位成为地方政府推动改革安排富余人员的蓄水池。水利部水利国有资产管理体制改革调研组(2004)所作的调研资料显示,百家水管单位60%超编。解决超编职工的工资福利待遇成为水管单位的沉重包袱,大大降低了水管单位的发展潜力和运行活力。

由以上分析可知,农业水资源灌区管理组织性质上事、企合一的模糊性导致了灌区水管组织经营上的亏损、运行效率的低下,灌区水利国有资产的这种隐性流失,也是一种无形的交易成本;灌区农业水资源管理组织制度性质上的事、企合一的模糊性所导致的供水组织内部缺乏激励及人员超编现象又必将导致高的制度运行成本(也是交易成本的一种)。

二、农业水资源管理主体之间关系安排(双层级行政代理)上的缺陷

(一)农业水利基础设施管理主体上双层级行政代理的内容

农业水利基础设施国有产权制度安排导致了其管理主体上的双层级行政代理特性。在双层级委托系列中，"全民"是第一级委托者，政府(包括中央政府、地方政府及其所属部门)是第二级委托者；在双层级代理系列中，政府是第一级代理者，灌区水管组织是第二级代理者(如图 5-1 所示)。在这种双层级行政委托—代理关系中，灌区水利基础设施作为全民财产，其初始委托人——"全民"具有抽象性，"全民"对政府的一级委托关系是一种"虚拟委托"❶；而作为灌区水利基础设施这一国有资产代理者的政府拥有对这一国有资产的实际所有权，因而它的委托是一种"真实委托"❷。基层代理者——由政府部门向灌区水管组织委派的管理人员,严格地说只相当于灌区水管组织内部的"监工"，不具有剩余索取权和剩余控制权。

图 5-1 农业水利基础设施管理主体之间的委托代理关系

(二)农业水利基础设施管理主体上双层级行政代理特性会导致灌区水管组织市场地位、激励约束机制的弱化，进而导致高的交易成本

1. 灌区水管组织市场地位的弱化进而导致高的信息成本。在双

---

❶ 是本书所提出的一个概念，是指任何委托者个人的身份不具体或者不确定、委托者个人对被委托财产的所有权份额不具体或者不确定情况下的委托，即委托者作为个人只是名义上的。

❷ 是本书提出的和"虚拟委托"这一概念相对应的另一个概念，是指委托者的身份具体或者确定、委托者对被委托财产的所有权具体或者确定情况下的委托，即委托者不仅是名义上的而且也是实质上的。

层级委托—代理关系下，灌区水管组织在很大程度上是政府部门的附属物，其主要生产经营活动(如农业水利基础设施的投资、农业水资源价格的决定等)由政府或相关主管部门安排或者说受到多方面的限制(如没有农业水资源的定价权，从而不能像真正的企业那样追求利润的最大化)，灌区水管组织缺乏实质性的生产经营自主权，从而弱化了市场机制对农业水资源的配置作用。不仅如此，在这种制度安排下，管理信息(即投资、经营管理等方面的信息)的传递路径往往是纵向的，信息在传递过程中不仅可能发生扭曲、损失，而且农业水利基础设施的具体管理者(灌区水管组织)与农业水利基础设施的实际所有者(政府)之间也会产生信息不对称的现象，这些都会导致高的信息成本。

2. 灌区水管组织激励机制弱化进而导致高的激励成本。第一，在管理主体之间双层委托—代理关系下，终极所有者(从理论上讲是"全民")几乎不可能对灌区水管组织的经营管理行为产生直接影响，而只能通过各层代理关系逐级发生作用，代理链条的延长必然导致激励机制的弱化。另一方面，从灌区水管组织自身的情况看，灌区水管组织只是以政府代理人身份对农业水利基础设施进行经营管理，并非真正的投资主体，只是代表真正的投资主体(政府)履行具体管理的职责，对灌区水利资产没有所有权，因此它既不能从具体的管理活动中获得作为所有者的收益，也无须对投资承担风险，这就不可避免会导致其自身激励的弱化。这也是导致许多灌区水利基础设施投资建成后缺乏维护、修理甚至无人负责的重要原因(杜威漩，2002)。第二，在农业水利基础设施管理主体之间双层级委托—代理关系下，存在一个政府如何激励灌区水管组织努力对灌区水利国有资产监督、管理的问题。根据委托—代理的相关基本理论，在等级制中，上级一般不能保证下级按明确的方式行事，他只能设计出一种下级对其反应的政策，而下级代理人的努力水平是监督强度和收入差异的函数。纵向授权链形成后，一方面委托人的监督活动并非是一种纯粹的获利行为，而是一种监督费用很高的公共选择，并很难设计出一个近似市场衡量标准的激励约束机制来；另一方面，代理人并非是剩余索取人，其努力水平与报酬并不直接相关。这样，为抑制下级代理人的机会主义行为，需支付高昂的激励成本(杨瑞龙，1997)，农业水利基础设施管理主体之间的委托—代理关系反映的正是这种情况。

3.灌区水管组织约束机制的弱化进而导致高的监督成本。第一，从灌区水管组织的角度看，由于其自身所处的代理人的地位，因而缺乏像真正的市场竞争主体那样具有硬的利润和成本的约束。如大中型农业水利基础设施提供的产品——农业水资源的价格是由政府在更多地考虑政治和社会目标之后确定的，较少按经济学原理办事，因此也就既不能准确反映生产成本，又不能准确反映社会需求；既不能对灌区水管组织的生产形成有效的激励，又不能正确引导农户对农业水资源的消费。第二，从政府的角度看，如果作为委托人的政府为作为代理人的灌区水管组织设置的激励约束规则使灌区水管组织的努力与政府目标不相一致，则很难对灌区水管组织产生有效的激励和约束；由于灌区水利国有资产剩余索取权具有不可转让性，从而政府与灌区供水组织之间的委托—代理"合约"就具有不可更替性，这样作为委托人的政府惩罚作为代理人的灌区供水组织威胁就具有不可信性，这就决定了政府对灌区水管组织的约束是软的。以上两方面的情况必然导致农业水利基础设施管理过程中高的监督成本。

三、农业水资源管理组织结构安排(科层性)上的缺陷

根据第三章的分析可知，中国农业水资源管理组织结构体系在很大程度上是由政府、水利行政主管部门、灌区水管组织组成的行政系列，从而呈现出明显的行政等级性或者说科层性。农业水资源管理组织结构上的科层性往往会导致其运行过程中高的激励成本、

约束成本和影响力成本，即高的交易成本❶。

(一)科层组织管理的激励成本

在科层制的管理制度下，存在一个上级如何对其下级进行激励的问题。事实上，无论上级采取什么样的激励机制，也难以让下级像做自己的事情那样追求效率。这样，上级必须花精力去监督下级的工作努力。然而，在科层组织内部很难设计出一个像近似市场衡量标准的管理机制，对下级努力程度的测定费用通常是昂贵的。因此，科层组织的激励成本从而交易成本一般来说较高，尤其是当科层组织规模过大时，激励成本迅速增加。

(二)科层组织管理的约束成本

科层组织内的交易具有长期性，即交易不是一次的，而是反复进行的。这样，在科层组织内就会产生原谅失误和相互包庇的倾向，以及因组织交易的长期性而造成的人事关系的政治化，以上因素都易于对监督和惩罚机会主义行为产生软化作用。同时，为克服科层组织内"搭便车"的行为，就需要设置专门的机构以履行约束职能，而这需要付出高昂的成本。如果科层组织的规模过大，组织内处理与约束规则有关信息的能力将相应下降，作为结果，不仅对"搭便车"行为的约束效率会下降，而且科层组织在约束资产专用性强的交易活动中的机会主义行为方面的优势亦会有所削弱。

(三)科层组织管理中难以避免的影响力成本

在科层组织内部，处在不同级别的中层管理人员为了在组织内部的资源分配中获得较大份额的支配权，而把自己相当多的时间和精力放在游说高层主管与建立人际关系网等这类非生产性活动上。由此付出的代价称为影响力成本(史正富，1993)。

---

❶ 该部分的论述参考和借鉴了杨瑞龙（1997）"论国有经济中的委托代理关系"一文中的相关部分内容。

第三节 农业水资源配置制度透视

一、农业水权制度安排中的缺陷：基于交易的视角

(一)农业水权交易制度安排的不完善性

首先，由于交易主体的不对称性和交易价格的非市场化，灌区水管单位与农户之间的水权交易尚不是严格意义上的"买卖的交易"；其次，地区之间的水权交易只是一种"管理的交易"，而用于农民用水户之间水资源余缺调剂的农业水权交易制度尚未形成；最后，灌区水管单位取得初始水权的制度安排——"限额的交易制度"尚未形成。水资源的所有权属于国家，因此灌区水管单位只能通过一定的方式从国家取得初始水权。尽管国务院 1993 年以 119 号令的形式颁布了《取水许可制度实施办法》(下文简称《办法》)，对国家与水资源取用者之间的关系起到了调整和规范的作用。但具体的关于灌区如何从国家取得初始水权的制度安排——"限额的交易"制度至今尚未形成。

(二)农业水权交易制度安排不完善性的原因

其原因主要在于长期以来人们对水资源共权属性的偏好和对水资源经济属性的忽视及由此导致的农业水权交易制度的外部制度性环境残缺。市场经济的精髓是交易，在市场经济的大背景下，产权不可避免被赋予交易的特性，交易本身则是一种运动，是两束权利向各自相反方向的运动，这种运动的结果使资源得以优化配置。因此，在市场经济条件下，产权是一种运动的存在，或者说运动(交易)是产权在市场经济条件下的固有属性，两者是密不可分的。然而，这种内在要求没有以制度的形式体现出来，长期以来，中国水权制度安排具有明显的公有产权属性，如《中华人民共和国宪法》第九条规定"矿藏、水流、森林、山岭、草原、荒地、滩涂等自然资源，都属于国家所有，即全民所有；由法律规定属于集体所有的森林和

山岭、草原、荒地、滩涂除外"，因此，法律明确了水资源国家所有的唯一性。另外，几乎所有的自然资源单行法律都规定，国家所有和集体所有的自然资源可以由单位和个人依法开发利用(包括取水、采伐、勘探、捕捞等活动)，并规定了各种自然资源使用权，如承包经营权、矿业权等。但这些权利却是毫无代价(实际上并非毫无代价，而是代价较低，作者注)地从政府手中获取，政府通过许可证形式将这些权利委托给开发利用者，允许其对自然资源的使用，但却排斥自然资源的交易(贺骥，2002)。这样，农业水权交易制度的外部制度性环境的残缺在很大程度上限制了农业水权交易制度的形成。

二、农业水价制度安排中的缺陷

(一)定价主体的行政性导致制度运行中高的交易成本

一方面，定价权过于集中导致农业水价调整中高的交易成本。如《水价办法》第十七条规定，"地方水利工程供水价格的管理权限和申报审批程序，由各省、自治区、直辖市人民政府价格主管部门商水行政主管部门规定"，即地方水利工程供水的定价权集中在省、自治区、直辖市政府。这使得水价的调整程序过于繁杂，加之一个省的各个地区农村经济发展水平、农民的收入水平、农民的商品意识往往有很大的差别，这就无疑使得每一次水价的调整都可能面对全省不同地方的不同反映方式，使得调整过程中形成高的调价成本。另一方面，一省范围内的水利工程水价由省统一制定、调整，实行统一的水价，这就使水价难以符合大多数水利工程的实际情况，因为各地水利工程投资、维护和管理状况不同，农业水利基础设施使用效率也就各不相同。同时，农业用水管理部门与政府价格职能部门密切相关(如价格的审核、审批机关与执行价格的职能部门往往有着千丝万缕的联系)，定价者的有限理性和机会主义行为倾向往往会使农业供水价格被扭曲(如《水价办法》虽然明确要求农业生产用水按成本定价，但大部分地方执行的实际情况往往是农业生产用水的价格低于供水成本),进而使得水利行业与农业之间以及水利行业内部各部门之间的利益关系被扭曲。所有这些都将最终导致农业水价制度运行中高的交易成本。

(二)定价目标的非经济性导致制度运行的低效率

作为公共事务管理的主体,政府在农业用水的定价上考虑更多的是公平目标(长期以来农业用水的无偿供给和低价供给就是其主要的表现),这就不可避免会导致两方面的后果,一方面,灌区水管组织经营管理难以为继,缺乏自我生存、自我发展的能力,同时也缺乏对灌区水管组织生产效率的刺激。另一方面,农户用水效率低下,即导致农业水资源消费过度、浪费严重。如目前我国主要灌区的渠系利用系数只有 0.3~0.4,即约有一半的水被浪费掉(石玉林、卢良恕,2001)。

三、农业水费管理制度安排中的缺陷[1]

(一)水费计量方式的缺陷导致农业水费管理中高的交易成本

中国目前多数灌区水费仍按耕地面积均摊的方式计费。在这种水费计量方式下,一方面,不仅农户的水商品意识淡漠;另一方面,由于水费与用水多少没有直接联系,从而给搭车收费的机会主义行为提供了生存的空间,这样就必然会极大地削弱农户对水费的支付意愿(在农户收入水平下降的情况下尤甚),进而增加水费征收和代收单位在水费征收过程中的执行成本(交易成本的一个重要组成部分)。

(二)收费方式上的缺陷导致农业水费征收管理中高的交易成本

在收费管理方面,目前中国农业用水收费采用两种方式:直接征收方式,即水管组织直接对农户收费;间接征收方式,主要是指委托乡(镇)、村(组)代为征收水费。现行收费管理中的这些特点会从以下两个方面导致高的交易成本。

---

[1] 参见杜威漩（2006）的有关论述。

1. 在农业水费直接征收的方式下，灌区水管组织与单个农户之间交易地位的不对称、交易信息的不对称会导致水费征收过程中高的交易成本(参见后文中的有关论述)。

2. 在农业水费间接征收的方式下，乡(镇)、村(组)等代收单位机会主义倾向的存在及水管组织对代收单位缺乏有效的监督机制使得水费征收过程中加收、截留、挪用水费等现象不可避免。这些现象的存在不仅增加了农民的水费负担，导致水管组织与农户之间高的交易成本，而且也会引起水管组织与代收单位之间的摩擦，导致水管组织与代收单位之间高的交易成本，在水管组织与代收单位之间的矛盾难以自行协调、化解的情况下，就需要政府(往往是上级政府)的介入，这又不可避免地会导致政府与水管组织之间、政府与代收单位之间的交易成本的发生，并增加政府的管理成本。

(三)有关制度性环境不配套使其运行阻力加大，进而导致其运行中高的交易成本

如《水利产业政策》明确农田灌排骨干工程为甲类工程，其建设资金由中央和地方财政安排，维护运行管理费由各级财政支付，至于多大规模或哪一级骨干灌排工程属于甲类工程，并进入哪一级财政预算范围，没有明确，执行有困难。其次，《水利产业政策》与水价政策不一致，按产业政策执行，灌排骨干工程维护运行管理费由各级财政支付，核定供水水价时仅包括骨干工程的折旧、大修理费用即可，相应的财政预算就应核算划转骨干工程的维护运行管理费用。而国家有关水价政策要求按供水成本(包括维护运行管理费)核定水价标准(季仁保，2002)，这种矛盾极有可能导致水价执行中同一灌溉系统内对相同水质、水量的灌溉用水征收不同水费情况的发生，而一旦这种情况发生，用水户(特别是那些使用高标准水价的用水户)将会对水管单位所执行的水价标准及他们是否应按这一标准缴纳水费产生怀疑，这无疑会导致水费征收中高的交易成本。

第四节 农业水资源管理
制度与其环境之间的冲突

一、现行农业水资源管理制度与其制度性环境之间的
冲突❶

(一)现行农业水资源管理制度与社会主义市场经济制度的冲突

1. 农业水利基础设施投资及产权主体(包括基层政府在内的各级政府)的单一性与社会主义市场经济条件下资源配置的市场化要求相冲突。社会主义市场经济制度的最基本特征之一就是使市场在资源配置中发挥基础性作用,即资源配置的市场化是社会主义市场经济制度的最基本要求。现行农业水利基础设施投资及产权制度安排的基本特征则是以政府(包括基层政府在内的各级政府)为主体的投资及产权主体的单一性,很显然,这种投资制度安排无疑是传统计划经济体制下所形成的农业水利基础设施投资及产权制度的延续。这样,农业水利基础设施投资及产权主体的单一性必然与社会主义市场经济的最基本要求发生冲突。其结果是:由于农业水利基础设施长期以来主要是由政府(包括中央政府和地方政府)投资,加之从客观上讲,农业水利基础设施(特别是大中型农业水利基础设施)具有较强的资产专用性,投资额大、回报率低、周转期长,使得社会资本难以有效进入,并进而导致了农业水利基础设施投资的萎缩。

2. 农业水利基础设施产权制度安排与社会主义市场经济条件下产权的优质化要求相冲突。以法人产权为例,建立现代企业制度是社会主义市场经济制度的主要特征和基本要求之一,也是社

---

❶ 为了在研究中不至于发生歧义,本节所用的"冲突"一词是指农业水资源管理制度与其环境之间所发生的不一致、不协调或者说相互矛盾的现象。

会主义市场经济制度下法人产权优质化的主要表现。自 20 世纪 80 年代开始，随着中国经济体制的市场化变迁的启动和推进，中国农业水利基础设施行业长期以来所实施的计划经济体制开始松动，并初步显示出了市场化趋动的变迁。然而，现行农业水利基础设施国有产权制度安排与社会主义市场经济制度下的产权优质化的要求并不完全适应。第一，由于灌区水利国有资产的政府所有制,灌区水管组织成为政府(或者政府所属的水利行政主管部门)的附属机构，不仅缺乏独立的自主权，而且还要承担一定的社会目标(如以低水价所体现的社会公平目标)，从而也就很难成为自主经营、自负盈亏的经济实体。第二，农业水利基础设施的政府所有制使得灌区水管组织不可避免会受到来自政府的行政干预(如政府无偿从灌区供水组织调水等)，非经济目标在灌区水管组织的管理目标中占据主导地位，决定了灌区水管组织对政府具有很强的纵向依赖性。

3. 农业水权交易制度的不完善性与社会主义市场经济条件下产权的动态化要求相冲突。可交易性既是市场经济条件下产权的重要特征之一，又是市场经济对产权优质化的内在要求。然而，在中国目前的农业水权制度安排中，并不存在用于农业灌溉目的的取水权的交易制度(《取水许可制度实施办法》中并无取水权转让的规定，因而也就更不可能存在用于农业灌溉目的的取水权的交易制度)和用于调剂农民用水户之间水资源余缺的"买卖的交易"制度，这不仅在很大程度上限制了社会资本向农业水利基础设施领域的投资，而且也在很大程度上限制了农业水资源使用效率的提高。

(二)现行农业水资源管理制度与现行农业经营制度之间的冲突[1]

1.灌区水管组织与分散经营的农户之间地位的非对称性导致高的交易成本。一方面，灌区水管组织具有明显的行政特性(如灌区水

---

[1] 参见杜威漩（2003）的有关论述。

管单位在性质上属于事业编制、灌区水管单位的负责人由政府或水利行政主管部门任命),加之中国水资源产权是一种所有权归国家所有的公权制度安排,农户与灌区水管组织之间的水权交易是在所有权不变前提下使用权或经营权的交易,在双方的水权交易中,灌区水管组织代表政府或集体组织行使对农业水资源的管理权,它出让产权即农业水资源的使用权;另一方面,分散的农户是水资源的使用者,他们通过与灌区水管组织之间的交易而获得农业水资源的使用权。因此,在水权交易中,交易双方的地位是不对称的,即灌区水管组织一方是政府机构的代理者,具有一定的垄断性,是农业水资源管理活动的主体,处于主导地位,代表政府行使管理权,在水权交易中它出让农业水资源的使用权。由于其自身的行政性、垄断性,它可以对其出让的水权产生很大的影响(如可在很大程度上决定农业水资源的时空配置);农户一方则是农业水资源产权的接受者,在现行农业经营制度安排下,农户经营的分散性降低了单个农民用水户的谈判能力,目前在中国尚未完全形成(在灌溉管理体制改革中个别地区出现的如 WUA 这种中介组织尚处于初级阶段)一个代表农户利益的相关组织在农业水权交易中以对等的地位与政府的代理者进行谈判,这种状况也决定了农户在农业水权交易中的弱势地位。农户与灌区水管组织在水权交易中地位的非对称性必将导致以下两方面的结果:第一,农户参与管理的被动性。农业水资源在时空上的配置、数量上的多少及质量上的好坏在很大程度上取决于作为政府代理者的灌区水管组织,农户在这些方面几乎无能为力,这使得农户失去了参与灌溉管理的动力。第二,双方信息的不对称性。就农业水价信息(如水价的制定依据、水价的调整幅度等方面的信息)而言,灌区水管组织掌握的较为充分,而农户对这方面的信息则十分缺乏;就农业用水量信息(如不同季节每一农户的最佳灌溉用水量、不同农作物的最佳灌溉用水量等方面的信息)而言,农户则掌握的较为充分,而灌区水管组织则十分缺乏。上述两种结果不可避免地会使交易费用上升。

2.农业水资源管理组织结构上的科层性与农户经营的分散性之

间的不适应导致交易成本上升。农业水资源管理组织结构上的科层性与传统计划经济体制下水权交易方式相适应。20 世纪 80 年代以前，农村实行人民公社集体制，一方面，灌区水管单位以计划的方式把农业水资源配置给农业集体经济组织，另一方面对包含在农业生产成本中的农业水费在各级财政与农业集体经济组织之间、农业集体经济组织相互之间进行统一核算。这种灌区水管组织与农业集体经济组织之间一对一的水权交易方式有利于节约交易、实施及监督等方面的成本。但在以农户分散经营为特征的现行农业经营制度安排下，农户在经营中具有自身独立的经济利益，灌区水管组织与农户之间的水权交易成为一对多的交易，即灌区水管组织将农业水资源供给分散的农户，然后再向分散的农户征收水费。这种一对多的交易方式必然要导致交易成本的增加。特别是在现行农业经营制度安排下，农户自身独立的经济利益使其具有了"经济人"的特性，基于自身利益的考虑，农户必定以下列偏好顺序安排积累资金的使用：生产、生活必需品支出＞改善自身生活质量的支出＞包括农业水费支出在内的农村公共支出。当一个农户的积累只能维持其必需的生活和生产费用，而且这样的农户在农村占有一定比例时，向农户征收水费还会面对统一农户认识和组织有效实施的问题，这样农业水费征收管理活动中的交易成本会变得更加高昂。

(三)农业水利基础设施投资制度与农地产权制度、农业水价制度之间的冲突[1]

中国现行农业水利基础设施投资制度安排的投资主体(政府)单一性特征导致了农业水利基础设施投资总量的不足和运行效率的低下。那么，导致农业水利基础设施投资主体单一性的原因何在？本部分的分析思路(类似于数学上的反证法)是：假设农户在水利基础设施投资上的选择是二元的，可选择投资或者不投资(实际上现

---

[1] 参见杜威漩（2005）"制度创新与合作博弈均衡的实现——农业水利设施投资困境与对策"（发表于《水利发展研究》）一文。

行制度安排将农户排除在了投资主体之外)，进而构建政府(主要是指地方政府)与农户之间的博弈模型，通过模型分析来探究现行农业水利基础设施投资主体单一性及投资总量不足的制度性原因：农业水利基础设施投资制度与农地产权制度、农业水价制度之间的冲突。

模型假设：第一，博弈方。即博弈中独立决策、独立承担结果的个人或组织。本文中的博弈方具体是指政府和农户。由于在家庭联产承包经营责任制下，农户具有了自身独立的经济利益；而"分灶吃饭"这一财政制度安排也使地方政府具有了相对独立的经济利益，所以本文也同时假定农户和政府都理性地追求自身效用(用其净收益表示)的最大化。第二，策略集。即每个博弈方在进行博弈时可以选择的全部手段、工具的集合。本博弈中，政府与农户可选择的策略集都是：增加农业水利基础设施投资与不增加农业水利基础设施投资。同时，为了分析上的方便，同时假定政府和农户的投资是同质的，且具有一定的替代关系。第三，得益。对应于各博弈方的每一组可能的策略选择，都有一个表示该策略组合下各博弈方所得或所失的结果，这个结果就是各博弈方的得益。在本博弈模型中，用政府和农户因增加投资所导致的净收益的增量来表示其得益。其中，①农户投资的净收益为农产品销售收入减去农业水利基础设施投资成本之后的余额。农户的生产一方面是为了自给自足，另一方面是为了销售。而在农户销售的农产品中，一部分以低于市场价的收购价出售给当地政府，另一部分销向市场。所以，农产品的销售收入就包括两部分：销向市场的收入和售给政府的收入。②政府农业水利基础设施投资净收益应该为政府从收购因其进行农业水利设施投资而增加的农产品中获得差价收益、农业税收入及水费收入等几个部分之和减去投资成本后的余额。为方便起见，关于政府的净收益，我们只考虑政府从收购因其进行农业水利基础设施投资而增加的农产品中获得差价收益减去其投资成本后的余额。

模型构建： 在上述假设条件之下，农户对农业水利设基础施投资的净收益函数为：

$$\pi_f = (1 - \alpha + \alpha\beta)pq(I_f, I_g) - c_f(I_f) \tag{5-1}$$

式中，π_f 表示农户的净收益函数；α 表示农产品的收购量与农产品总销售量之比，这样就有 $0 < \alpha < 1$；β 表示农产品的政府收购价与市场价之比，这样就有 $0 < \beta < 1$；p 表示农产品的市场价格；$q(I_f, I_g)$ 表示用于销售的那部分农产品的总产出；I_f 表示农户农业水利基础设施投资；I_g 表示政府农业水利基础设施投资；$c_f(I_f)$ 表示农户的农业水利基础设施投资成本。一般来讲，有 $\partial q / \partial I_f > 0$，$\partial q / \partial I_g > 0$，因为农业水利基础设施是农业生产的物质基础，农业水利基础设施投资的增加会改善农业生产条件，从而使农产品产出增加。

相应地，政府农业水利基础设施投资净收益函数为：

$$\pi_g = (1 - \beta)\alpha pq(I_f, I_g) - c_g(I_g) \tag{5-2}$$

式中，$c_g(I_g)$ 表示政府的农业水利基础设施投资成本。

对式(5-1)、式(5-2)求偏导得：

$$\partial \pi_f / \partial I_f = (1 - \alpha + \alpha\beta)p\partial q / \partial I_f - dc_f / dI_f \tag{5-3}$$

$$\partial \pi_f / \partial I_g = (1 - \alpha + \alpha\beta)p\partial q / \partial I_g \tag{5-4}$$

$$\partial \pi_g / \partial I_g = (1 - \beta)\alpha p\partial q / \partial I_g - dc_g / dI_g \tag{5-5}$$

$$\partial \pi_g / \partial I_f = (1 - \beta)\alpha p\partial q / \partial I_f \tag{5-6}$$

$$d\pi_f = \frac{\partial \pi_f}{\partial I_f}dI_f + \frac{\partial \pi_f}{\partial I_g}dI_g \tag{5-7}$$

$$d\pi_g = \frac{\partial \pi_g}{\partial I_g}dI_g + \frac{\partial \pi_g}{\partial I_f}dI_f \tag{5-8}$$

这样，就可得到如图 5-2 所示的支付矩阵。

<table>
<tr><td rowspan="2"></td><td colspan="2" align="center">政　　府</td></tr>
<tr><td align="center">增加投资 $\mathrm{d}I_g$</td><td align="center">不增加投资 $\mathrm{d}I_g = 0$</td></tr>
<tr><td align="center">增加投资
$\mathrm{d}I_f$</td><td align="center">$\dfrac{\partial \pi_f}{\partial I_f}\mathrm{d}I_f + \dfrac{\partial \pi_f}{\partial I_g}\mathrm{d}I_g$,

$\dfrac{\partial \pi_g}{\partial I_g}\mathrm{d}I_g + \dfrac{\partial \pi_g}{\partial I_f}\mathrm{d}I_f$</td><td align="center">$\dfrac{\partial \pi_f}{\partial I_f}\mathrm{d}I_f$, $\dfrac{\partial \pi_g}{\partial I_f}\mathrm{d}I_f$</td></tr>
<tr><td align="center">不增加投资
$\mathrm{d}I_f = 0$</td><td align="center">$\dfrac{\partial \pi_f}{\partial I_g}\mathrm{d}I_g$, $\dfrac{\partial \pi_g}{\partial I_g}\mathrm{d}I_g$</td><td align="center">0 , 0</td></tr>
</table>

农
户

图 5-2　农户与政府之间投资博弈

模型分析： 由上述式(5-4)、式(5-6)可知，$\dfrac{\partial \pi_f}{\partial I_g} > 0$ ，$\dfrac{\partial \pi_g}{\partial I_f} > 0$ ，

但从支付矩阵表中可以看出，当 $\dfrac{\partial \pi_f}{\partial I_f} < 0$ 和 $\dfrac{\partial \pi_g}{\partial I_g} < 0$ 时，该支付矩阵

便存在唯一的纳什均衡(0，0)。这个结果说明，只要政府或农户一方农业水利基础设施投资的边际净收益小于或接近于 0，合作均衡

解便不会存在。相反，如果 $\dfrac{\partial \pi_f}{\partial I_f} \geqslant 0$ 和 $\dfrac{\partial \pi_g}{\partial I_g} \geqslant 0$ ，博弈均衡的解便是

$(\dfrac{\partial \pi_f}{\partial I_f}\mathrm{d}I_f + \dfrac{\partial \pi_f}{\partial I_g}\mathrm{d}I_g$, $\dfrac{\partial \pi_g}{\partial I_g}\mathrm{d}I_g + \dfrac{\partial \pi_g}{\partial I_f}\mathrm{d}I_f)$。这是一个合作均衡，这一

结果说明只有农户和政府双方投资的边际净收益不小于零，双方才会对农业水利基础设施进行投资。由此可知，造成现行农业水利基础设施投资主体(政府)单一性及投资总量不足的制度性原因主要在于现行农地产权制度和农业水价制度本身的缺陷。

从现行农地产权制度来看，农地产权缺乏完整性、明晰性和流动性(具体论述参见第四章)会导致以下三方面的结果。首先，农地空间分割细碎化导致农户对农业水利基础设施投资激励的弱化。一般来讲，农田水利基础设施具有规模性和整体性。而农地空间分割的碎化所导致的农户经营的分散性必然导致农户投资效益的外溢，

进而导致农户生产成本大幅度提高。同时，过小的农地经营规模还使农田水利设施使用出现外部性问题，致使农户对农田水利设施的使用和维护产生严重的"搭便车"行为，从而弱化农户对农业水利基础设施的投资激励。其次，农地产权主体模糊也会导致农户对农业水利基础设施投资激励的弱化。农业水利基础设施投资与农地产权密不可分，在农地产权模糊的情况下，农户从农业水利基础设施投资中所获预期收益是模糊和不稳定的，进而导致农户投资的短期行为，即重生产性投资、轻包括农业水利基础设施在内的基建投资，重短期投资、轻包括农业水利基础设施投资在内的长期投资。最后，农地产权缺乏流动性也同样会导致农户对农业水利基础设施投资激励的弱化。农地产权缺乏流动性使得农地难以适度地流转和集中，从而难以形成农业的规模化经营，农地细碎化及农户分散经营与农业水利基础设施投资的整体性和规模性的矛盾就难以克服，也就难以形成农户对农业水利基础设施投资的有效激励。总之，农地产权的模糊严重压抑了农户进行农业水利基础设施投资的欲望，而农地空间分割的碎化和农地产权的缺乏流动性又会导致这样的结果：成本的增加超过收益的增加，即投资净收益随投资的增加而减少，或者说 π_f 是 I_f 的减函数，从而就有 $\dfrac{\partial \pi_f}{\partial I_f} < 0$。农户作为理性的生产经营者，自然会选择不投资的策略。

从现行农业水价制度运行状况来看，农业生产用水长期以低于供水成本的价格配置，在这种制度(详见第三章内容)安排下，政府对农业水利基础设施的投资成本难以收回，投资的净收益也将随投资的增加而减少，或者说 π_g 是 I_g 的减函数，从而就有 $\dfrac{\partial \pi_g}{\partial I_g} < 0$。作为理性的行为人，政府的策略选择必将是不投资。

因此，中国现行农地产权制度和农业水价制度安排中的缺陷导致了农户和政府之间农业水利基础设施投资博弈的结果为非合作博弈均衡(不投资，不投资)。这一博弈结果首先解释了农户被排除在农业水利基础设施投资主体之外的制度性原因。但另一方面，从这一博弈结果看，似乎政府也不是投资主体，因为政府的选择也是不投资。这里就涉及到政府主体与农户主体之间性质上的差异：农户纯粹是一个经济主体(准确地说是微观经济主体)，而政府则不然，政府不仅是一个经济主体同时也是一个公共事务管理的主体。作为公共事务的管理主体，政府不得不承担一定的甚至是主要的农业水利基础设施投资之责，因为农业水利基础设施(特别是大中型农业水利基础设施)是一种准公共物品或者说具有公共物品的特性。而在博弈模型中由于政府被假定为单一的经济主体，所以模型的结论——政府不投资的策略选择仅仅是从政府作为单一经济主体的角度来讲的。因此，如果将政府的公共事务管理主体这一性质考虑在内，就可以较好地解释农业水利基础设施投资主体(政府)一元化及投资总量不足的原因。

二、现行农业水资源管理制度与其非制度性环境之间的冲突[❶]

(一)与农业水资源商品特性之间的冲突

如前文所述，现行农业水资源管理制度行政性特征的重要表现之一是农业用水的无偿或福利性配置。如长期以来我国农业用水一直是无偿供给，直到 1985 年国务院颁发了《水利工程水费核定、计价和管理办法》，明确了农业水价政策后，才开始对农业用水分类征收水费。但农业用水定价尚未达到成本水价。这种行政性制度安排所导致的农业用水非商品化或准商品化的定位与农业水资源的商品特性是相矛盾的，其直接结果之一是对农户用水行为约束的弱化，导致农业用水的严重浪费。

(二)与农业水利基础设施(大中型)准公共物品特性之间的冲突

主要表现为管理主体角色与农业水利基础设施所具有的准公共物品特性不相适应。一方面农业水利基础设施所具有的准公共物品

---

❶ 参见杜威漩、黄祖辉（2004）"灌溉管理制度与其环境的冲突及整合"一文。

特性会导致其使用中"搭便车"和"公地悲剧"的可能性，这在客观上要求农业水资源管理活动中政府行为的积极介入；而在现行农业水资源管理制度安排中，作为具体管理主体的灌区水管组织只是政府部门的下属机构，虽然履行一定的行政职能，但与政府在公共物品或准公共物品管理应发挥的职能相差甚远，加之灌区水管组织对农业水利基础设施投资建成后的维修、养护等方面的具体管理缺乏有效的激励，更使得管理主体角色与农业水利基础设施作为准公共物品的内在要求之间的矛盾进一步加剧，这也是灌溉基础设施在使用过程中发生失修、老化、功能退化等现象的重要原因。

(三)与农村基层组织之间的冲突

20 世纪 70 年代末 80 年代初开始的以家庭联产承包责任制为核心的农村经济体制改革重塑了农村基层组织的所有权、经营权结构，在很大程度上发挥了基层组织的优越性、调动了广大农民的积极性。然而，随着社会主义市场经济的深入发展，农村基层组织的缺陷日益凸现出来，主要表现在以下三个方面：

1. 制度上的缺陷。现行农村集体经济组织管理体制仍然是改革开放初期的模式，即乡村两级都带有浓厚的行政和计划色彩；土地所有权归属不清；改革开放以来，中国广大农村的民主管理只是流于形式，不能真正落实。

2. 结构上的缺陷。一方面，目前中国大多数乡镇和村表面上是相互独立的，实际上村一级根本没有独立性，村级行为就是执行乡镇任务。由于没有制度约束，乡村两级权责利不清，管理交叉混乱。另一方面，乡镇、村和农户是三个独立主体，有着各自的行为目标，而村级目标因各届领导不同而具有多变性，导致农户与乡村级目标经常出现矛盾，致使管理效率和经济效率低下。

3. 功能上的缺陷。一方面，目前中国大多数地方的集体经济组织处于松散或半松散状态，其组织和联合功能几乎全部丧失。集体经济组织不能代表广大农户的利益，也不能保护广大农户的利益，更不能为广大农户谋利益，农民对集体经济组织十分不满。另一方面，集体经济组织负担沉重，失去了"统"的功能。"统分结合"的双层经营体制是我国农村的一项基本政策，但由于认识的不足，长期以来一直存在重"分"轻"统"的思想，导致农村集体经济发展缓慢(涂维亮、左亚红，2001)。

目前农村基层组织由于制度和结构安排上的缺陷所导致的组织功能的弱化使得农村基层组织对小型农业水利基础设施的管理能力大为减弱，并进一步导致了以下几方面的后果：其一，相当一部分农田水利基础设施建、管、用脱节，有人用、无人建、无人管的现象十分普遍，农田水利工程遭到不同程度的破坏，老化失修、效益衰减问题十分突出；其二，由于建管用脱节，造成所有者缺位，管理不到位，导致资产闲置、流失等现象时有发生，相当一部分小型农业水利基础设施老化失修，难以发挥正常的效益(钟焕荣，2003)；其三，农村水利投入不足，资金缺口大。

第五节　简要结论

一、现行农业水资源管理制度安排中的缺陷集中表现为其运行中高的交易成本

农业水利基础设施投资及产权的单一性导致了农业水利资金来源渠道狭窄、数量有限、增长缓慢以及产权主体的模糊、产权保护的乏力、产权约束的软化，进而导致高的交易成本；农业水资源管理组织性质上的模糊性(具体指灌区水管组织性质上的事、企合一)、主体上的代理性和管理结构上的科层性导致了其运行中高的交易成本；农业水权交易的有限性、农业水价制定中的行政性、农业水费制度中的非规范性导致了农业水资源配置制度运行中高的交易成本；农业水资源管理制度与其环境之间的冲突也导致了高的交易成本。

二、现行农业水资源管理制度安排中的缺陷将成为其创新的内在动力

制度创新是制度本身的内在矛盾、制度与其环境之间的外在矛盾运动的结果。中国现行农业水资源管理制度本身的缺陷及其与环境之间的冲突，不仅是农业水资源管理制度运行中内、外部矛盾运动的集中表现，而且也必将成为农业水资源管理制度创新的动力。

三、现行农业水资源管理制度安排中的缺陷在很大程度上决定了其创新的路径

农业水资源管理制度创新作为对现行农业水资源管理制度的辩证否定，其路径将是向着降低交易成本、提高制度效率的目标趋动。具体来讲，中国农业水资源管理制度创新的路径将是：建立多元化的投资及产权制度；建立有助于实现事、企分开，有助于弱化农业水资源管理组织的代理性、科层性，有助于广大农户积极参与的农业水资源管理组织制度；建立农业水权、水价、水费良性运作机制。

第六章　中国农业水资源
管理制度创新的国际参照

　　进入 21 世纪，水资源短缺是人类共同面对的重大挑战之一，水资源问题正日益引起世界各国的关注和重视，无论是发达国家还是发展中国家，都在采取各种措施来解决越来越严重的水问题。由于农业生产用水在水资源用量中占有极高的比重，所以世界上许多国家都把关注的目光投向了农业生产用水领域，近些年来，世界上许多国家所进行的农业水资源管理体制改革实践就充分说明了这一点。中国对外开放的加深和扩展特别是加入 WTO 必将使中国农业水资源管理制度能从世界上其他国家汲取有益的借鉴，从而产生"制度移植"效应。另一方面，根据新制度经济学的有关理论，制度变迁过程中存在着较强的"路径依赖"现象，目前中国农业水资源管理制度运行中仍保留了传统计划经济体制时代的一些特征，加之中国水利体制改革较为滞后，使得这种"路径依赖"性更强，要摆脱这种"路径依赖"状态，就有必要像诺思所说的那样，借助外部效应，引入外生变量。因此，研究和借鉴世界上其他国家较为成功的农业水资源管理制度就显得十分必要。如果说第三章"中国农业水资源管理制度演进及现状的实证研究"是制度透视的起点，第四章"中国农业水资源管理制度环境的因素分析"是制度透视的扩展，第五章"中国现行农业水资源管理制度安排的透视"是制度透视的深化，那么本章就是制度透视在范围上的进一步扩展。本章内容的具体安排是：国外农业水利基础设施投资的特征、国外农业水资源管理组织运行状况、国外农业水资源配置制度运行状况、简要结论。

第一节　国外农业水利
基础设施投资的特征

一、发达国家农业水利基础设施投资的特征

(一)美国农业水利基础设施投资的特征

美国是市场经济高度发达的国家之一，其农业水利基础设施投资具有十分明显的特征，主要表现为以下四个方面。

1. 从投资主体的角度看，美国水利项目建设与开发的投资主体包括各级政府、各私人部门和居民，政府占据了绝对重要的投资主体地位，水利项目60%以上投资均源于各级政府的资金投入；联邦政府主要负责大河及跨州河流的治理，地方政府主要负责中小河流的治理(王伟，2001)。就农业水利基础设施而言，大型、骨干工程通常由联邦政府和州政府投资，并负责基本灌溉渠道或管网建设。仅1902～1991年的89年间，联邦政府通过垦务局完成了106亿美元的水利工程补助性投资，其中20亿美元为灌溉水利设施投资(周晓花、程瓦，2002)。

2. 从资金来源的角度看，首先，资金来源渠道广泛。主要有美国各级政府财政拨款、联邦政府提供优惠贷款、向社会发行债券、建立政府基金、社会团体或个人的捐赠等。其次，融资方式与使用结构多样。美国水利资金的融资方式表现为直接融资与间接融资并存，政府财政性资金虽在水利资金中占据主要地位，但只有少部分财政性资金具有无偿性，而大部分财政性资金则通过市场化贷给非公益性项目有偿使用。从水利资金使用结构看，它随不同的建设时期和不同性质的工程项目有所不同，防洪工程较多地依靠政府拨款，而水利和城镇供水项目较多地依靠发行债券(王伟，2001)。最后，积极鼓励民间投资。美国长期坚持的减税政策，降低了民间投资的成本，从而起到了鼓励民间投资的作用。美国具有完备的法律体系，

使其涉及水的所有经营与决策均纳入公法体系，如美国国会通过的《田纳西流域管理局法案》，授予管理局债券发行权，民间投资转换为合法债券同样起到了鼓励民间投资的作用(姜斌、刘蒨、梁宁，2003)。

3. 从投资偿还的角度看，基本原则是由受益者分摊。例如，北科罗拉多水管理区 1937 年建造时，预计总投资 5 000 万美元，当时就明确，其中的 2 500 万美元由垦务局对 6 座电站负责运行管理，从电费收入中逐年偿还；另 2 500 万美元由水管理区通过收取水费偿还，期限 40 年。水管理区与各用水户签订合同，规定缴纳水费义务。农业用水为 1.5 美元/(英亩·英尺)(1 英亩·英尺=1 234m^3)，城市用水 13.85 美元/(英亩·英尺)，工业用水 21.45 美元/(英亩·英尺)。由于后两项盈利部分仍不足以弥补农业灌溉的亏损，法律允许水管理区有权向辖区内财产相当于一座作坊以上的企业征收财产税，年税率为财产总值的百万分之一。征收期不少于 40 年，这一规定在辖区选民代表中以绝对多数通过。1962 ~ 1981 年的 20 年间，水管理区每年偿还 45 万美元，共偿还 900 万美元，1982 ~ 1991 年的 10 年每年偿还 50 万美元，共 500 万美元。过去几十年，部分农业用水的水权转移给工业和城市，又可增加一部分水费收入，目前每年可多偿还 110 万美元(冯广志，2002)。

4. 从政策优惠的角度看，美国联邦政府为了发展农业生产，解决干旱缺水地区(尤其是中西部地区)的农业用水问题，长期以来采取了一系列优惠的政策。第一，在工程计划方面优先安排灌溉工程(即农业水利工程)项目，仅 1902 ~ 1991 年的 89 年间，联邦政府通过垦务局完成了 106 亿美元的水利工程补助性投资，其中 20 亿美元为灌溉设施(即农业水利基础设施)投资。第二，给予长期低息或无息贷款是联邦政府扶持兴建水利工程的一个有效方法。对于一些农民急需而又缺乏资金的水利工程，只要农民提出申请，联邦政府会迅速提供必需的、长期无息或低息贷款，偿还期限为 40 ~ 50 年，年利息为 3%。农民在还清全部贷款后，其产权归农民所有，这样既提高了农民兴建水利工程的积极性,又促使农民管好用好水利工程,建立起良性的运行机制。第三,为了鼓励农民兴建水利工程,联邦政府通常采取向农民赠款建设工程的办法,一般赠款额为工程总投资的 20%。在税收方面,联邦政府也采取优惠措施,水利工程免交任何赋税,并可获得所征收财产税中的一部分收入用于偿还水利贷款。此外,政府还根据需要,通过发行建设债券或从某些受益行业中提取建设基金等,支持灌溉工程(即农业水利工程)建设(周晓花、程瓦,2002)。

(二)澳大利亚农业水利基础设施投资的特征

澳大利亚大型水利骨干工程投资必须具备两个条件:一是灌溉面积在 3 万 hm^2 以上;二是水利骨干工程蓄水在 3 万 m^3 以上。在研究立项时,首先必须考虑环境、经济、政治、福利以及可持续发展等方面的因素,同时,还要考虑后代必须有足够的水资源可以利用,对于项目周围珍稀和濒危野生动物必须采取保护措施。项目建议书上报之前,申报单位首先提出对环境的保护措施,包括先进技术措施和经济措施。立项和评审的时间一定为 40 天左右。经过40 天评估和审查之后,给项目申报单位反馈意见,并提出改进与管理的要求。如果项目改进意见比较大时,还必须重新申报,并按程序重新进行评估。项目评审参考的主要指标有:第一,内部收益率在 5% ~ 10%之间,可以立项,内部收益率低于 5%的,不予立项;第二,项目建设地区用水量的多少;第三,项目建设地区的农场主能出多少资金;第四,能抽取多少地下水,并且保护地下水位平衡;第五,能建设多长的输水管道。政府投资只用于公共产品的建设——满足大多数农场主共用的水利工程。而从引水口出来进入农场主土地上的田间配套水利工程,属于农场主的私有产品,其投资由农场主自行负责。基本上是按照公共财政的要求,政府对农业基础设施——公共产品进行投资,并要满足大多数农场主的要求,为大多数农场主提供公共产品——水利骨干工程。政府修建大型水利骨干工程必须与农场主协商,一方面要协商修建大型水利骨干工程占用土地问题；另一方面还要协商田间配套水利工程；政府修建大型水利骨干工程优先考虑的是人口多、干旱、地域广的地区，并且建立水资源管理机构(陶传友，2003)。管理单位所收水费只够渠系输水工程运行维护费的70%，其余部分由政府补贴。农民兴建农业水利工程(即灌溉水利工程)可向政府专门机构申请比普通商业贷款利率低7个百分点的优惠贷款。另外，州政府还采取各种措施，鼓励更新用水技术和设备，如政府承担的对其他经济部门关税补贴更多地向农民转移，以提高农业投资灌溉设备的能力(周晓花、程瓦，2002)。

(三)以色列的农业水利基础设施投资也较有特色

以色列国家供水工程投资全部由国家负担，对供水系统的运行维护费用，用水者负担70%，政府负担30%。国家负责建设和管理骨干水源和供水管网，把农业用水(即灌溉用水)送到集体农庄组织或由个体农户组成的合作社的地边上。农场内部灌溉设施的建设全部由农场主自己负责，经费有困难时，可以向政府申请不超过总投资30%的补助，银行还可以提供长期低息贷款，由政府给予担保。国家水管理单位收取的水费不够运行开支时，每年做出预算，经审核批准后由政府给予补贴。

二、发展中国家农业水利基础设施投资的特征

(一)印度农业水利基础设施投资的特征

大中型灌溉工程由政府建设，包括渠首和干、支、斗、农四级渠道，投资由中央和地方政府分担，投资中如有国外贷款，则由中央政府统借，地方政府归还。小型灌溉工程和大中型灌区的农级渠道以下的田间工程由农民自己建，政府给予补助，约占总投资的1/3(中央和地方政府各一半)，另 2/3 由农民自筹或向银行贷款。对运用喷灌、滴灌等节水技术的农户，政府给予 25%～50%的补助。建成的灌区由各邦(相对于我国的省政府)组建专门的灌溉管理机构负责管理(冯广志，2002)。

(二)巴基斯坦农业水利基础设施投资的特征

巴基斯坦从 1960 年开始对古老的印度河流域灌溉系统进行大规模的扩建和改造，又称印度河流域西水东调工程，到 1976 年基本完成，使该系统灌溉面积从 900 多万 hm^2 增加到 1 400 万 hm^2(2.1亿亩)，是世界上最大的灌区(渠首年引水量 1 285m^3，干支斗三级渠道和连接渠总长 5.6 万 km，8.8 万个渠道放水口，田间渠道 161 万km，渠道总输水能力 7 140 m^3/s)，加上井灌，全国灌溉面积达到 1 650万 hm^2。灌溉的发展加上其他农业措施，使粮食总产量从 20 世纪50 年代初的 60 亿 kg 增加到 90 年代初的 212 亿 kg，增长了 3.35 倍。该工程总投资 296.5 亿卢比(约合 15 亿美元)，主要靠世界银行贷款和西方国家的财政援助与技术援助(冯广志，2002)。

(三)摩洛哥农业水利基础设施投资的特征

第一，摩洛哥政府对灌溉工程建设非常重视，每年从政府财政预算中安排资金 20 亿迪拉姆用于水资源保护、开发和管理方面的支出，其中 50%用于灌溉工程建设。根据每年建设任务情况，政府财政用于水资源管理与灌溉工程建设支出占全部财政支农支出的比重不断提高，1968 ~ 1972 年平均是 43%，2002 年已经达到 77%。政府财政投入于灌溉工程建设资金由国内和国外两部分构成，来自于国外的资金约为 70%，国内资金约为 30%。对于大型灌区建设投资，农民要承担 40%。第二，鼓励私人公司参与灌溉工程建设与管理。摩洛哥自 1962 年就开始承包经营和私有化进程，因政府投资有限，于是吸引私人投资参与灌溉工程建设与管理，以扩大灌溉能力。私人公司参与灌溉工程建设与管理，就是将私人资金转化为水利资本投入，建成的灌溉工程由私人公司管理，私人公司获利后还是照章纳税。多年的实践证明，农民不仅用水方便，还可获得优质服务，农民也不必考虑灌溉工程建设问题。第三，灌溉工程建设依据行业规划进行科学评审，树立经济灌溉的理念，全国经济灌溉率达到 43%，使灌溉工程投资发挥最大效益。摩洛哥在进行灌溉工程项目评审时，就考虑项目的布局问题，将灌溉工程优先安排在经济灌溉率高的地区，增强灌溉能力，加快农业发展步伐，使有限的资金投入发挥最大的效益(陶传友，2004)。

第二节 国外农业水资源管理组织运行状况

一、发达国家农业水资源管理组织运行状况

(一)美国农业水资源管理组织体系及运行状况

美国是市场经济最发达、最讲效率和效益、法制比较完备国家之一，其灌区建设和农业水资源管理组织运行是很有代表性的。美国的农业水资源管理组织体系主要由内务部垦务局和灌区管理委员会两部分组成。

1. 关于内务部垦务局。内务部垦务局是根据 1902 年的垦务行动法成立的，其功能主要有两个方面：第一，负责大型灌区建设。工程立项首先要受益地区用水者提出申请，垦务局对其可行性进行审查，通过后上报国会批准。建成的灌区资产界定清晰，起初所有权归垦务局，借款还清后所有权移交给灌区。灌溉发展的事权和责任也很清楚，垦务局只负责公共工程或公用部分的建设，即只管到农场主的地界，农场内的灌排设施则由农场主自己决策、自己兴建、自己管理。美国灌区大多为多目标综合开发利用，如果灌区水费收入不足以偿还借款，就以发电、城市工业供水的利润弥补。如果在财务上连这一点也做不到，这个工程就得不到立项批准。因此，几乎所有的灌区都能做到经济上良性运行(冯广志，2002)。第二，促进农民对灌区的管理。垦务局在修建大型水利设施(大坝)之前要与买方(灌区和农民)签订合同；以利于农民参与灌区管理(陈军、葛贻华，2003)。

2. 关于灌区管理委员会。以美国加州最南端的考契拉灌区为例，该灌区 1918 年开始建设并组建管理组织，主要宗旨是管好用好本区

水资源，开拓新的水源，具体业务包括灌溉、城市工业供水、居民
生活供水、农田排水、节水等。灌区范围内的用水户选举产生管理
委员会，委员会有主席1人，下设5人组成的理事会，其中1人为
主席兼任，理事任期4年。理事会成员均有其他工作，为兼职，灌
区除支付他作为理事会工作的开销外，别无报酬。理事不一定都是
农民，有的地方也选举社会知名人士、教授担任的。理事会聘用总
经理，由其负责灌区的日常维护和运行管理。灌区管理机构的性质
属非盈利的、非政府的公共组织，它与地方政府和政府水行政主管
部门没有隶属关系，完全自主管理。灌区每年召开一次全体用水户
大会，报告水情、可分配水量、财务预算及当年水费标准，听取用
水户意见(冯广志，2002)。

(二)日本农业水资源管理组织运行状况：以土地改良区为例

　　日本的灌区称土地改良区(Land improvement district,简称LID),
LID是一个在某一特殊区域由那些自主管理和控制农业水利系统的
农民组成的合作性的、非集中化的、财务自理的协会，是一个代表
农民用水户与政府就水利工程建设成本分摊问题进行谈判的法律实
体。中央和地方政府对灌溉工程的主要责任是维持这些灌溉工程的
正常运转，政府通常将对灌溉设施管理的全部责任委托给诸如LID
这样的用水者组织，而不是委托给地方公共事务管理组织。通常的
情况是，LID直接管理主要的灌溉水利设施，次要的或小型的灌溉
水利设施由村或村民组成的协会管理。作为一个由农民用水者所选
举的代表和相关方面所雇用的工作人员组成的协会，LID拥有向灌
溉者(或农民用水者)收取必要成本的合法权利。在市、镇、村三级
都有选举管理委员会来管理农民用水者代表的选举。日本的"土地
改良法"规定，组建土地改良区，立项之前必须先有15个以上受益
农户联名发起，听取有关市(镇、村)长意见，在所在地向社会公告，
征得受益区内2/3以上农户同意，再向政府主管部门申请，经审查
批准后才能立项。专业技术单位提出初步规划设计方案后，在所在
地向社会公告，如无异议才能组织实施。具体来讲，在向公众征求

意见的 15 天有效期内,政府主管部门对任何其利益受项目实施影响的人的反对意见做出反应, 政府主管部门根据项目实施产生影响程度的大小, 要么采纳这些反对意见, 要么驳回这些反对意见。若无异议或政府驳回了反对意见, 那么政府将批准在一个特殊的区域建立 LID。有资格参加 LID 项目的人员也成为 LID 的成员。项目的修改要经由 2/3 以上成员参加的会议讨论通过, 项目修改一旦获得通过, 就要确定项目设计方案并送交政府主管部门, 由政府主管部门决定项目的修改方案是否反映了大多数人的意见并与现存的法律相一致。LID 的功能主要包括三个方面: 第一, 申请或者推进土地改良项目。中央和地方政府补贴部分项目或工程成本, 其余部分由农民承担。第二, 向改良区的农民收费以支付由政府补贴的那部分工程成本和工程的维护运行成本(通常全部由农民承担)。第三, 对灌排工程进行经营和维持。按照惯例, 工程的运营和维持成本全部由 LID 支付, 而中央政府和地方政府全部或者部分支付工程建设成本。中央政府、地方政府和 LID 所分摊成本状况如表 6-1 所示(Ashutosh Sarker, Tadao Itoh, 2001)。

(三)澳大利亚农业水资源管理组织运行状况❶: 大型灌区公司化改造的成功案例

澳大利亚从 1995 开始实行水管理体制改革, 主要采取私有化形式, 即把国家管理的灌溉系统转让给农民或私人公司经营管理。墨累灌溉有限公司就是一个成功的转让典型。

该公司成立了董事会, 共有 8 名董事, 都是灌区内农民和土地主。董事会是真正的最高权利机构, 如在 2001～2002 年度, 共召开了 11 次董事会, 讨论和决策重大问题。另外, 聘请有经验的 2 名会计和工程师参加董事会。在董事会领导下, 聘请 1 名总经理, 负责全面工作; 总经理助理 1 人, 分管工程、环境、水土管理计划及预

---

❶ 该部分内容引自许志方 (2003) "农民管理大型灌区的新模式——访澳大利亚墨累灌溉公司纪实和思考" 一文。

表 6-1 日本中央政府、地方政府对工程建设成本的补贴及
LID 成本分摊状况

项目类别	中央政府 补贴(%)	地方政府 补贴(%)	总补贴 (%)	LID 成员 分摊的部分(%)
中央政府工程				
大型灌排工程	6 ~ 70	20	80 ~ 90	10 ~ 20
土地垦务工程	75	12.5	87.5	12.5
灾害防治工程	60	35	95	5
地方政府工程				
中型灌排工程	50	25	75	25
土地加固工程	45 ~ 50	27.5 ~ 30	70 ~ 72.5	27.5 ~ 30
土地整合改良工程	50	25	75	25
土地垦务工程	65	17.5	82.5	17.5
灾害防治工程	60	23	83	17
农民组织的工程				
小型灌排工程	45	—	45	55
土地加固工程	45	—	45	55
土地垦务工程	55	—	55	45

资料来源：Ashutosh Sarker, Tadao Itoh (2001): Design principles in long-enduring institutions of Japanese irrigation common-pool resources.

测工作；副总经理兼秘书长 1 人负责配水、行政和其他工作；以及政策顾问 1 人。另外，设有若干部门经理，他们都是专业技术人员，分别负责财务、环境、水土管理计划、工程改建和新建、预制件生产和销售、水量分配和服务、灌排渠道维修和养护，以及行政管理等。澳大利亚灌溉系统的私有化改革并不是将灌区的固定资产按股价全部出售给公司或折算成股份作为国家股，而是全部转成农民的股份。但公司必须每年按固定资产的折旧标准，积累一定的折旧基金。折旧费标准由政府的审计员审定。如果公司不能完成任务，则政府有权取消公司的经营管理许可证。引水渠首工程和墨累河仍归新南威尔士州政府控制管理。墨累灌溉公司按协商的水量指标从墨累河引水并

支付相应的水费。例如，从 2001 年 8 月 1 日~2002 年 7 月 31 日，墨累公司引水总量为 15.6 亿 m^3，其中 12.4 亿 m^3 是供给灌区内的全部 2 500 个股份持有者(即农场主)。灌区内的土地持有者都是公司的股东，股东的股份则是按每人所持有的土地和水权比例而定的。

墨累灌溉公司虽然是一个私营公司，但它很明确是一个非盈利组织，在经营中获得的利润不分给股东及董事会的董事。董事会的董事和经理们都由公司支付一定的薪金。因此，公司每年所得的利润都转入各类储备基金或是用于降低第二年的水费标准。

正因为灌溉排水事业是一种公益性事业，所以在体制改革以后，许多工作仍由公司与政府联合进行。墨累公司与州政府或地方政府之间关系都十分密切，主要表现在：第一，由州政府授予公司 15 年期限的灌溉水管理权许可证。15 年以后，政府将对灌区管理工作进行详细的审查。合乎审定标准，才批准发给第二个 15 年许可证。第二，由新威尔士州环境保护局每年发给控制污染许可证，有权管理和监督流出灌区范围的水质，其目的是激发灌区农民的积极性，以保护河流水环境和向下游用水户供水的水质。第三，为了墨累河灌区的可持续发展，公司与地方政府合作负责执行一项为期 30 年的水土管理计划。公司所辖农场将以农田基本建设和增加水费的方式投入 70%的资金。这一计划的主要内容包括：提高农民水平的教育计划；保护稀有植物；减少渠道渗漏；调整非持续性的农业结构，植树造林和作物多样化种植；改进灌溉方法和施肥管理；检测和评估灌区内的水土资源等。为了完成上述各项计划和协议，政府每年要提供一定数量的资金。

体制转换后，墨累公司取得了较为明显的成效。第一，灌溉效率和效益提高。灌溉水利用系数为 0.832，灌溉水的生产率达 0.86 kg/m^3。第二，公司的财务收支不仅达到平衡而且有所盈余，如 2001 年至 2002 年度净利润总额为 1 803.7 万澳元(如表 6-2 所示)。第三，使灌区水费维持较低的水平。2001~2002 年度为每 1 000 m^3 水量 15.49 澳元，约折合人民币 0.072 元/m^3。随着灌区效益的递增，公司将继续降低水费，作为对农民(股民)的回报(许志方，2003)。

表 6-2　澳大利亚墨累灌溉公司年度(2001.8.1～2002.7.31)财务收支表

收入(10^3澳元)		支出(10^3澳元)	
灌溉部门收入	47 468	工资	13 004
其他收入	27 785	材料及完成合同	9 239
		折旧	10 220
		批发水量费	10 690
		其他费用	1 956
		利息税	1 277
		所得税	10 830
总收入	75 253	总支出	57 216
净利润(10^3澳元)		18 037	

资料来源：许志方，"农民管理大型灌区的新模式——访澳大利亚墨累灌溉公司纪实和思考"，《中国农村水利水电》，2003 年第 6 期，表格略有改动。

二、发展中国家农业水资源管理组织运行状况

(一)印度农业水资源管理组织运行状况

印度地面农业水利工程(即灌溉工程)，从水源到渠道以及水量的控制、分配等，原来都由政府机构管理，深井也归国营公司所有。但这些政府机构和公司在水费征收和投资回收方面都难以完成任务，而需依靠政府补助，从而加重了政府财政负担。因此，政府将深井转让给农民集体管理，由他们自己选举领导，筹措资金或贷款，管理灌溉系统和征收水费。提水灌溉工程也普遍由集体管理，银行对他们征收水费和归还贷款也很满意。农民管理的灌溉面积已达 30 万 hm^2。印度用水者协会限于小型灌区的管理，其控制面积一般为 200～500 hm^2，每个用水者协会包括 100～200 农户(许志方，2002)。Orissa邦在系统的改善、农民参与程度的提高及灌溉管理系统的转变方面投资了 7 000 万美元，以此来克服非集中化及使用者参与方面的阻力，其重点放在对次要渠道的组织管理职责从水资源管理部门(DOWR)向 WUA 的转变。WUA 将成为正式的社会团体并管理 300～600 hm^2 的土地，农民的参与及物质条件的改善紧密地连为一体。

WUA 和 DOWR 将签约以保证主要灌溉系统对农民的供水。15 519 hm² 的实验田上的灌溉管理系统的转变1998年完成(K.William Easter, 2000)。

(二)巴基斯坦农业水资源管理组织运行状况

巴基斯坦的印度河流域灌溉系统由 43 个相对独立的灌区组成，每个灌区由所在省政府的灌溉动力局负责管理，从引水枢纽一直管到农渠口，公用机井也归它管，省局下设地区灌溉办事处，地区办事处下设若干管理区，一个管理区负责 33 万 ~ 67 万 hm² 灌溉面积，管理区下分若干最基层的管理单位——管理段，每个段有若干管水员，一个管水员管 0.1 万 ~ 0.2 万 hm²。水费标准共分 16 个等级，最低 6 个卢比/hm²，最高 158 卢比/hm²(合 0.3 ~ 8.0 美元/ hm²)，根据作物种类和灌水季节不同而分别确定。税务部门把收上来的水费交给政府，管理单位的日常管理和工程运行维护经费由政府拨给。财政拨给的经费经常不能满足灌区维护管理所需，新改造的灌区很快又出现老化失修、效益衰减等问题(冯广志，2002)。巴基斯坦的 WUA 运行的积极性也是有限的。大多数 WUA 一开始是作为要求政府对其河道的改进进行资助的前提而建立起来的。然而，一旦建立，WUA 的效率就开始下降，因为他们除有改善河道的权利外没有被赋予其他任何权利(World Bank,1996b)；许多地区由少数大土地所有者控制，他们通常并不鼓励建立 WUA，大土地所有者可能把他们看成是一种与之抗衡的潜在力量；基于同样的原因，WUA 也不可能得到当地灌溉管理机构官员的促进与帮助，许多灌溉机构的职员认为 WUA 会取代他们的工作(K.William Easter,2000)。

(三)土耳其农业水资源管理组织运行状况

土耳其负责灌溉农业的有水利事务总局和农业部农村服务总局两个部门，在各个地区设有分支机构，每个分支机构下设灌溉协会和农村合作社(陶传友，2004)。

水利事务总局是土耳其水利行业的行政主管部门，总局按照水利单元在全国 81 个省设立了 21 个地区水利事务分局。在土耳其，除少量小型灌溉工程和小水电工程由私人兴建、一些兼有灌溉功能的水利发电工程由企业和国家投资以外，土耳其绝大多数农业灌溉工程均由中央财政全额投资，水利事务总局负责组织建设。然后，再按水利单元组建水利联盟或灌溉协会，把工程移交给联盟或协会进行管护。工程产权属于国家，使用权属于联盟或协会。移交后前5年免交一切费用，5年后按照工程投资额的5%每年向水利部门交费。通过这种方式，最终灌渠建设投资的30%需要农民承担。而水利联盟或灌溉协会(亦即 WUA，作者注)则是用水者自主管理组织，主要负责工程运行维护和水费收缴工作。水利联盟一般管理大型水利工程，包括向城市供水，市长是联盟的自然创始人。灌溉协会一般是更小一级的水管组织，主要是向农田输水。协会一般由同一个水利单元的灌水用户组成，协会日常工作一般由9名工作人员完成，会长通过选举产生，任期4年。国家出资向协会指派主管工程技术的秘书长和财务会计各一人，以加强协会技术力量，规范财务管理。协会按照用水者的意愿制定用水计划，并按协议向农民供水，同时制定工程维修计划和经费预算，按照保本经营自主进行工程运行管理。对于不能正常开展工作的协会，分局有权组织用水者重新进行选举。国家出资修复因洪水等自然灾害毁坏的工程，其他原因毁坏的工程由协会组织修复。目前，全国444个提灌站，已有320个移交给了农民用水合作组织。

农业部农村服务总局是土耳其农业和农村事务的行政主管部门，总局按照行政区域在全国设置了19个地区分局和81个省厅，省厅下面没有设立其他分支机构，村内事务由村内协会负责，0.5个流量以下的灌溉工程由用水者合作社负责。农业和农村服务局主要负责乡村公路、农村人畜引水、田间道路、0.5个流量以下灌溉工程建设、村屯规划和下水道建设以及村民搬迁等工作。与灌溉协会一样，农业和农村服务系统建设的灌溉工程主要交由用水者合作社运行管理，管理办法与协会基本一致。不同之处在于，不但使用权，连同灌溉工程的产权也要一并移交给用水者合作社，而且合作社对用水户只收电费，大约占农民收入的 10%(国家农发办考察团，2004)。

第三节　国外农业水资源配置制度运行状况

一、国外农业水权交易实践及发展状况

(一)澳大利亚农业水权交易状况

澳大利亚是进行水权交易较为普遍的国家，许多州都进行了不同程度的水权交易，现通过新威尔士、维多利亚等几个州的情况加以说明❷。

1. 关于澳大利亚水权交易的基本状况。第一，新威尔士。1983年，新威尔士州和南澳大利亚州进行了首次水权交易，也是澳大利亚第一次水权交易。1983～1984 年度新威尔士州仅完成四起临时(时限为一年)水权交易，交易量为 257 万 m^3。1989 年才出现首次永久性水权交易，1989～1990 年度永久性水权交易为 5 起，交易量为 270 万 m^3。目前水权交易在澳大利亚已经相当普遍，1997～1998 年度，仅南威尔士州就完成 1 980 桩临时水权交易，总交换量达 5.07 亿 m^3，其中跨流域水权交易 133 桩，交易量 6 278 万 m^3；完成永久性水权交易 125 桩，交易量 4 760 万 m^3(Industry Commission，1992)。第二，维多利亚州。在维多利亚北部的灌溉平原，在有调节的河流上建立了良好的水交易。最近几年，永久性水权交易将水调到高附加值农业上，其中，最永久的交易是将水调到酿酒葡萄和园艺种植上。在有调节的河流上永久交易的主要问题是缺乏可利用的信息，尤其是价格信息。1998 年在维多利亚州建立了北维多利水交易所，提供了大量必须的有关临时交易的市场信息，交易的透明度和廉政为交易者进入市场提供了必要的信心。第三，昆士兰州。2000 年 9 月，昆士兰州议会通过了《水法 2000》，

---

❷ 该部分内容引自[澳]水改革高级指导小组著，鞠茂森、张仁田等译（2001）的"澳大利亚水交易"一书。

为全州水资源的可持续分配提供了准备。该法规通过特定流域《水资源规划》的制定与实施达到水资源的可持续分配和管理。通过这些《水资源规划》，该法为水资源的永久交易，并与土地权相分离提供了准备。该法还为水分配注册体系提供了准备，该体系详细描述了所有可转让的水分配量和利润。在已为新法规替代的《水资源法 1989》下，昆士兰州的临时水转让已进行了 10 年。临时转让的有效期为 1 年，对可能的水转让连续周期数量没有限制。在 1999～2000 年，6 938.5 万 m^3 或占全州额定分配量 4.88%的水量进行了临时转让。1999 年 7 月 1 日在马瑞巴——帝姆布拉灌区引入了永久水权转让试点项目，1999～2000 年度进行了 4 次永久性转让，总量为 16.4 万 m^3。1999 年建立了商业性的水交易中介服务机构，当前 11 个有兴趣的销售商有约 100 万 m^3 的水量可用于永久转让。第四，南澳大利亚州。在南澳大利亚州政府拥有的高地灌区将可转让水权引入到公开的水交易市场，使得产权拥有者认识到他们的土地和水资产的真正市场价值。这样与其他一揽子改革及行动一道能够有效地重新构造那些小规模、不可持续且通常低效的产权。在巴劳萨流域及政府拥有的高地灌区，水交易的积极影响已经带来了繁荣，并帮助那些继续从事农业的人员富裕起来。在北阿德莱德平原，从 20 世纪 70 年代以来还没有增加地下水的分配。以前在整个地区已有的分配水量转让具有相当大的灵活性，这种灵活性使一些种植者能够达到超出许可证分配水量的园艺生产的新水平。对水的需求通常能够通过该地区许可证持有者的水量临时转让得到满足。现在许多灌溉者将分配给他们的水量临时转让到其他地区的行为作为他们商业活动的一部分，年平均临时转让水量在 120 万～150 万 m^3 之间，1998 年有超过 1 000 万 m^3 的地下水(是该地区正在使用的总分配水量的 56%)进行了临时转让，这反映了继续依赖临时转让分配水量的能力来维持现有的灌溉的情况。第五，塔斯马尼亚州。该州尚处于水权交易的初始阶段，还没有与土地转让相分离的水资产永久转让。最近两年，在州政府经营的 3 个灌溉体系中已经发生了临时水权转让。在 3 个受调节的体系内进行水权转让成为可能的原因是《灌溉条款法

1973》的一项修正案，该项法律将州内灌溉体系的运行和行政管理法制化。最近两年的临时交易的总水量为 201.5 万 m^3，其中主要转让量(94%)发生在 1999～2000 年度，这一数字约为 3 个灌溉体系中 1999～2000 年度输水总量的 15%。

2. 澳大利亚政府在水权交易中所扮演的重要角色。第一，提供基本法律和法规框架，例如，新的《水管理法 1999》承认建立在该法下的任何水权都是财产权，在一定条件下可以独立于土地权而进行交易和转让，从而为实施水权转让提供了法律制度环境。第二，作为水资源的看守者，建立用水和环境影响的科学与技术基准，规定环境流量，并维持其连续性。第三，提供强有力的检测制度并向广大社区发布信息。由于水权交易迅猛发展，而广大社区几乎没有可利用的信息，因此，这一点尤为重要。第四，规定私营代理机构合适的权限，使它们在权限内运行。第五，承认选择是否进行水权交易的自由。交易本身意味着它不是强制性的，如果负责任的决策者相信他们的实体没有兴趣参与，则水权交易不需要发生。第六，确保市场机制本身的效率。价格公开是有效市场和水的有效使用的先决条件，政府有责任提高市场水价的透明度。第七，促进对社区有明显效益的水权交易。由于水权交易为整个社区提供真正的效益，因此从短期来看，政府应促进水权交易的扩大。第八，强化由农村调整补助产生的安全网体系的效率和有效性，确保个体或者社会贫困不会导致水交易的过分障碍。

(二)智利农业水权交易状况

智利水权制度改革历程具有典型性并与农业用水紧密联系。1967 年智利颁布了农业改革法，水权制度转向中央集权管理体系，由国家水管局统一管理。中央集权管理导致水权法律上的不安全性以及不能鼓励水管理上的私人投资，系统的缺乏灵活性阻止了水流向高价值领域。1981 年智利颁布新的水法，最大程度地削弱了国家水管理局的管理地位，新的水法虽然宣布水是公共财产，但以某些创新方式加强了水使用权的私人控制，水权最大限度地私有化了(Carl J. Bauer,1997)。智利水市场的成功表现在某些区域例如 Elqui 流域、Limari 流域，水权交易取得了巨大的收益，并且促进了农业方面的投资以及农产品生产由低价值作物转向了高价值作物(Robert R, K. William Easter,1997)。但一些公共部门的调查表明水市场是受限制的(Livingston, M., 1993)。这些限制包括：地理条件的限制(智利大部分农村的灌溉系统地处狭窄的山谷地区，昂贵的水资源转移成本严重阻碍了水权交易的进行)、水利设施的限制(智利现存的大部分水利设施粗糙或者陈旧老化，造成水分配的困难)、水权界定不清晰、水权交易记录的不完善、水权争议及对第三方利益的影响(没有机构监督水权交易过程中的水权转移，水权争议及对第三方利益的影响往往是通过用水者协会或者通过法庭进行解决)、文化和心理因素、农民利益缺乏保障(赵海林、赵敏、郑垂勇，2004)。

(三)墨西哥 WUA 之间农业水权交易状况

尽管在 1992 年墨西哥国家水法实施以前地下水及河流水在农民个人之间的交易已经存在，但在 WUA 之间进行大规模的水权交易只是在墨西哥国家水法实施之后才开始，而且仅在有限的几个灌区中进行，Alto Rio Lerma 灌区(简称 ARLID)就是其中之一。ARLID位于墨西哥中部的 Guanajuato 州，灌溉面积 112 772 hm^2，灌区中有 4 座大坝和大约 1 700 个管灌深井，用水户 24 000 个。ARLID又进一步划分成 11 个小型灌区，每个区的灌溉面积从 1 513 hm^{2}到 18 694 hm^2 不等，每一个小型灌区由一个 WUA 管理。这些 WUA负责支渠或支渠以下灌排设施的运行和维护，而对干渠和四座大坝的管理仍继续由国家水资源委员会(简称为 CNA)负责。根据相关的法律文件，所有这 11 个 WUA 都有一定的法律地位并拥有使用水资源和水利基础设施的权利(期限为 20 年)。WUA 之间首例水权交易发生在 1995 年夏季，当时 Acambaro 用水者协会向 Cortazar、Salvatierra 及 Huanimaro 等三个用水者协会售水(如表 6-3 所示)，总交易量为 22 000 × 10^{3}m^3(Wim H. Kloezen, 1998)。

表 6-3　墨西哥 ARLID 中 WUA 之间的水权交易

季节	售水方 (WUA)	购水方 (WUA)	交易量 ($10^3 m^3$)	购买量占总使用量的百分比(%)	交易价格 (美元/$10^3 m^3$)
1995 年夏	Acambaro	Cortazar	10 000	25	0.40
	Acambaro	Salvatierra	10 000	21	0.93
	Acambaro	Huanimaro	2 000	23	0.93
1996 年夏	Acambaro	Salvatierra	8 000	36	2.00
1997 年夏	Acambaro	Abasolo	3 000	19	3.44
	Acambaro	Huanimaro	2 000	86	3.44
	Valle	Salamanca	3 500	18	3.50
	Valle	Abasolo	1 000	6	3.44
	Jaral	Salamanca	450	2	3.50

资料来源：Wim H. Kloezen(1998): Water markets between Mexican water user associations.

二、国外农业水价制度运行状况

(一)美国农业水价制度运行状况

美国水价制度安排的总原则是，供水单位不以盈利为目的，但要保证偿还供水部分的工程投资和承担供水部分的工程维护管理、更新改造所需开支。同时采用不同级别的水价制度，包括联邦供水工程水价、州政府工程水价以及供水机构的水价等。各类用水实行不同的水价。联邦工程灌溉用水水价，只要求偿还工程建设费用，不支付利息；州政府建设的水利工程灌溉用水，必须支付全部的运行费、所分摊的投资和利息及其他费用；灌区水管部门从水利工程处购水再卖给灌溉用水户，灌溉用水费除水利工程购水费外，还包括灌区水管部门的配水系统成本、运行维护费、行政管理费等。美国所采取的水价结构随水资源条件不同各地有较大差异。但近年来都逐渐采用有利于节水的水价结构，如累进水价制。另外，农民使用处理后的废水(可达到地表水三类标准)发展喷灌、灌溉牧地等，水价只有正常地表水供水价格的 1/3 左右，也比抽取地下水便宜(周晓花、程瓦，2002)。

(二)澳大利亚农业水价制度运行状况

第一，关于定价机构。农业用水价格，一般由州一级政府及其职能机构制定。例如，在维多利亚州，通常每年由灌溉者委员会(由农户代表组成)提出水价建议，州资源环境部的水管局在此基础上根据供水成本核定价格，经州政府批准后执行。在新南威尔士州，由政府价格制定特种法庭代政府实施垄断行业定价职能，供水价格、电力价格、公共交通收费等都由它制定和调整。前几年，又将政府价格制定特种法庭改为独立定价特种法庭，成为独立于政府的职能机构。特种法庭在调整价格时，一般至少要组织一次公众听证会，收集公众的意见和建议，举办研讨会和专题讨论会；公布有关资料以使信息公开化，还要向政府机构汇报。它做决定所考虑的因素包括：保护消费者、效率、财政的稳定性、环境标准、水质标准以及水的可靠性、安全性。第二，关于定价依据。以成本为基础的定价原则，即水价要保证供水机构收回成本。澳大利亚政务院制定的水业改革框架规定，构成水价的成本包括：流域管理及水资源管理的费用、蓄水系统水资源调度的运行和管理费用、输水系统运行和维护费用、灌区水渠管理和运行费用，废水收集、处理和管理费用，排水费用、环境退化和污染的治理费用、灌区的管理和行政费用。第三，关于价格结构。在农业水价改革中，两步制的价格结构得以保留。但两部分所占的比重各州并不一致。在1997~1998年间，昆士兰州的农业用水，按定额水量征收的固定费用折每千立方米1~3美元，占的比重较小，按实际用水量计征的水费为每千立方米10美元，占的比重较大。这种收费结构不能保证供水机构有稳定的收入。昆士兰州供水成本中，固定成本约占75%，可变成本约占25%。据此，昆士兰州水费改革方案以中等水量年份的固定费用支出确定按额定水量征收的水费标准。新的价格结构中固定收费占总水费的70%，中等用水年度按实际用水量的收费占30%。而在维多利亚州、新南威尔士州和南澳大利亚州，仍保留固定收费占比重比较小的结构。新南威尔士州当前的价格是：固定费用不管用水量多少，每户每年征收 80 澳元，另外按每千立方米收取，从蓄水工程内取水，约每千立方米 6 澳元，通过水管局的设施供水每千立方米 20～100 澳元。南澳大利亚中央灌区，现在的价格是支付 5 澳元连接费使用户可以从渠道中取水，并按使用量每千立方米支付 34 澳元。此外，还要政府支付每千立方米 3 澳元的流域水资源管理费(陈德尊、姜润宇，2003)。

(三)以色列农业水价制度运行状况

以色列实行全国统一水价，通过建立补偿基金(通过对用户用水配额实行征税筹措)对不同地区进行水费补贴。不同部门的供水实行不同的价格，用较高的水价和严格的奖罚措施促进节水灌溉。为了鼓励农业节水，用水单位所缴纳的用水费用是按其实际用水配额的百分比计算的，超额用水加倍付款，利用经济法则强化农业用水管理。对配额水前 50%的用水按正常水价收费(0.1 美元/m³)，其余的50%将提高水价收费标准(约 0.14 美元/m³)，对于超过配额用水的前10%，定价 0.26 美元/m³，再多的超额用水为 0.5 美元/m³。此外，为了节约用水，鼓励农民使用经处理后的城市废水进行灌溉，其收费标准比国家供水管网提供的优质水水价低 20%左右，其亏损由政府补贴(周晓花、程瓦，2002)。

三、国外农业水费管理制度运行状况

(一)美国农业水费管理制度运行状况

在美国，水费征收在各个灌区、各个年度都有所不同，核定原则大同小异。总的原则是非盈利(联系农业的弱质性等特性说明)，但要收支平衡、良性运行。具体来说，按全成本包括折旧(归还贷款)核算水费，农业灌溉、城市供水、水力发电等统一管理、统一核算，在收支平衡前提下，考虑到不同用途的水产生的效益以及用水户的承受能力，确定不同的水价。农业灌溉只考虑运行维护管理成本，生活供水按全成本收，工业供水在成本之外加利润。发电用水与电收入是灌区的主要盈利部分，通常用工业供水和发电的盈利弥补农业供水收入的不足。如果后两项收入不足以弥补,经过地方立法程序,可向当地居民征收财产税,因为灌区的建设不仅使农民受益,也促进了区域经济发展,增加了全体居民的收入(冯广志,2002)。

(二)印度农业水费管理制度运行状况

收取的水费(由邦税务局或灌溉管理局征收)统统上交邦政府,所需运行维护管理经费由邦政府拨给。国家规定,农业水费按能够维持灌区年运行维护管理费用的水平来核定。根据国际灌溉管理学院(IMI)资料,比哈尔邦、哈利亚那帮的水费分别为:灌溉农田净收入的1.2%和1.7%,或总产值的0.9%和1.3%或灌溉前后净增加收入的2.9%和2.6%(印度人均耕地为0.16 hm^2,产量和产值水平比我国略低)。由于水费标准低,再加上实收率打折扣,灌区普遍存在维护经费不足、老化失修的问题(冯广志,2002)。

(三)摩洛哥农业水费管理制度运行状况

大型灌区建设投资,农民要承担40%,农民用水时,还要支付水费。水费标准不是统一的,根据投资的多少和地区的不同分别制定,收取的水费中不含利润,而是成本的补偿。水费占农民收入的比重依据不同地区、自然条件、农产品品种结构、经济价值的不同而不同。一般情况下,占农产品生产成本的10%左右。农民生产支出占其收入的50%~80%。水费主要用于灌区工程的维护、工人工资、办公费和电费等,每年水费收入有少部分结余,但很少,基本上保证收支平衡。中小灌区建设农民不用投资,也不交水费,遇到自然灾害损害工程时,国家负责出资维修(陶传友,2004)。

第四节 简要结论

一、国外农业水资源管理制度运行状况的总结性评述

国外农业水资源管理制度不仅存在许多共同特点,而且各国特别是发达国家与发展中国家之间还存在着许多方面的差异;国外(特

别是发达国家)农业水资源管理制度的运行不仅表现出了许多优点，而且国外(主要是发展中国家)农业水资源管理制度的运行同时也暴露出了不少问题。

(一)从国外农业水利基础设施投资状况看

第一，无论发达国家还是发展中国家，政府在农业水利设施的投资中都占据重要地位。第二，发达国家由于资金雄厚，不存在利用外资问题；而对一些发展中国家(如印度、巴基斯坦)来讲，利用外资则是农业水利设施投资的主要形式之一。第三，在发达国家，财政无偿性资金一般仅配置于纯公益性水利项目，而农业水利基础设施投资则需通过收费等形式加以偿还。第四，部分发展中国家(如上述的摩洛哥)及多数发达国家都很重视通过采取各种优惠政策以及通过引入市场机制(特别是发达国家)，鼓励社会资本向农业水利基础设施领域的注入。

(二)从国外农业水资源管理组织运行状况看

第一，发达国家农业水资源管理组织运行具有明显的市场化特色，即充分发挥市场机制的作用，尽量按照市场规律办事，如按成本收回灌溉水利工程的投资就是最明显的表现。第二，发展中国家自20世纪90年代以来纷纷进行了以农民用水户广泛参与为核心的灌溉管理制度的改革。从改革的情况看，农民用水户组织的运行初步显示出了良好的绩效。

(三)从农业水资源配置制度运行状况看

第一，在国外特别是发达国家(如澳大利亚)农业水权交易发展较为迅速。第二，农业水价的制定基本原则是，供水单位不以盈利为目的，但要保证农业水利设施投资、维护、运行及更新改造费用的偿还；定价方式较为灵活，如美国的分类定价、以色列的超额累进水价制等。第三，在农业生产用水费的构成内容上，总的来讲是不含利润；发达国家水费的征收手段比较规范，如美国对于农业供水水费收入的不足通过用工业供水和发电的盈利弥补，如果这两项收入不足以弥补，经过地方立法程序，可向当地居民征税。

二、国外农业水资源管理制度运行状况的启示

(一)确立科学的农业水资源管理制度创新目标

中国农业水资源管理制度创新的目标应是既能适应社会主义市场经济的一般规律，又能满足农业生产对农业水资源可持续利用的需要的、融农业水利基础设施投资及产权制度、农业水资源管理组织制度、农业水资源配置制度为一体的、科学的农业水资源管理制度。由于灌溉系统庞大、涉及面广，管理任务繁重，政府既不可能也没必要包揽一切、集权管理。因此，农业水资源管理的创新性安排必须吸收广大农民的参与管理，组织受益农户的自主管理。

(二)建立科学的农业水利基础设施投资制度

第一，明确投资主体。一方面，对政府在农业水利基础设施投资中的地位进行合理界定。由于农业水利基础设施的地位及其准公共物品特点，无法完全依靠市场满足其项目投资，这就需要政府介入水利投资，政府自然成为投资的主体。另一方面，根据"谁受益，谁投资"的原则确定其他投资主体。第二，区分投资类别、科学配置资金、实现合理补偿。第三，拓展投资渠道、制定优惠政策、吸引民间投资。第四，完善法律制度，为农业水资源管理制度的构建和正常运行提供良好的外部制度环境。

(三)农民的有效参与应成为农业水资源管理组织制度创新的重要内容之一

农业水资源管理活动与农民的切身利益密切相关，不能一切都由政府专业机构包揽，而应充分发挥农民用水户参与的积极性。

(四)建立可交易的农业水权制度、科学的农业水价制度及规范的农业水费制度应成为中国农业水资源管理制度创新的重要内容之一

第七章 中国农业
水资源管理制度创新构想

任何一项具体制度安排不仅有其特殊的内在矛盾，而且该项制度安排与其环境之间也构成矛盾统一体，即外部矛盾。内部矛盾和外部矛盾作为制度变迁的内、外部力量共同推动一项制度安排从均衡到不均衡再到新的均衡的运动过程。中国农业水资源管理制度形成于传统的计划经济时代，发展于中国由计划经济向市场经济过渡的转型时期。虽然中国现行农业水资源管理制度在动员大规模人力、物力、财力进行农业水利基础设施建设从而形成农业水利物质基础方面曾发挥过巨大的作用，但这种带有很深的计划经济体制痕迹的制度安排却明显滞后于其环境的变迁，使得农业水资源管理制度本身的缺陷在其新的环境中日益凸现，进而加剧了农业水资源管理制度与其环境之间的冲突。中国农业水资源管理制度本身的缺陷、农业水资源管理制度与其环境之间的冲突，作为农业水资源管理制度运行中的内、外部矛盾，其运动和发展必将导致对现行农业水资源管理制度安排的否定，使制度创新成为必要和必然。中国农业水资源管理制度创新不仅具有必然性，同样具有现实的可行性。第一，一系列相关政策、法律的制定和实施为中国农业水资源管理制度创新提供了前提。第二，新中国成立以来国家对农业水利基础设施投资所形成的积累为农业水资源管理制度创新奠定了坚实的物质基础。第三，农村经济市场化改革为农业水资源管理制度创新奠定了坚实的经济和思想基础。第四，国外农业水资源管理制度运行实践将对中国农业水资源管理制度创新提供有益的启示和有效的借鉴。本章内容的具体安排是：农业水利基础设施投资及产权制度创新构想、农业水资源管理组织制度创新构想、农业水资源配置制度创新构想、农业水资源管理制度创新效应及成本、简要结论。

第一节　农业水利基础设施投资及产权制度创新构想

一、构建大中型农业水利基础设施多元化投资及产权制度

(一)重塑大中型农业水利基础设施政府投资及产权制度

基于大中型农业水利基础设施对农业生产的基础性作用及其自身所具有明显的准公共物品、资产专用性等特征，同时借鉴国外成功的经验，对大中型农业水利基础设施投资应充分发挥政府主体的作用。为此，就要重塑政府对大中型农业水利基础设施投资及产权的基本制度安排。

1. 重塑大中型农业水利基础设施政府投资制度。第一，建立大中型农业水利基础设施政府投资基金制度。即设立政府大中型农业水利基础设施投资基金(可考虑从财政收入、国有土地使用权出让金收入及国家征收的水资源费等各项收入中各划出一部分建立)，并将其纳入国家预算管理，专款专用。第二，根据"有投有收，周转使用，偿还本金"的原则，建立健全大中型农业水利基础设施政府投资偿还制度。第三，建立大中型农业水利基础设施政府投资监督制度。一方面，强化立法监督。可考虑制定和实施《农业水利基础设施投资法》，明确各级政府在农业水利基础设施投资中作为投资主体的具体权利和义务，确定各级政府对农业水利基础设施投入资金的来源渠道，明确规定政府投入的额度、方向、使用原则，确保政府投资的稳定增长。另一方面，强化行政监督。可考虑建立各级人大机构对农业水利基础设施投资的监督机制，即各级人大财经委及财经小组不仅要在大会期间认真审查政府预算报告中政府对农业水利基础设施投资的比重，而且还要在会后检查预算报

告的落实情况，保证报告中的投资与实际投资相一致。同时，强化社会监督。通过社会中介机构(如会计师事务所、审计事务所等)进行监督。

2. 重塑大中型农业水利基础设施国有产权制度。基本构想是建立专门的大中型农业水利基础设施所有权代表机构，行使所有者的权利。在具体的操作上，可考虑在各级国有资产管理组织(国有资产管理局或国有资产管理委员会)中专设大中型农业水利基础设施所有权代表机构，其职能的基本定位是：第一，代表政府拟定、组织实施并监督执行以大中型农业水利基础设施为主要内容的灌区国有资产管理条例、方针和政策。第二，根据公司法对其持股的灌区大中型农业水利基础设施企业享有股东应有的权利。第三，对灌区大中型农业水利基础设施企业的投资活动、财务活动及供水价格等方面进行有效的监督。

(二)构建大中型农业水利基础设施多元化投资及产权制度

尽管由于大中型农业水利基础设施所具有的对农业生产的基础性作用及其自身所具有的特殊性使得国有资本(政府投资)在大中型农业水利基础设施投资领域占有不可或缺的地位。但这并不等于应该由国有资本完全垄断大中型农业水利基础设施投资领域，也不等于应该完全由政府来直接建设、经营和管理大中型农业水利基础设施。应在政府投资主体充分发挥作用的前提下，允许社会资本进入农业水利基础设施领域，形成多元化的投资及产权结构。为此，应开拓以下几个方面的投资渠道。

1. 金融资本的注入。即通过适当形式吸引商业性金融机构对大中型农业水利基础设施领域进行资本投入。金融资本的注入不仅可拓宽投资渠道，而且也可增强对大中型农业水利基础设施投资监督的能力和激励。

2. 国内自然人及企业法人的资本注入。第一，充分利用国内资金市场，把居民手中的一部分消费剩余直接导入大中型农业水利设施投资领域。随着 GNP 分配向居民倾斜，居民手中的非消费性收入越来越多。1996 年，中国城乡居民储蓄存款达到 38 520.8 亿元，其中定期存款为 30 873.4 亿元，占 80.14%；2001 年，居民储蓄存款达 73 762.4 亿元，定期储蓄为 51 434.9 亿元，占 69.7%(胡家勇，2003)。但要成功地吸收居民消费剩余必须使大中型农业水利基础设施所提供的盈利性服务(如发电、旅游等)、灌溉服务的收入在弥补其成本及公益性服务的成本后有较大的净收益，以此增强大中型农业水利基础设施领域的投资吸引力。第二，有效吸引民营资本的投资。改革开放以来，中国民营企业异军突起，获得了长足的发展，只要有合理的利润来引导，完全有可能吸引一部分民营企业对大中型农业水利基础设施的投资。

3. 国外资本的注入。大中型农业水利基础设施领域对外资开放，是弥补国内建设资金不足的一个有效手段。除全国性、跨地区性的、关系国民经济发展全局的农业水利基础设施和枢纽工程不宜对外开放外，其他大中型农业水利基础设施领域可适当对外资开放。例如，位于河南省境内的，融防洪、供水、灌溉、发电多种功能于一体的小浪底水利枢纽工程，在建设中利用外资贷款 11.09 亿美元(姚雨晨，2004)，有效地保证了项目的顺利进行。

(三)构建大中型农业水利基础设施多元化经营制度

具体构想是，将大中型农业水利基础设施所提供的农业生产供水服务与其他赢利性服务加以"捆绑"经营，为社会资本的注入创造条件。单从提供农业生产供水服务一项功能来看，对大中型农业水利工程的投资无利可图，因为《水价办法》第十条规定，农业供水价格"按补偿供水生产成本、费用的原则核订，不计利润和税金"。尽管这一制度安排既充分考虑了农业生产经营的特性，又兼顾了灌区供水组织的持续经营，同时也符合国际上的一般做法，从而成为我国农业水价制定的基础，但在这一规定之下，投资者提供农业生产供水服务的回报率为零，作为追求利润最大化的微观经济主体，投资者会丧失投资的内在激励。然而，从实际运行情况看，提供农业生产供水服务只是大中型农业水利工程的主要功能之一，除此功能之外，大中型农业水利工程还具有发电、旅游、养殖等多种赢利性功能，这些功能的发挥将会给投资带来较为丰厚的回报。因此，将大中型农业水利基础设施所提供的农业生产供水服务与其他赢利性服务加以"捆绑"经营，以赢利性项目的收益弥补农业生产供水服务盈利的不足是实现大中型农业水利基础设施投资内在激励的前提。例如，位于河南省境内的红旗渠灌区 2002 年的旅游门票收入就高达 500 多万元，成为灌区的主要经济来源之一。

综上所述，通过投资及经营制度的多元化，可形成大中型农业水利基础设施较为规范的多元化投资及产权制度，这一制度安排及其运作体系可由图 7-1 表示。

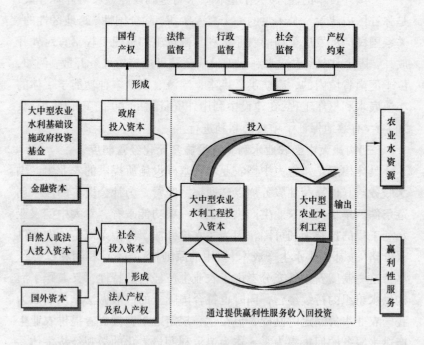

图 7-1　大中型农业水利基础设施投资及产权制度运行示意图

二、构建小型农业水利基础设施农户联合投资及私人产权制度

(一)构建小型农业水利基础设施农户联合[1]投资制度的原因

1. 其他非农经济组织和个人难以成为小型农业水利基础设施的投资主体。第一，小型农业水利基础设施投资并非完全意义上的商业投资，其最主要特点是与农业生产密切相连，并由此决定了与经营其他行业相比，该类投资的回报率较低，同时开展其他盈利性经营活动(旅游、水产养殖和发电等)的空间极小。因此，其他非农经济组织和个人缺乏进入该领域投资的内在激励。第二，该类投资所具有的一定程度的外部性和经营上的波动性(详见第四章的相关内容)使非农经营者面临很高的外在风险。第三，由小型农业水利基础设施的空间分布特点(布局分散、露天赋存于田间地头、价值较小)所决定，若由其他非农经济组织和个人经营，必定导致高昂的管理成本(维修养护、供水配水及计费收费等方面的管理成本)。

2. 以联合农户为主体的小型农业水利基础设施投资制度创新将与小型农业水利基础设施量多、类繁、面广的特性相协调，克服现行制度安排下政府、集体既管不了也管不好的局面。

3. 以联合农户为主体的小型农业水利基础设施投资制度创新可实现与农户特性之间的整合，进而降低农业水资源管理过程中的交易成本。第一，以联合农户为主体的小型农业水利基础设施投资制度创新可实现小型农业水利基础设施服务对象性(服务于农户)与农户需求(主要是对农业生产用水的需求)之间的整合，进而形成小型

---

[1] 本书在第四章中界定小型农业水利基础设施的概念时，是把单个普通农户有能力投资和经营管理的那部分特小型（或称微型）农业水利基础设施排除在外的。因此，本书所说的小型农业水利基础设施是指规模相对较大、单个普通农户无力投资从而需要农户联合投资的那部分小型农业水利基础设施。

农业水利基础设施农户建、农户管、农户用的局面，这就必然会降低管理中的激励成本。第二，以联合农户作为小型农业水利基础设施投资主体的制度安排与农户相互之间信息的充分性(具体分析在第三章)相协调，农户不仅可在平等谈判、民主协商的基础上通过合作、合伙、合股等形式进行小型农业水利基础设施的联合投资，进而降低制度的构建成本及制度建立之后的运行成本，而且以农户为主体投资和经营小型农业水利基础设施还可降低小型农业水利基础设施经营管理中的信息成本。

(二)构建小型农业水利基础设施以联合农户(以 WUA 为载体)为主体的私人产权制度的主要内容

1. 存量上，将小型灌区水管组织所管理的小型农业水利基础设施的国有产权和由乡镇水利所管理的小型农业水利基础设施的集体产权向 WUA 转移，进而构建以 WUA 为载体的、以联合农户为主体的私人产权制度。即将小型农业水利基础设施的所有权全部转交给 WUA，并由 WUA 自主经营、自主管理和自我发展，以此实现产权的明晰和管理上的内在激励。在产权转移过程中应做到以下几点：第一，产权转让之前，应对这部分小型农业水利基础设施进行公正、客观的资产评估，防止国有或集体农业水利资产的流失。第二，产权转让收入应由专门部门进行专项管理，可考虑将这部分收入建立旨在促进小型农业水利基础设施发展的政府扶持基金，主要用于两个方面：一方面，对因自然灾害造成的小型农业水利基础设施的损失进行补贴；另一方面，对小型农业水利基础设施的新建、扩建和改建进行一定比例的补贴。第三，建立和完善产权交易市场，规范产权交易活动，降低交易成本。

2. 增量上，对小型农业水利基础设施的新建和扩建按 WUA 中用水农户的受益比例(比如，可以用水农户拥有的可灌溉耕地面积为标准，因为在相同的技术条件下，可灌溉耕地面积越大，说明从灌溉中获益也越大；反之，则越小)，由用水农户联合出资，即由 WUA 中的用水农户在自愿协商的基础上，按其所应承担的份额，共同投资投劳，从而建立起小型农业水利基础设施的联户所有权、经营权、管理权、收益权益为一体的私人产权制度。

3. 为使小型农业水利基础设施产权转让能够顺利进行，在具体操作上应做到两点。第一，信息的公开、透明和对称。小型农业水利基础设施产权向 WUA 的转让不仅是一项交易，而且也是一项正式制度的变迁。作为一项交易，它需要交易者之间偏好的趋同；作为一项正式的制度变迁，它需要与相关非正式制度之间的协调和融合，需要克服来自观念、习惯等非正式制度的阻力。而无论作为一项交易还是作为一项正式制度的变迁，都需要信息的公开、透明和对称，惟如此才能降低交易或制度变迁中的成本。为此，就需要利用各种媒体、通过各种方式对小型农业水利基础设施产权转让活动进行宣传；同时，还要在公正、公平、公开的原则下，组织农民积极参与。第二，实现相关政府管理部门职能的转变。即相关的政府管理部门要转变管理职能，为小型农业水利基础设施产权转让在项目制定、审批、规划、管理等方面提供全方位的优质服务。

第二节　农业水资源管理组织制度创新构想

一、构建以现代企业制度为基本内容的大中型灌区水管组织

即在大中型灌区水管组织中嫁接现代企业制度，亦即按照"两权"分离(指出资者所有权与企业法人财产权分开)、双重监督(指企业内部监督和外部监督)的原则，将大中型灌区以"事业单位、企业化管理"为主要特征的水管组织改造成为以多元化投资进而多元化产权为基础的、适应社会主义市场经济要求的、权责明晰、管理科学、运作规范的大中型灌区农业水利基础设施企业(简称大中型灌区农水企业，下同)。根据《中华人民共和国公司法》的有关规定，大

中型灌区农水企业内部治理结构主要包括股东大会、董事会、监事会以及经理人员❶。

(一)股东大会

由全体股东(各出资者)组成，依照《中华人民共和国公司法》行使职权。股东大会的职权包括：决定企业的经营方针和投资计划；选举和更换董事，决定有关董事的报酬事项；选举和更换由股东代表出任的监事，决定有关监事的报酬事项；审议批准董事会的报告；审议批准企业的年度财务预算方案、决算方案；审议批准企业的利润分配方案和弥补亏损方案；对企业增加或减少注册资本做出决议；修改公司章程等。

(二)董事会

其主要职权包括：负责召集股东大会，并向股东大会报告工作；执行股东大会的决议；决定企业的经营计划和投资方案；制定企业的年度财务预算方案、决算方案；制定企业的利润分配方案和弥补亏损方案；决定企业内部管理机构的设置；聘任或解聘企业经理，根据经理的提名聘任或解聘企业副经理、财务负责人，决定其报酬事项；制定企业的基本管理制度。

(三)监事会

监事会由股东代表和适当比例的企业职工代表组成，具体比例由企业章程规定。监事会中的职工代表由企业职工民主选举产生。董事、经理及财务负责人不得兼任监事。监事会行使的主要职权包括：检查企业财务；对董事、经理执行职务时违反法律、法规或者企业章程的行为进行监督；当董事和经理的行为损害企业的利益时，要求董事和经理予以纠正；提议召开临时股东大会等。

(四)经理人员

大中型灌区农水企业设经理，由董事会聘任或者解聘，经理对董事会负责，行使下列主要职权：主持企业的经营管理工作，组织

---

❶ 参见《中华人民共和国公司法》，中国法制出版社，2000年1月，27～31页。

实施董事会决议；组织实施企业年度经营计划和投资方案；拟定企业内部管理机构设置方案；拟定企业基本管理制度；制定企业具体规章；提请聘任或者解聘企业副经理、财务负责人；聘任或者解聘除应由董事会聘任或者解聘以外的负责管理人员等。

二、构建以规范的 WUA 为基本载体的小型灌区水管组织

(一)WUA 产权基础的重构

即在农户联合投资的基础上，构建以农户联合的私人产权制度为基础的 WUA，其主要原因在于以下三个方面：第一，以联合的私人产权为基础的 WUA 组织制度安排将实现所有者、所有权、所有物的有机统一。即用水农户不仅是农业生产者，而且也是小型农业水利基础设施这一所有物的所有者从而对小型农业水利基础设施拥有所有权，三者的有机统一无疑会强化农户参与包括小型农业水利基础设施管理在内的农业水资源管理的内在激励。第二，以联合的私人产权为基础的 WUA 组织制度安排将实现所有者与管理者从而所有权与管理权的有机统一、农户作为所有者的目标与作为经营者的目标的统一(提高农业水资源的使用效率)，有助于真正实现用水农户在农业水事活动中的自我管理、自我服务、自我完善与自我发展，从而高度实现农户在农业水事管理活动中的自主性，即真正实现农户参与灌溉管理的目的，最终使 WUA 真正成为直接管理的组织、提供服务的组织、农户自己的组织。第三，以联合的私人产权为基础的 WUA 组织制度安排将实现农业水资源产权与小型农业水利基础设施产权的统一。这种组织制度安排将有效克服传统制度安排下农业水资源产权与农业水利基础设施产权之间分离而产生"治水河工"的现象，进而提高管理的效率。从某种程度上讲，水工程是水权行使的过程，也是水权行使的结果。用户既然拥有了水权，当然或者必需要投资建设水工程，不仅如此还要承担起保护河道等治水的义务。水工程与水权不应当是分离的，否则就会出现中

国传统中的"治水河工"，中国现行的水工程大多是各级政府投资兴建的公共工程。各级政府都有专门的队伍，实际上也是"治水河工"，只不过是官办的。在分离的情况下，严重存在着经营机制不活、水利工程运行管理和维修养护经费不足等问题。特别是在中国已经开始安排水权交易的条件下，如果不把水利工程与水权人利益联系起来，水工程由国家投资兴建，而由水权人使用，既不符合"谁投资，谁受益"的原则，而且政府派出自己的"治水河工"进行工程建造与维护，可能无法保证水工程的质量(如豆腐渣工程等)无法抵御水权存续期间可能遇到的各种风险，还会增加水权人的投资成本。同时，如果水工程是政府投资，水权人非但缺少责任感，还会造成水工程的损坏，减少其服务年限。反之，水工程是水权人的投资标的，权利存续期间可以经营，权利消灭也可以转让(肖国兴，2004)。现行小型农业水利基础设施管理制度安排下，农业水权与小型农业水利基础设施产权的分离使得小型灌区水管组织及乡镇基层水管组织中的工作人员也成为"治水河工"，从而使小型农业水利基础设施管理的低效不可避免。而以农户联合的私人投资及产权制度安排为基础的 WUA 将实现农业水权与小型农业水利基础设施产权之间的有机统一，并从制度上避免小型农业水利基础设施管理中的"治水河工"的出现，为小型农业水利基础设施利用效率的提高、农业水资源使用效率的提高奠定制度基础。

(二)WUA 管理方式的重构

主要设想是构建以合约为纽带的规范的管理方式，具体包括两个方面的内容。一方面，构建 WUA 与用水农户之间的合约化管理方式。通过合约确定农户作为农业水资源使用者的水权人的合法地位和 WUA 作为小型农业水利基础设施管理载体的组合法人地位，通过合约明确用水农户和 WUA 分别应享有的权利和应承担的义务(如 WUA 具有向用水农户征收水费的权利，承担定时、定质、定量向用水农户供水和配水的义务；农户具有定时、保质、保量获得供水的权利，承担按期缴纳水费及对水利基础设施维修、养护的义务)。

另一方面，构建 WUA 范围内的用水农户之间合约化管理方式。在用水农户之间用水量的余缺可以进行交易的制度安排下，用水农户之间的水权交易应是一种合约化的管理，即用水农户之间交易数量、交易价格应通过合约来规范。同时，在合约化的管理方式下，用水农户之间具有选择缔约对象、缔约内容的自由；用水农户作为合约当事人，其地位是平等的，因此双方必须平等地履行合约中所规定的权利。

(三)进行相关配套改革

为了使 WUA 顺利组建和正常运转，还应对现行小型农业水利基础设施基层管理组织进行配套改革，基本思路是将小型灌区现行水管组织与乡镇水利所精简合并，建立以支持、指导、服务、监督为主要功能的基层纯事业性小型农业水利基础设施管理组织。该组织应具有以下特征：第一，它是县水利行政主管部门的派出机构，即作为县级水利行政管理机构在基层的延伸，在性质上属于纯事业性编制。第二，在隶属关系上，可考虑实行县乡共管、以县为主的管理体制，特别是该组织机构的人事管理(包括其领导者的任免和人员调配)、财务管理应以县水行政主管部门管理为主。第三，在管理内容上，该组织主要对受益和影响范围跨行政村以及在一个乡镇范围内的农业水事活动进行行政性管理，具体包括：有关行政手续的审批、WUA 与灌区供水企业之间关系的协调、WUA 之间关系的协调、实施政府对 WUA 的支持、向 WUA 提供必要的信息服务，等等。特别是在 WUA 建立和发展初期，该组织在管理活动中更要体现出政府对 WUA 的支持作用。这种支持一般应包括对 WUA 的培训指导扶持、人力资源支持(例如，向 WUA 派出水利技术方面的人员和会计)、自然灾害修复支持(对因自然灾害而损坏的农业水利基础设施出资修复)、对 WUA 提供法律支持(制定小型农业水利基础设施产权及管理职责向 WUA 转移的政策、法律，明确转移过程中和转移后 WUA 的权利和责任)等方面的内容。

第三节　农业水资源配置制度创新构想

一、构建可交易的农业水权制度

农业水权交易，就是指为了实现农业水资源的有效配置，使农业水资源使用权(狭义的水权)在不同主体之间让渡的行为。从农业水权交易制度的现状看，农业水权交易制度创新应包括两方面的内容。

(一)重构限额的农业水权交易制度

限额的农业水权交易制度是指政府向灌区配置水资源的初始水权配置制度安排，也即农业水权初始配置制度。重构限额的农业水权交易制度的基本构想是：进一步完善取水许可制度，并在取水许可制度中增加农业水权初始配置制度的相关内容。

1. 在取水许可制度中明确界定大中型灌区农业生产用水取水权(是指大中型灌区农水企业从政府手中取得的一定量水资源的使用权)的概念。

2. 确定农业水权初始配置的基本原则。这些基本原则应包括：第一，历史性原则，即农业水权的初始配置应当尊重历史上形成的惯例(非正式制度)。第二，安全原则，也称粮食生产安全优先原则，即在农业水权的初始配置过程中，应优先保证粮食生产用水的需要。第三，公平原则，即在农业水权的初始配置过程中，坚持社会公平的目标(这一原则是由水资源所具有公共性决定的)。

3. 确定农业水权初始配置模式。根据农业水权初始配置应坚持的基本原则，结合中国农业水权从无偿、无期和禁止转让向有偿、有期和用量转让变迁的现实，中国农业水权初始配置可选择以下五种模式❶：第一，灌区人口配置模式，即以灌区农业人口的多少为依据来分配灌区应拥有的农业水资源量。这一模式强调了灌区中所

---

❶　参考和借鉴了胡继连、葛颜祥（2004）的有关内容。

有农户享有同等的用水权,体现了农业水资源初始配置中的公平性。这种模式中,灌区人口是关键变量,但这一变量的数据资料较易取得,因此实施难度较小,操作起来也比较简单。第二,灌区灌溉面积配置模式,即以灌区灌溉面积的大小为依据来分配灌区应享有的农业水资源量。一般来讲,灌溉面积的大小与农业水资源使用量的多少呈正比,这一模式也同样体现了农业水资源初始配置中的公平性。由于灌区灌溉面积这一关键变量的数据资料较易取得,因此实施难度较小,操作起来也比较简单。第三,灌区所在地农业总产值配置模式,即以灌区所在地区农业总产值的大小为依据来分配灌区应享有的农业水资源量。一般而言,农业总产值的大小与农业水资源量有一定的相关关系,这一模式更多地体现了农业水资源初始配置中的效率性。农业是需水量大且对水资源高度依赖的产业,尽管农业总产值的大小与农业水资源量有一定的相关关系,但并非严格的正相关关系,因此这一分配模式对于农业总产值低的灌区是不利的,从而这种模式易引起农业总产值低的灌区的抵制,增加实施中的交易成本,实施难度较大(但操作简单,因为农业总产值这一数据资料也较易取得)。第四,现状配置模式,即在承认灌区用水现状的基础上,以现有的农业水资源使用量(上一年或近几年的加权平均值)为依据来分配灌区应享有的农业水资源量。由于当前用水现状在一定程度上反映了灌区的需水规模,这一模式也有一定的合理性,并且体现了农业水资源初始配置中的现实性原则。从实际操作角度看,这种模式不涉及农业水权的重新分配问题,因而对目前状况不会造成冲击;从分配的难易程度来讲,由于可以获得较为准确的灌区用水历史资料,比较容易实施。第五,市场配置模式,即政府或水利行政主管部门在其所辖的不同灌区之间出卖所允许的取水限额,出卖的方法之一是在统一价格下公开拍卖。这一模式较多地体现了农业水资源初始配置中的效率性。这一模式的具体实施需要市场经济有较大程度的发展,而且实施过程需要政府、水利行政主管部门的介入和相关灌区的参与,组织实施较为复杂。

(二)构建政府宏观调控下的买卖的农业水权交易制度

在农业水资源管理组织制度创新得以实现——大中型灌区的农水企业已经建立、小型灌区的 WUA 已经组建的前提下，买卖的农业水权交易将涉及到：第一，大中型灌区农水企业相互之间的交易、大中型灌区农水企业与城市用水部门或工业企业或电力企业等非农用水组织之间的交易(这些交易在目前情况下尚属于管理的交易，即以大中型灌区所在地的政府部门与另一地区的政府部门为主体进行的交易)。第二，大中型灌区农水企业与 WUA 之间、WUA 与 WUA 之间、WUA 与农户之间、农户与农户之间的农业水权交易，即在大中型灌区农水企业将一定量的水资源售给 WUA 后，WUA 以收费的方式并按一定的标准将该部分农业水资源在用水农户之间分配，用水农户在满足自己农业生产基本需要量的前提下，以 WUA 为中介将多余的农业水权量出售给农业生产需水量得不到满足的农户。政府虽然不对农业水权交易活动进行直接的干预，但考虑到农业水资源自身的特殊性、交易主体的广泛性，政府对买卖的农业水权交易活动的宏观调控也是十分必要的。政府宏观调控下的买卖的农业水权交易制度的构建主要包括以下几方面内容。

1. 交易主体制度安排。是指关于哪些主体可以进行农业水权交易的制度安排，即关于交易主体的资格、权利和责任的制度安排。从自然条件上看，交易双方(组织或个人)具有地理位置上的毗邻性、水资源供求的互补性；从经济可行性上看，交易者(特别是规模较大的组织之间的交易)要拥有较为雄厚的经济实力；从责任能力上看，交易者应是责、权对称的自然人或法人实体。

2. 交易合约安排。在买卖的农业水权交易方式下，交易双方是地位平等的经济实体(包括作为微观经济主体的农户)或法人实体，交易的方式是双方之间对等的协商和谈判，这就使得以合约管制交易不仅必要而且可能。这种合约应是包括交易数量、交易价格、交易期限、交易双方责任和权利的具体规定等内容在内的具有法律效力的合约。

3. 交易程序安排。就目前国内外的实践来看，交易应包括：第一，对卖方水资源的可利用性、输水能力及对第三方的影响进行核查。第二，对买方输水能力、场地使用、使用的合理性、与相关环境标准和管理规划的符合情况进行核查。第三，确定规范双方责任和权利的合约。第四，交易合约的实施。

4. 科学定位政府在交易中的角色。政府在农业水权买卖的交易中所扮演的角色应该是：第一，法律制度环境的供给者，即提供农业水权交易的基本法律法规框架。第二，交易活动的监督者，即构建政府在农业水权交易活动中的监督机制，使政府下属的水利行政主管部门能够会同环境保护行政主管部门及其他相关部门对农业水权交易的合法性、交易活动对包括环境在内的第三方造成的影响等方面的内容进行有效的监督。第三，交易信息的发布者，即政府利用其所处的公正和中立地位定期或不定期向有关农业水权交易双方发布交易信息。

二、构建科学的农业水价制度

鉴于农业生产及农业水资源管理活动所具有的特殊性，应在坚持效率与公平并重、成本补偿与考虑农户付费意愿并重等基本原则的基础上进行农业水价制度的创新。

(一)大中型灌区农水企业农业供水价格制度创新构想

基于大中型农业水利基础设施所具有的自然垄断的特性(规模经济的存在)，若大中型灌区农水企业按边际收益等于边际成本的原则确定农业水价(无政府管制情况下的定价)，会导致超额垄断利润的存在，有悖效率和公平的原则；若根据 $P = MC$ 原则定价(政府管制下的定价)，会导致农业水价低于其平均成本(由于规模经济的存在使得平均成本曲线长期处于边际成本曲线的下方)，这种定价方式要么导致大中型灌区农水企业经营亏损、难以为继，要么导致政府背上沉重的财政负担(在政府补贴的情况下)。相比较之下，平均成本定价则具有现实的合理性，例如，在平均成本定价原则下，大中型灌区农水企业的总收益与总成本相等，即收支相抵，从而可克服垄断厂商自由定价而产生垄断利润所引起的公平及效率问题；在平均成本定价原则下，大中型灌区农水企业可以摆脱在边际成本定价制度下所产生的政策性亏损的局面，并进而克服因政府对这种政策性亏损进行补贴所导致的沉重的财政负担；具有较强的可操作性。鉴于以上分析，大中型灌区农水企业的农业供水应坚持平均成本定价的原则，并在这一原则下进行以下三方面的制度创新。

1. 构建大中型灌区农水企业农业水价定价管理制度。第一，确定定价管理层次。基本构想是：中央政府价格主管部门与水利行政主管部门负责对全国农业水价的指导和监督；省、自治区、直辖市价格主管部门与水利行政主管部门主要负责制定本地区的水价政策，确定一个本地区统一的基准农业水价(根据成本补偿的原则)，制定本地区的价格分级管理权限，审批对本地区经济、社会发展有重大影响和跨地(市)的农业水价；市、县两级价格主管部门会同水利行政部门在全省(自治区、直辖市)统一的农业基准水价基础上，确定本地区的农业基准水价。第二，大中型灌区农水企业根据其所处的农业水价管理层次及基准农业水价，确定其农业供水价格。第三，小型灌区的农业水价可由 WUA 以大中型灌区农水企业的农业生产供水价格为基础通过农民用水户之间的民主协商(以用水户代表大会的形式)确定(下文详述)。

2. 完善定价程序制度：在现行农业水资源定价制度中引入农业水价价格听证制度。农业水价涉及范围的广泛性、农业水价制定过程中政府与灌区水管组织(大中型灌区农水企业、小型灌区的 WUA，下同)、灌区水管组织与用水农户之间信息的不对称性使得现行农业水价制度运行中产生高的交易成本(详细分析见第五章)。从目前来看，使农业水价公开、透明的可行性制度安排是在现行农业水资源定价制度中引入价格听证制度。农业水价价格听证制度应具有以下三个基本特点：第一，听证代表构成多元化，即听政代表应包括水利技术、经济等方面相关专家、政府代表(水行政主管部门、物价部门、环保部门等部门的代表)、大中型灌区农水企业代表、WUA 代表,最后产生的各方面代表应向社会公布。第二,听证内容公开化,即听证会上发表的意见应源源本本地公开,以便对政府、灌区供水组织、农户等各方面的代表产生一定的制约作用。第三,听证结果法律化,即听证会和听证结果应具有严格的法律效力。

3.构建基准农业水价基础上的大中型灌区农水企业农业水价调价制度。第一,确定一个适当的价格调整期。所谓适当,应以能够有效调动大中型灌区农水企业的投资积极性、刺激大中型灌区农水企业提高生产效率为原则。第二,确定公开透明的调价方式。即这种调价方式既要有助于现政府对农业水价的规制,又要能够使大中型灌区农水企业在与 WUA 协商定价和调价时做到相关信息的公开和透明。

(二)WUA 农业水价制度创新构想

在新的制度框架下,WUA 将成为农业水资源管理的基层组织,在管理过程中,WUA 一方面要与大中型灌区农水企业发生交易关系,另一方面又要与用水农户发生交易关系。因此,WUA 水价制度创新自然就成为农业水价制度创新体系中的重要组成部分。

1.确定 WUA 农业水价定价依据。《水价办法》对水利工程供水价格形成机制、价格核定原则、价格管理、水价制度、供用水双方责权利的规范等都作了较为具体的界定。尽管《水价制度》主要是对水利工程供水水价所作的规范,但由于以下两方面的原因使得《水价办法》同样成为 WUA 农业水价制定的重要法律依据:第一,水利工程供水水价是 WUA 农业水价构成中的上游价格(指 WUA 农业水价的确定是以水利工程供水水价为基础的);第二,《水价办法》中的相关规定既是对农业水资源商品特性的肯定,又体现了农业产业自身的弱质性和外溢性从而需要政府保护的特性。

2.确定 WUA 农业水价的基本构成内容。在创新性农业水资源管理制度安排下,用水农户所获得的农业水资源经过了大中型灌区农水企业的输送和 WUA 按一定的标准向用水户分配两个阶段。因此，WUA 农业水价应包括三个基本组成部分：第一，大中型灌区农水企业在取得取水权或者说水资源使用权和经营权时，向政府支付一定数量的水资源费，假设用 C_0 表示。第二，C_0 加上大中型灌区农水企业的经营管理成本 C_1 构成灌区农业供水价格，即 C_0+C_1，这一价格也是大中型灌区农水企业向 WUA 收取的价格。第三，WUA 在具体的管理过程中，也支付了一定的管理成本，假设为 C_2，那么将灌区农业供水价格加上 C_2 便构成 WUA 向农民用水户收取的水价，即 $C_0+C_1+C_2$。WUA 的管理成本 C_2 主要应包括工程维护费、水利工程的大修理费、燃料动力费、工资和补贴、财务费用及折旧费等内容。

三、构建规范化的农业水费管理制度

(一)农业水费计量制度模式选择

由于不同地区的自然条件禀赋特别是水资源禀赋不同、经济发展水平不同、农民的水商品意识强弱程度不同、农业水价改革实践的状况不同，农业水费计量管理制度创新应因地制宜地选择不同的模式。

1. 农业水费计量管理制度创新的目标模式：按农业水资源使用量为标准的计量管理模式。这是最合理、最科学的农业水费计量模式，这种模式可最大限度地促进用水户节约用水，避免农业用水浪费现象，最大限度地提高农业用水的利用效率。因此，这种计量模式也是农业水费计量管理制度创新的目标模式。但这种模式需要在灌区蓄水、输水、配水等水利基础设施上安装配套的测水、量水设备，从而需要投入大量的人力、财力和物力资源，同时考虑到农村的经济实力、管理能力和农户承包田块分散等原因，在目前的情况下难以大范围采用。因此，可考虑过渡型的水费计量模式。

2. 农业水费计量管理制度创新的过渡性模式：按灌溉面积计费模式。第一，WUA 根据从大中型灌区农水企业所获得的农业水资源总量及其所核定的农业水价确定其年总成本费用。第二，根据

WUA 所控制的灌溉总面积确定单位面积所分摊的成本额，从而确定单位灌溉面积的收费额。第三，根据每个用水小组的灌溉面积确定每个用水小组应交的灌溉水费，每个用水小组再根据每一用水农户的灌溉面积确定每一农户应缴纳的水费额。

(二)构建以大中型灌区农水企业和 WUA 为主体的双层农业水费征收制度

1. 从构成内容看，这种农业水费征收制度包括大中型灌区农水企业向 WUA 收取水费和 WUA 向农民用水户征收水费两个层次，即：一方面大中型灌区农水企业根据售给 WUA 的农业水资源量和供水价格(C_0+C_1)确定向 WUA 收取的水费额，另一方面 WUA 根据其分配给农民用水户的农业水资源量及其核定的农业水价($C_0+C_1+C_2$)向农民用水户征收水费。

2. 从性质上看，这种农业水费征收制度的运行过程实际上是大中型灌区农水企业与 WUA 之间、WUA 与农民用水户之间以一定数量的农业水资源为客体的"买卖的交易"，大中型灌区农水企业、WUA 及农民用水户在交易中处于平等的地位(尽管 WUA 与农民用水户之间的交易属于组织内的交易，但农民用水户仍是具有独立经济利益的微观主体，两者之间的交易同样也是地位平等的"买卖的交易")。

3. 从方式上看，这种农业水费征收制度的运行是大中型灌区农水企业、WUA 及农民用水户之间合约的签订、履行和终止的全过程，即农业水费征收制度各主体之间的交易是以具有法律效力的合约来维系和规范的。

4. 从具体操作上看，可采用先供水、后交费的模式。第一，年初，大中型灌区农水企业与 WUA 之间根据往年的供水量和供水价格标准确定本年度的供水量及水价标准，并将其载入合约之中。第二，平时，大中型灌区农水企业根据需要向 WUA 供水，WUA 则根据农民用水户的受益灌溉面积及往年的用水量和水价标准所确定的本年度的用水量和水价标准向农户配水。每一次供水和配水，供水者(大中型灌区农水企业)、配水者(WUA)和用水者(农户)三方都要对相应的水量、水价和水费做详细的记录。第三，年底，供水者、配水者和用水者三方根据本年度实际供用水情况进行水费结算。

第四节　农业水资源
管理制度创新效应及成本

一、农业水资源管理制度创新效应分析

农业水资源管理制度的创新涉及到农业水利基础设施投资及产权制度创新、农业水资源管理组织制度创新和农业水资源配置制度的创新。因此，农业水资源管理制度创新的效应也是多方面的，本书仅就以下三个主要方面的创新效应加以分析。

(一)产权优化效应

以农业水利基础设施投资及产权制度创新为例，大中型农业水利基础设施包括政府主体在内的多元化投资，不仅可拓宽投资渠道，弥补农业水利基础设施投资的不足，为农业水利基础设施的正常运转奠定坚实的物质基础，而且也将实现农业水利基础设施国有产权基础上的产权结构多元化，进而实现国有产权、私人产权和法人产权的有机统一，而这种有机统一是建立在社会主义市场经济制度、农业生产、农业水利基础设施、农业水资源的特性基础之上的。各种类型的产权安排各有其长短(如国有产权有助于实现公平但却不利于实现效率、私人产权和法人产权有助于实现效率却不利于实现公平等)，三种产权安排的有机统一，将弥补单一产权制度安排所固有的缺陷，实现各种产权安排之间的优势互补，从而实现产权结构的整体优化。同时，在大中型农业水利基础设施国有产权的基础上，私有产权、法人产权的引入就可在保证水资源使用公平的基础上，强化水资源使用的竞争，从而在一定程度上提高水资源使用的效率。

小型农业水利基础设施产权的私有化改造(即将小型农业水利基础设施的国有产权、集体产权转换为以 WUA 为载体的联合的私人产权)，可使投资者、经营者、管理者、受益者和风险承担者合为一体，责任和权利、风险和收益趋于一致，不仅可提高小型农业水利基础设施的投资效益，而且也将有助于实现产权的激励功能、约束功能和资源配置功能。

(二)制度与其环境之间的整合效应❶

农业水资源管理制度创新性制度安排的最重要特点之一是在农业水资源管理系统中引入 WUA 这一农民自主性管理组织，而 WUA 的引入将有助于实现农业水资源管理制度与其环境之间的有效整合。

1. WUA 的引入可使农业水资源管理制度中各行为主体之间相互协调，实现各行为主体之间关系的整合。WUA 的引入一方面有助于克服水费征收中的加价收费和搭车收费等"搭便车"现象，从而有效地协调灌区水管组织、WUA 及农户之间的关系，降低交易成本，减少效率的损失。另一方面有助于确立大中型灌区农水企业与 WUA 之间规范的合约关系，不仅可明确大中型灌区农水企业所承担对灌区农业水利资产投资、保值增值的责任，而且可明确其相应的权利。同时也明确了 WUA 进行具体管理的责、权、利边界，有助于克服有投资无责任、有设施无管理这种管理者角色弱化的缺陷。

2. WUA 的引入可塑造 WUA 与农户之间以农业水资源及相关服务作为商品的买卖交易关系，不仅显示了新制度安排与农业用水商品特性之间的一致性，进而可增强农户节约用水、高效用水、科学用水的内在动力，而且也意味着在农业水费按用水量征收的情况下，农户的生产成本会随着农户水费所占比重的提高而增加，这样也会给农户节约用水的外在压力，在有关条件许可的情况下，农户

---

❶ 该部分主要参考和引用了杜威漩、黄祖辉（2004）的相关内容。

就会采用先进的灌溉技术，促进节约用水。

3. WUA 的引入可使新制度安排与农户分散经营的特性相一致，实现农业水资源管理制度与其制度性环境的整合。第一，WUA 作为用水农户权益的代言人，有助于实现农户与灌区水管组织之间谈判地位的对等性，克服农业水权交易中灌区水管组织与农户地位的不对称性。第二，WUA 作为灌区供水组织和农户之间的中介，有助于农业生产用水活动信息在灌区水管组织和农户之间的沟通和传递，弱化信息的不对称性。第三，WUA 作为中介组织参与具体的农业水资源管理活动有助于灌区水管组织摆脱在征收水费上的一对多的困境。第四，WUA 作为农户的用水管理组织，对农业水资源的配置有很大程度的决定权，这无疑会提高农户参与农业水资源管理的积极性。

4. 管理主体的多元化意味着政府部门、灌区水管组织和 WUA 之间合理的职能分工，而这种职能分工——政府主体行使灌区农业水利国有资产所有权职能、大中型灌区农水企业行使具体的经营管理职能——无疑能使新制度安排与大中型农业水利基础设施的称准公共物品特性相一致。

(三)福利增进效应

以不同地区之间的农业用水权向非农用途的转移为例[1]加以说明。假设同一流域的两个地区 x 和 y，水权的初始配置价格为 p_1，现行的水资源供需均衡价格为 p_2。在价格 p_2 时，x、y 两地区的实际需求量分别为 q_x^2 和 q_y^2，在初始价格 p_1 时，地区 x 配置的水权量为 q_x^1，地区 y 配置的水权量为 q_y^1；同时假设 $q_x^1 < q_x^2$，$q_y^1 > q_y^2$，即 $\Delta q_x = q_x^1 - q_x^2 < 0$，$\Delta q_y = q_y^1 - q_y^2 > 0$，且 $\Delta q_x = \Delta q_y$。这就是说，x 地区的初始水资源配置量较为稀缺，y 地区水资源的初始配置量较为丰沛，且 x 地区的短缺量与 y 地区多余的水资源量相等。如图 7-2 所示，对于 x 地区而言，在价格为 p_1 时，其初始的水权量为 q_x^1，消费者剩余为 $b + f$，和水资源供求均衡状态相比，其消费者剩余增加

---

[1] 该部分中的模型受到了葛颜祥、胡继连、接玉梅（2002）的启发。

了 f ，失去了 a ；其消费者剩余变化的净额为： $\Delta w_x^c = f - a$ 。生产者剩余的变化净额为： $\Delta w_x^p = -f$ ，这样， x 地区社会福利变化的净额为： $\Delta w_x = \Delta w_x^c + \Delta w_x^p = (f - a) - f = -a$ 。

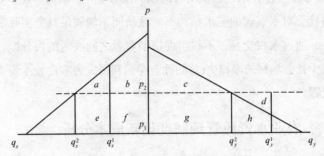

图 7-2　水权交易的福利效应

对于 y 地区而言，在价格为 p_1 时，其消费者剩余为 $c + g + h$ ，在价格为 p_2 时，其消费者剩余为 c ，这样，和水资源供求均衡状态相比，其消费者剩余变化的净额为： $\Delta w_y^c = (c + g + h) - c = g + h$ ；和水资源供求均衡状态相比，生产者剩余变化的净额为： $\Delta w_y^p = -(g + h + d)$ ，其中 d 为因价格变化所导致的生产者剩余的损失。所以，对 y 地区而言，社会福利变化净额为： $\Delta w_y = \Delta w_y^c + \Delta w_y^p = g + h - (g + h + d) = -d$ 。因此，对整个流域而言，福利变化的净额为： $\Delta w = \Delta w_x + \Delta w_y = -a - d$ ，即福利损失净额为 $(a + d)$ ，也就是说，在水权不可交易的情况下，只要水资源初始配置量与水资源的均衡供求量不相等，就必然会造成水资源配置效率的损失。

假设水权可以进行交易，且水资源丰沛的 y 地区将其多余的水资源转让给水资源相对稀缺的 x 地区，并且双方按现行水资源供求均衡价格进行交易，即 y 地区将其超过实际需要量的水权量以价格 p_2 转让给水资源相对稀缺的 x 地区。对 y 地区而言，其水权交易的收益为 $\Delta q_y \times (p_2 - p_1) = d + h$ (不考虑交易成本)，与不进行交易的情况相比，增加 d 个单位；对 x 地区而言，其需要支付 $\Delta q_x \times p_2$ 个单位的货币，并

得到 Δq_x 的水权量，其福利变化的净额为消费者剩余增加 a 个单位。这样，在水权可交易的情况下，该流域社会福利的变化净额为福利总额净增 $a + d$ 个单位，水资源供给者的福利没有变化。因此，在初始水权配置与社会对水资源的需求结构不一致从而不能满足社会实际需求的情况下，通过水权交易，不仅可促进消费者之间收入的再分配，而且可以减少社会福利的净损失(总的社会净福利损失为零)，使水资源得以优化配置。

二、农业水资源管理制度创新成本分析

(一)农业水资源管理制度创新成本

所谓制度创新成本，是指为建立一种新的制度安排所必须的各种资源耗费。总的来讲，制度创新成本可从两个方面加以考察。

1. 农业水资源管理制度创新的直接成本。第一，农业水利基础设施投资及产权制度创新成本。主要涉及到创新过程中对农业水利基础设施进行清产核资、产权界定等基础性工作所耗费的人力、物力和财力。第二，农业水资源管理组织制度创新成本。主要包括：农业水利基础设施政府所有权实施机构、大中型灌区农水企业、WUA 等具体机构的设置成本；组织机构管理人员的选聘、维持组织机构运行所必须的支出。第三，农业水资源配置制度创新成本。主要包括：有关水权交易原则、交易主体资格、交易范围、交易程序等的设计成本及交易场所的建设成本等；有关农业水资源定价及调价的原则、细则、方法、实施步骤、使用范围等方面的设计成本；农业水费具体管理制度的设计成本。

2. 农业水资源管理制度创新的间接成本。第一，新的制度安排与非正式制度之间不相适应而产生的成本。例如，以构建 WUA 为主要内容的农业水资源管理组织制度创新能否达到预期效果，在很大程度上与农民的参与、合作及组织意识密切相关。在中国，农民的这些意识尚未完全形成，从而就可能导致较高的 WUA 构建及运

行成本。第二，消除创新阻力的成本。农业水资源管理制度创新必然引起各参与主体之间利益的失衡，从而会产生各种创新阻力。例如，农业水价定得过高，就会招致用水农户的反对，过低则会招致大中型灌区农水企业的反对。再如，在 WUA 构建过程中，原水管组织(水行政管理部门)的权力会不同程度向 WUA 转移，其利益也可能不同程度地受到损失，这样以建立 WUA 为主要内容的农业水资源管理组织制度创新很可能会遇到来自原水管组织的阻力。为了消除创新的阻力，就需要付出一定的代价，这种代价也是一种创新成本。第三，意外成本。由于制度创新具有一定的不确定性，可能发生某些意外事件，从而使创新的风险突然增大，进而增加创新的成本。

(二)农业水资源管理制度创新成本的合理分摊及最小化

若从创新成本与制度创新之间关系的角度分析，上述两类农业水资源管理制度创新成本又可分为三类：第一类是对制度创新而言必不可少的那部分支出，如制度创新的直接成本；第二类是对制度创新而言，事先难以预料的那部分成本，如制度创新的意外成本；第三类则是新旧制度摩擦而导致的创新成本，如新的制度安排与非正式制度之间不相适应而产生的成本以及消除创新阻力所花费的成本。这样，实现制度创新成本的最小化，主要是最大限度地降低这里所说的第三类创新成本。为此，需要从以下三个方面做起。

1. 采取适当的利益补偿机制，化解制度创新过程中的各种利益矛盾，以此缓解乃至消除创新过程中的"摩擦力"。例如，在不同地区之间所进行的水权交易实践中，由于水资源时空分布不均衡，可能会导致交易过程中富水地区与贫水地区之间利益的过分悬殊，在这种情况下，可考虑由政府向富水地区收取级差水资源费并用于补贴贫水地区的方式来缩小交易双方利益上的过分悬殊。

2. 合理分布制度创新的成本。在制度创新过程中使创新成本尽可能地均匀分布，使大多数人能够获得正的收益。如果创新成本集中分布于某个较短时期，以至于人们普遍感到得不偿失，那么就可能置创新于危险境地(刘世锦，1993)。

3. 形成一种科学的意识形态。例如，强化和提升农民的参与意识、合作意识、组织意识及水商品意识，以此弱化 WUA 构建和运行中来自用水农户的阻力。

第五节 简要结论

一、农业水资源管理制度创新构想的总体框架

以上从不同的侧面对中国农业水资源管理制度创新分别进行了粗线条式的构想。作为综合，农业水资源管理制度的创新性安排的总体框架可概括为以下几个方面(如图 7-3 所示)。第一，关于农业水资源管理主体的构成。具体包括：政府主体(一是各级政府机构，其主要职能是参与农业水权的初始交易或者说"限额的交易"；二是在国有资产管理机构中设置的大中型灌区农业水利基础设施国有资产所有权代表机构，其主要职能是代表政府行使对大中型农业水利资产中国有资产的所有权)；大中型灌区农水企业；WUA(从国内外的实践中可以看出，WUA 应具有三方面主要性质：直接管理的组织、提供服务的组织、农户自己的组织)。第二，关于农业水资源管理主体之间的关系。具体包括：各级政府机构与各大中型灌区农水企业之间的农业水权"限额的交易"关系以及大中型灌区农业水利国有资产的所有权代表机构与大中型灌区农水企业之间所体现的所有者与具体的经营管理者之间的关系；大中型灌区农水企业与 WUA 之间农业水权的"买卖的交易"关系；WUA 与用水农户之间利益一致下的、以农业水资源商品及相关的灌溉服务为纽带的协作型的"买卖的交易"关系。第三，关于农业水资源管理手段。主要是规范化的、具有法律效力的合约。一方面，通过合约实现各管理主体之间的有机联系；另一方面，通过合约实现对农业水利基础设施及农业水资源等客体的规范化管理。行文至此，我们可将本书创新性农业水资源管理制度安排的总体框架进一步概括为三个方面：管理主体的多元化(政府主体、

大中型灌区农水企业和 WUA)、管理手段的规范化(合约化管理)、农业水资源配置的商品化("买卖的交易")或者简称为"三化"。

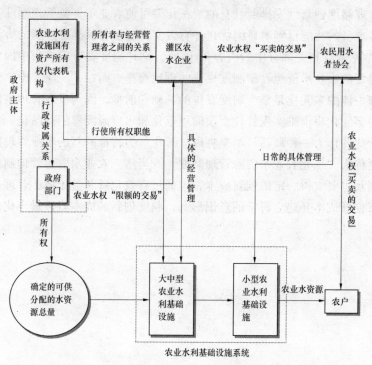

图 7-3　三元农业水资源管理制度运行图

二、三元农业水资源管理制度范畴的形成❶

农业水资源管理制度创新的目标是降低交易成本、提高制度运

---

　❶ 由于在创新性农业水资源管理制度安排中，具体来讲管理主体是三元的：政府主体、大中型灌区农水企业和 WUA，所以作者称之为"三元农业水资源管理制度"。"三元农业水资源管理制度"这一范畴与杜威漩（2003）提出的"三元灌溉管理制度"范畴是基本一致的。

行效率，要实现这一目标就要一方面使制度安排本身的功能得到优化，另一方面使新的制度安排与其外部环境相协调。而农业水资源管理制度创新性安排所具有的"三化"可使农业水资源管理制度安排本身的功能得到明显的优化并有效实现制度与其外部环境的协调(参见本章相关部分中的内容)。因此，这种制度安排应成为中国构建新的农业水资源管理制度模式的理想选择。而在"三化"中，管理主体的多元化是整个制度安排的基础和前提，因为没有管理主体的多元化将很难实现管理手段的规范化和水资源配置的商品化。鉴于此并作为一种概括，本文将以"三化"为特征的新的农业管理制度称为"三元农业水资源管理制度"。当然，农业水资源管理制度创新也要支付一定的创新成本，但通过有效化解利益矛盾、合理分布创新成本并建立科学的意识形态，制度创新的成本将被最小化。

第八章　总结性结论与政策启示

　　农业水资源管理制度就是由农业水利基础设施投资及产权制度、农业水资源管理组织制度、农业水资源配置制度构成的制度体系。在经济活动主体有限理性、追求自身利益最大化和机会主义行为倾向的假设下，以新制度经济学的基本理论以及其他相关理论为基础，本书对中国农业水资源管理制度的演进及现状进行了实证研究，对中国农业水资源管理制度的外部环境进行了规范性分析，对中国现行农业水资源管理制度的缺陷进行了较为深入的理论透视，并在对国外农业水资源管理制度运行状况分析的基础上，提出了中国农业水资源管理制度的创新性构想。

第一节　总结性结论

一、新制度经济学是中国农业水资源管理制度创新研究的理论基础

　　新制度经济学不仅继承了新古典经济学诸如稳定性偏好、追求效用最大化和均衡分析等合理内核，而且还通过引入有限理性、机会主义行为倾向等范畴修正了新古典经济学的基本假设，从而使其理论对现实的解释力、透视力大为增强，并最后成为"本来就应该是的那种经济学"（科斯语）。另一方面，从较为广阔的背景看，中国有着制度经济学成长的丰沃土壤。尽管我们说，经济学是一般性的，然而它必定是在特定经验积累基础上发展起来的，缺少中国的经验，经济学就缺少一般性；尽管我们也清楚，制度经济学只是经济学理论体系的一个分支，但如果我们认为制度是经济学研究的主要问题，不仅覆盖了经济学的大部分视野，而且对所有经济学分析

方法持开放态度(盛洪，2003)。因此，将以产权理论、交易成本理论、制度及制度创新理论为基本内容的新制度经济学引入中国农业水资源管理制度的研究之中，不仅有助于这一研究从具体到抽象的归纳过程和从抽象到具体的演绎过程的实现，而且也锻造了中国农业水资源管理制度创新研究的坚实理论基础。

二、中国农业水资源管理制度演进及现状的实证研究是制度透视的起点

中国经济制度的变迁是一个从传统的计划经济体制向社会主义市场经济体制逐步演进的渐进过程，在这样的制度背景下，中国农业水资源管理制度的变迁趋势呈现出了以下特点：第一，农业水利基础设施投资及产权制度呈现出从一元化的投资主体和公有产权制度向多元化投资及产权制度变迁的趋势。第二，农业水资源管理组织制度呈现出从具有行政代理性、科层性的组织载体向一个融行政性、企业性、农户参与性为一体的组织体系转换的变迁趋势。第三，农业水资源配置制度呈现出从有限交易向可交易的农业水权制度、从行政性向多元化的农业水价制度、从随意性向规范化的农业水费管理制度转换的变迁趋势。对中国农业水资源管理制度演进及现状的实证研究，无疑从动态的角度揭示了中国现行农业水资源管理制度的基本特征，进而成为对农业水资源管理制度进行理论透视的起点。

三、中国农业水资源管理制度环境的因素分析是制度透视的扩展

农业水资源管理制度作为一个系统，只有与其外部环境不断进行物质、能量和信息等方面的交换，才能维持其正常的生存和发展。对中国农业水资源管理制度环境因素的分析，实际上是将中国农业水资源管理制度放在更广阔的背景下加以透视，是对中国农业水资源管理制度透视在外延上的扩展，亦即只有对与中国农业水资源管

理制度的外部环境因素进行深入的分析才能更好地把握农业水资源管理制度创新的内在动因、创新的路径及制度创新模式的选择。总的来讲，中国农业水资源管理制度的外部环境因素包括制度性环境因素和非制度性环境因素两大类。其中，制度性环境因素主要包括与农业水资源管理活动相关的法律制度、社会主义市场经济制度、农地产权制度、农业经营制度、非正式制度等几大类；非制度性环境因素则主要包括农户、农村基层管理组织、政府、农业水利基础设施及农业水资源等几大类。

四、中国现行农业水资源管理制度缺陷的透视是制度透视的深化

中国现行农业水资源管理制度的缺陷主要包括两个方面。第一，农业水资源管理制度本身的缺陷。具体表现为：农业水利基础设施投资主体的单一性相对于财政体制、农业经营制度变迁的滞后性以及产权主体模糊、产权保护乏力、产权约束软化所导致的高的交易成本；农业水资源管理组织性质上的模糊性(具体指灌区水管组织性质上的事、企不分)、主体上的代理性、结构上的科层性及农户参与管理的不完善性所导致的高的交易成本；农业水权的弱交易性、农业水价制度的行政性及农业水费管理的非规范性所导致的高的交易成本。第二，农业水资源管理制度与其环境之间的冲突所导致的高的交易成本。农业水资源管理制度中的缺陷反映了其运行过程中的内、外部矛盾，揭示了农业水资源管理制度创新的根本性原因，因此，中国现行农业水资源管理缺陷的透视无疑是制度透视的深化。

五、国外农业水资源管理制度运行状况分析是制度透视的进一步扩展

国外农业水资源管理制度模式虽然并不完全相同，但却存在一些相同或相似之处：第一，政府在农业水利基础设施投资活动中都扮演着十分重要的角色。第二，以建立 WUA 为主要特征的农民参

与式管理是农业水资源管理组织制度安排的重要内容。第三，农业水权的可交易性、农业水价的灵活性及农业水费管理的规范性成为发达国家以及某些发展中国家农业水资源管理配置制度的主要特征。另一方面，国外特别是发展中国家农业水资源管理制度运行中也存在一些不尽完善的地方，如农民用水户参与式管理的组织制度中仍存在一些比较突出的问题。"他山之石、可以攻玉"，对国外农业水资源管理制度运行状况的分析，无疑对中国农业水资源管理制度创新具有十分重要的启发、参照和借鉴意义。

六、农业水资源管理制度创新性安排是更高水平上的制度均衡

中国农业水资源管理制度创新性安排包括三方面内容：构建大中型农业水利基础设施包括政府主体在内的多元化投资进而多元化产权制度、构建小型农业水利基础设施农户联合投资进而私有产权制度；构建大中型灌区农业水利基础设施企业和小型灌区中的农民用水者协会；构建可交易的农业水权制度、科学的农业水价制度和规范化的农业水费管理制度。这些创新安排的有机结合便形成了本文所说的"三元农业水资源管理制度"。"三元农业水资源管理制度"既保留了现行农业水资源管理制度安排中的合理因素，又克服了现行农业水资源管理制度安排中的不合理因素，同时还增加了新的制度因素。因此，它是对现行农业水资源管理制度安排的辩证否定，或者说它是更高水平上的一种制度均衡。

第二节　政策启示

一、中国农业水资源管理制度必须实现创新性安排

(一)农业水资源管理制度创新是对其自身加以完善的需要

制度创新是一种辩证否定的过程，中国农业水资源管理制度创

新也是如此。农业水资源管理制度创新，不仅是对其自身合理因素的保留，而且也意味着对农业水利基础设施投资不足、产权不清、效率低下等弊端的克服，对农业水资源管理组织制度中缺陷的克服，对农业水权安排中交易的有限性、农业水价管理的行政性、农业水费征收管理非规范性等弊端的克服，同时还将兼容一些新的制度因素。因此，通过创新，可以使中国农业水资源管理制度顺应社会主义市场经济发展的要求，通过明晰产权、明确各产权主体的责、权、利，调动各方面的积极性，建立有效的激励约束机制和必要的竞争机制，从而构建运行有序、管理高效的供水、管水、用水和节水相统一的农业水资源管理制度体系，实现对农业水资源管理制度自身的完善。

(二)农业水资源管理制度创新是实现农业水资源管理制度与其环境之间相互协调的需要

以保留自身有利因素、克服自身不利因素、兼容新的合理因素为内容的农业水资源管理制度创新，必将大大提升制度的整体功能进而增强其对外部环境的适应性，实现农业水资源管理制度与其环境之间的协调。

(三)农业水资源管理制度创新是实现农业水资源可持续利用的需要

根据新制度经济学的观点，技术创新和制度创新作为促使农业水资源可持续利用的两种主要手段所发挥的作用是不一样的。其中，制度创新的作用是根本性的。一方面，尽管技术创新是实现农业水资源可持续利用的主要因素之一，但若没有相应的制度创新加以配套，技术创新将会因缺乏有效的激励而难以进行；另一方面，制度创新还将通过改变农业水资源管理活动参与者的行为约束规则来塑造出新的激励或动力机制，激发农业水资源管理活动参与者的积极参与和进行技术创新的动机，以此来为农业水资源的可持续利用创造新的制度条件。

二、完善农业水资源管理制度的外部环境

(一)完善相关的法律制度

第一，进一步完善《水法》，具体来讲就是在现行《水法》关于水资源所有权、使用权等相关规定及对水资源行政管理(包括供水、用水、节水和对第三方保护等方面的行政管理)相关规定的基础上，补充关于水权、水权交易等方面的内容。第二，进一步完善《水行政处罚实施办法》、《水利产业政策实施细则》及《水价办法》等政策、法规，增加有关水权交易、农业水权交易等方面的具体实施细则。

(二)完善农地产权制度

其核心是提高农地产权的明晰度、强化农地产权的流动性。第一，促使农地产权的明晰化。具体来讲，就是通过具体的法律、法规和政策严格界定农地产权主体的责、权、利边界，进一步确立农户家庭作为微观经济主体的地位，以减少因农地产权模糊而导致的所有权、承包经营权之间的摩擦和因此而产生的交易成本；在承包期内进一步扩大农户作为农地承包经营者的权利范围，实现农户对农地的单一权能(经营权)向农户对农地的综合权能(经营权、使用权和处置权)的变迁。第二，强化农地产权的流动性。具体来讲，就是要建立可交易的农地产权制度，即建立符合市场经济规律要求的农地产权流转机制，促进农地的适度规模经营，取得农地规模经济效益。

(三)完善农村基层管理组织机构

第一，通过进一步深化行政管理体制改革，建立一个精简、精干、高效的乡镇基层行政管理机构。第二，在各级政府特别是乡镇政府充分履行其职能的前提下，进一步完善村民大会作为农村社区最高权力机构的职能，进一步完善村民委员会作为村民自治组织的职能，以此建立一个村务政务分开、管理形式民主(如通过"村规民约"等村级正式制度对农村社区进行管理)的村级管理组织机构。

(四)完善政府职能

在农业水资源管理制度创新过程中，完善政府职能主要体现在实现政府功能以下两方面的转变：第一，由微观的直接管理职能向宏观的间接调控职能转变。即微观管理职能主要由大中型灌区农水企业和 WUA 这一中介组织来行使，政府主体主要行使对大中型灌区农水企业的监督、对 WUA 规范化管理的引导、对 WUA 日常管理中出现的偏差进行监控、对同一区域的各 WUA 之间的关系进行协调等间接的宏观调控职能。第二，从行政管理手段向规范的经济手段的转变(杜威漩，2003)。

三、强化政府对农业水资源管理制度创新的支持、引导和协调

从广义上讲，制度也是一种"公共物品"(一个人消费这种物品和服务不会减少其他人的消费)，农业水资源管理制度创新本质上就是农业水资源管理制度创新性安排的供给，因此农业水资源管理制度创新过程中抑制"搭便车"的成本同样十分高昂，由以追求利润最大化为其目标函数的私人部门来提供创新性制度安排就会缺乏内在激励。这就有必要充分发挥政府作为公共事务管理者的职能，对农业水资源管理制度创新提供有效的支持、引导和协调。另一方面，政府主体是由一个权力中心和层层隶属的行政系列构成的，在政府主体和非政府主体参与制度安排的社会博弈中，政府主体在政治力量对比与资源配置权利上均处于优势地位，是决定制度供给方向、速度、形式等的主导力量(杨瑞龙，2000)。因此，政府对创新性制度安排的供给所拥有其他任何组织无法比拟的优势，使得充分发挥政府对农业水资源管理制度创新的支持、引导和协调等宏观调控功能成为可能。

参 考 文 献

[1] Ariel Dinar. 水价改革与政治经济——世界银行水价改革理论与政策. 石海峰等译. 北京：中国水利水电出版社, 2003

[2] (澳)水改革高级指导小组. 澳大利亚水交易. 鞠茂森, 张仁田等译. 郑州：黄河水利出版社, 2001

[3] 埃瑞克·G·菲吕博顿, 鲁道夫·瑞切特. 新制度经济学. 孙经纬译. 上海：上海财经大学出版社, 2002

[4] 蔡守秋. 论水权转让的范围和条件. 城市环境, 2002(2)：3~8

[5] 陈军, 葛贻华. 自主管理灌排区理论与实践. 北京：中国水利水电出版社, 2003

[6] 陈德尊, 姜润宇. 澳大利亚农业用水价格考察报告. 中国物价, 2003(4):47~50

[7] 程恩富, 胡乐明. 新制度主义经济学. 北京：经济日报出版社, 2005

[8] 杜威漩, 黄祖辉. 我国灌溉管理制度与其环境的冲突及整合. 中国农村经济, 2004(6):25~32

[9] 杜威漩. 交易费用、制度效率与三元灌溉管理制度安排. 农业经济问题, 2003(7):69~74

[10] 杜威漩, 张金艳. 市场制度创新与技术创新互动机制分析. 西北农林科技大学学报(社科版), 2003(5):85~88

[11] 杜威漩. 我国现行货币政策实施中的交易费用分析. 西北农林科技大学学报(社科版), 2005(3):23~27

[12] 杜威漩. 灌溉管理制度的效率与创新. 灌溉排水, 2002(5):23~26

[13] 杜威漩. 制度创新：制度均衡态的辩证否定过程——以中国农地产权制度创新为例. 学习论坛, 2005(11):28~31

[14] 杜威漩. 制度创新与合作博弈均衡的实现——农业水利设施投资困境与对策. 水利发展研究, 2005(11):28~31

[15] 杜威漩. 中国农业水利基建投资的实证研究. 农业技术经济, 2005(3):43~47

[16] 杜威漩.农业水费管理制度运行中的交易成本分析.中国人口.资源与环境，2006(2):280～283

[17] 段毅才.西方产权理论结构分析.经济研究, 1992(8): 72～80

[18] 段永红, 杨名远. 农田灌溉节水激励机制与效应分析. 农业技术经济，2003(4):13～18

[19] 冯海发, 王征南. 我国农用水资源利用及其政策调整. 中国农业资源与区划，2001, 22(3):25～29

[20] 冯广志. 小型农村水利改革思路. 中国农村水利水电，2001(8): 1～5

[21] 冯广志. 用水户参与灌溉管理与灌区改革. 中国农村水利水电，2002(12):1～5

[22] 费方域.企业的产权分析.上海：上海人民出版社,1998

[23] 傅晨. 水权交易的产权经济学分析——基于浙江省东阳和义乌有偿转让用水权的案例分析.中国农村经济, 2002(10)：25～29

[24] 傅春, 胡振鹏. 水利工程产权管理中激励机制的建立. 当代财经, 2000(9): 69～72

[25] 傅春, 胡振鹏, 杨志峰, 等. 水权、水权转让与南水北调工程基金的设想. 中国水利, 2001(2):29～30

[26] 葛颜祥, 胡继连. 不同水权制度下农户用水行为的比较研究. 生产力研究, 2003(2):31～33

[27] 葛颜祥, 胡继连, 接玉梅.黄河水市场的建设及其作用研究. 中国农村经济, 2002(4):40～46

[28] 关良宝, 李曦, 陈崇德. 农业节水激励机制探讨. 中国农村水利水电，2002(9):19～21

[29] 郭善民, 王荣. 农业水价政策作用的效果分析. 农业经济问题, 2004(7):41～44

[30] 郭玮. 国外水资源开发利用战略综述. 农业经济问题, 2001(1): 58～62

[31] 国务院研究室农村司、水利部农水司联合课题组. 积极稳妥地推进农村小型水利体制改革. 中国农村经济, 2001(4):49～54

[32] 国家农发办考察团. 土耳其、摩洛哥农业灌区经营管理考察报告. 外国农业, 2004 (1):56～60

[33] 韩洪云, 赵连阁. 节水农业经济分析. 北京: 中国农业出版社, 2001

[34] 韩洪云, 赵连阁. 农户灌溉技术选择行为的经济分析. 中国农村经济, 2000(11):70~75

[35] 韩洪云, 赵连阁. 灌区资产剩余控制权安排——理论模型及政策含义. 经济研究, 2004(4):117~126

[36] 韩青, 谭向勇. 农户灌溉技术选择的影响因素分析. 中国农村经济, 2004(1): 63~69

[37] 贺骥. 水权及其制度建设的现实性初探. 中国水利, 2002(1): 39~40

[38] 胡鞍钢, 王亚华. 转型期水资源配置的公共政策:准市场和政治民主协商. 中国软科学, 2000(5):5~11

[39] 胡家勇. 论基础设施领域改革. 管理世界(月刊), 2003(4): 59~67

[40] 胡继连, 葛颜祥. 黄河水资源的分配模式与协调机制——兼论黄河水权市场的建设与管理. 管理世界, 2004(8): 43~52

[41] 胡继连, 周玉玺, 谭海鸥. 小型农田水利产业组织问题研究. 水利发展研究, 2003(3):29~32

[42] 黄祖辉, 蒋文华, 等. 农业与农村发展的制度透视——理论评述与应用分析. 北京: 中国农业出版社, 2002

[43] 黄明东. 农业投资困境: 政府与农民的博弈分析. 农业经济问题, 2000(4): 36~40

[44] 黄晓丽. 关于加强小型农村水利工程建设监理工作的思考. 水利发展研究, 2003(10):42~44

[45] 季仁保. 我国灌溉管理体制改革的思考. 中国水利, 2002(1): 43~44

[46] 姜文来. 水权及其作用探讨. 中国水利, 2000(12):13~14

[47] 姜文来. 农业水价承载力研究. 中国水利, 2003a(6): 41~43

[48] 姜斌, 刘蒨, 梁宁. 国外水利投融资经验及其启示. 水利发展研究, 2003(11):42~45

[49] 康芒斯. 制度经济学(上、下). 北京: 商务印书馆, 1997

[50] 李焕雅, 祖雷鸣. 运用水权理论加强资源的权属管理. 中国水利, 2001(4):17~18

[51] 李代鑫. 中国灌溉管理与用水户参与灌溉管理. 中国农村水利水电, 2002(5):1~3

[52] 李远华, 闫冠宇, 刘丽艳. 改革农业水费管理, 促进农业节水. 中国水利, 2003a(7):55~58

[53] 李利善, 邵远亮, 张开华. 公益性水利工程融资及补偿机制探讨. 农业技术经济, 2002(3):2~4

[54] 联合调研组(2002 年 9 月). 又一次成功的探索——关于宁波市余姚—慈溪用水权转让的调查报告. 水利系统优秀调研报告(第二辑). 北京: 中国水利水电出版社, 2003

[55] 廖少云. 全球环境危机和农业可持续发展模式. 中国农村经济, 2003(1):75~80

[56] 廖永松. 农业水价改革的问题与出路. 中国农村水利水电, 2004(3): 74~76

[57] 刘伟, 李风圣. 产权范畴的理论分歧及其对我国改革的特殊意义. 经济研究, 1997(1):3~11

[58] 刘世锦. 经济体制效率分析导论——一个理论框架及其对中国国有企业体制改革问题的应用研究. 上海: 上海三联出版社, 1993

[59] 刘静. 我国水资源问题与经济可持续发展. 宏观经济管理, 2002(4):12~13

[60] 刘溶沧, 赵志耘. 中国财政理论前沿. 北京: 社会科学文献出版社, 1999

[61] 刘铁军. 新时期小型农田设施投资主体研究. 水利发展研究, 2004(7):34~37

[62] 刘莹. 关于水权交易市场相关问题的探讨. 中国水利, 2004(9): 6~8

[63] 卢现祥. 西方新制度经济学. 北京: 中国发展出版社, 2003

[64] 吕雁琴. 构建转型期水权市场、优化我国水资源配置. 经济师, 2003(9):53~54

[65] [美] Y·巴泽尔. 产权的经济分析. 费方域, 段毅才译. 上海: 上海人民出版社, 2003

[66] [美] 道格拉斯·C·诺思. 经济史中的结构与变迁. 陈郁, 罗华平等译.

上海：上海人民出版社，2002

[67] [美] R·科斯，A·阿尔钦，D·诺思，等. 财产权利与制度变迁——产权学派与新制度学派译文集. 上海：上海人民出版社，2002

[68] [美] 赫伯特·A·西蒙. 管理决策新科学. 北京：中国社会科学出版社，1982

[69] [美] 小詹姆斯·H·唐纳利，等. 管理学基础. 北京：中国人民大学出版社，1982

[70] [美] 丹尼尔·A·雷恩. 管理思想的演变. 北京：中国社会科学出版社，1986

[71] [美] 马丁·J·坎农. 管理学概论. 北京：中国社会科学出版社，1989

[72] 缪瑞林. 我国经济自立灌排区的建设与发展. 中国农村经济，2001(10)：59～67

[73] 裴少峰. 中国农业灌溉设施有效利用的制度分析. 农业技术经济，2003(2):19～23

[74] 任辉，赖昭瑞. 中国农村土地经营制度：现实反思与制度创新. 经济问题，2001(3):32～36

[75] 山姆·约翰逊，马克·斯文特生，弗尔耐多·冈萨雷斯. 灌溉部门机构改革方案. 许志方译. 中国农村水利水电，2002(6)：1～6

[76] 社会主义市场经济条件下农民中介组织的发育和完善课题组. 论社会主义市场经济条件下农民中介组织的发育和完善. 中国农村经济，2002(3):4～9

[77] 沈满洪，陈锋. 我国水权理论研究评述. 浙江社会科学，2002(5):175～180

[78] 盛洪. 现代制度经济学(上、下卷). 北京：北京大学出版社，2003

[79] 盛洪. 一个价格改革的故事及其引出的过渡经济学的一般理论. 管理世界，2003(5):21～28

[80] 施国庆，庞进武，王友贞. 水利工程建设与农民收入相关性分析. 中国农村经济，2002(4):34～39

[81] 石玉波. 关于水权与水市场的几点认识. 中国水利，2001(2): 31～32

[82] 石玉林，卢良恕. 中国农业需水与节水高效农业. 北京：中国水利水电出版社, 2001

[83] 史正富. 现代企业的结构与管理. 上海：上海人民出版社, 1993

[84] 水利部水利国有资产管理体制改革调研组. 水利国有资产管理体制和运行机制改革调研报告. 中国水利, 2004(1):14~20

[85] 水权制度框架研究课题组. 水权水市场制度建设. 水利发展研究, 2004(7):4~8

[86] 斯蒂格利茨. 经济学. 北京：中国人民大学出版社, 2001

[87] 谭劲松，郑国坚. 产权安排、治理机制、政企关系与企业效率. 管理世界, 2004(2):104~116

[88] 陶传友. 澳大利亚的农业综合开发与投资政策. 世界农业, 2003(10):21~23

[89] 陶传友. 灌溉农业铺筑土耳其可持续发展之路. 世界农业, 2004(2): 33~39

[90] 陶传友. 灌溉工程架起摩洛哥出口农业之桥. 世界农业, 2004(6):39~41

[91] 田圃德，张春玲. 我国农业用水水价分析. 河海大学学报(自然科学版), 2003(5):242~246

[92] 仝志辉. 农民用水户协会与农村发展. 经济社会体制比较（双月刊）2005(4):74~80

[93] 涂维亮，左亚红. 村集体经济组织"企业化经营"的思考. 中国农村经济, 2001(8): 15~22

[94] 汪恕诚. 水权和水市场——实现水资源优化配置的经济手段. 中国水利, 2000(11):6~9

[95] 王金霞，黄季焜. 国外水权交易的经验及对中国的启示. 农业技术经济, 2002(5):56~62

[96] 王宏江，冯耀龙，练继建，等. 水交易形式及合理交易额的确定分析. 水利发展研究, 2003(2):41~46

[97] 王俊豪. 中国基础设施产业政府管制体制改革的若干思考——以英国政

府管制体制改革为鉴. 经济研究, 1997(10):36 ~ 42

[98] 王伟. 我国水利资金配置问题研究.中国水利, 2002(2): 24 ~ 27

[99] 王俊柳, 邓二林. 管理学教程. 北京：清华大学出版社, 2003

[100] 王雷, 赵秀生, 何建坤.农民用水户协会的实践及问题分析.农业技术经济, 2005(1):36 ~ 39

[101] 魏杰, 侯孝国.论产权结构多元化是国有企业产权改革的方向.管理世界, 1998(5):135 ~ 141

[102] 魏杰. 现代产权制度辨析.北京:首都经济贸易大学出版社, 1999

[103] 吴士健, 薛兴利, 左臣明.试论农村公共产品供给体制的改革与完善. 农业经济问题, 2002(7):48 ~ 52

[104] 萧代基, 刘莹, 洪鸣丰. 水权交易比率制度的设计与模拟. 经济研究, 2004(6):69 ~ 77

[105] 肖国兴.论中国水权交易及其制度变迁.管理世界, 2004(4)：51 ~ 60

[106] 熊巍. 我国农村公共产品供给分析与模式选择. 中国农村经济, 2002(7):36 ~ 44

[107] 许志方. 农民参与管理和小型水利体制改革. 中国农村水利水电, 2002(1):8 ~ 10

[108] 杨瑞龙. 面对制度之规. 北京：中国发展出版社,2000

[109] 杨瑞龙. 现代企业产权制度. 北京：中国人民大学出版社, 1998

[110] 杨瑞龙. 论国有经济中的多级委托代理关系. 管理世界(双月刊), 1997(1):106 ~ 115

[111] 杨瑞龙, 周业安. 交易费用与企业所有权分配合约的选择. 经济研究, 1998(9):27 ~ 36

[112] 杨文士, 张雁. 管理学原理. 北京：中国人民大学出版社,1995

[113] 姚雨晨. 小浪底水利枢纽工程建设资金管理. 中国水利, 2004(12): 70 ~ 72

[114] 苑鹏. 乡镇集体资产的有效经营管理监督机制研究. 管理世界, 2000(4):145~155, 162

[115] 张维, 胡继连. 中国水权市场的构建与运作体系研究.山东农业大学

学报(社会科学版), 2002(3):61~73

[116] 张陆彪, 刘静, 胡定寰. 农民用水户协会的绩效与问题分析. 农业经济问题, 2003(2):29~33

[117] 张兵, 王翌秋. 农民用水者参与灌区用水管理与节水灌溉研究——对江苏省皂河灌区自主管理排灌区模式运行的实证分析. 农业经济问题, 2004(3):48~52

[118] 张范. 从产权角度看水资源优化配置. 中国水利, 2001(6): 38~39

[119] 张宇燕. 经济发展与制度选择. 北京: 中国人民大学出版社, 1992

[120] 张曙光. 论制度均衡和制度变革. 经济研究, 1992(6):30~36

[121] 赵海林, 赵敏, 郑垂勇. 我国农业水权制度改革探讨. 经济问题, 2004(4):58~60

[122] 郑通汉.可持续发展水价的理论分析——二论合理水价形成机制.中国水利, 2002(10):38~42

[123] 郑通汉. 制度激励与灌区的可持续运行——从河套灌区水价制度和供水管理体制改革的调查引起的思考. 中国水利, 2002(1):33~35,40

[124] 郑顺伟, 张陆阳. 当前中国农地制度存在的问题及其完善的途径. 经济问题, 2002(10):39~41

[125] 钟玉秀.对水权交易价格和水市场立法原则的初步认识.水利发展研究, 2001(10):14~16

[126] 钟焕荣. 论福建省农村小型水利设施产权制度创新. 水利发展研究, 2003(1):35~41

[127] 周霞, 胡继连, 周玉玺.我国流域水资源产权特性与制度建设.经济理论与经济管理, 2002(12):11~15

[128] 周三多, 陈传明, 鲁明泓. 管理学——原理与方法. 上海: 复旦大学出版社, 2000

[129] 周晓花, 程瓦. 国外农业节水政策综述. 水利发展研究, 2002(7):43~45

[130] 中国灌区协会. 中国灌溉管理简介, 2001

[131] 朱丕荣. 世界的水资源与灌溉农业. 世界农业, 1997(1):3~5

[132] 朱道华. 农业经济学. 北京: 中国农业出版社, 2002

[133] Alchian A A. Economic Forces at Work, Indianapolis, Ind.: Liberty Press. 1977

[134] Alchian A A and Allen W R. Exchange and Production-Competition, Coordination, and Control, 2nd ed., Belmont, Calif.: Wadsworth. 1977

[135] Anderson T & Synder P S. Water markets. Washington, D. C.: Cato Institute. 1997

[136] Ashutosh Sarker, Tadao Itoh. Design principles in long-enduring institutions of Japanese irrigation common-pool resources. Agricultural Water Management. 2001 (48): 89 ~ 102

[137] Briscoe J. Water as an economic good: the idea and what it means in practice. Paper presented to the World Congress of ICID. Cairo. 1996

[138] Bromley, Daniel W. Institutional Change and Economic Efficiency. Journal of Economic Issues. 1989 (23)

[139] Colby B G. Economic impacts of water law-state law and water market development in the southwest. Natural Resources Journal, 1988(28): 721 ~ 749

[140] Coward E W, Jr. Irrigation and Agricultural Development in Asia. Perspectives from Social Sciences. Ithaca, N. Y.: Cornell University Press. 1980

[141] Douglas R. Franklin and Rangesan Narayanan. Trends in Western United States Agriculture: Irrigation Organizations. Water Resources Bulletin, Vol. 24, No. 6, December 1988

[142] Dinar A and A Subramanian. Water Pricing Experience: An International Perspective. Technical Paper No. 386, Washington, D.C.: World Bank. 1997

[143] Easter K W & Welsch D E. Priorities for irrigation planning and investment. In K.W. Easter (Ed.), Irrigation investment, technology, and management strategies for development. Boulder, CO: Westview Press. 1986

[144] Easter K W, Becker N & Tsur Y. Economic mechanisms for managing

water resources: Pricing, permits, and markets. In A. K. Biswas (Ed.), Water resources: Environmental planning, management and development. New York: McGraw-Hill. 1997

[145] Eyal Brill, Eithan Hochman, and David Zilberman. Allocation and Pricing at the Water District Level. Amer. J. Agr. Econ. 79(August 1997): 952 ~ 963

[146] Feder G & Noronha R. Land rights systems and agricultural development in Sub-Saharan Africa. World Bank Research Observer. 1987, 2(2), 143 ~ 169

[147] Gardner B D & Fullerton H H. Transfer restrictions and misallocations of irrigation water. American Journal of Agricultural Economics. 1968 (50): 556 ~ 571

[148] Green G, et al. Water allocation, transfers and conservation: links between Policy and Hydrology. Water Resources Development, Vol. 16(2), 2000

[149] Johnson S H. Irrigation management transfer: Decentralizing public irrigation in Mexico. Water International, 1997, 22(3), 159 ~ 167

[150] Jules P and Hugh W. Social Capital and the Environment. World Development 2001, 29(2): 209 ~ 227

[151] Knutson, Gerald D, Robert G Curley, Edwin B. Roberts, et al. Pumping Energy Requirements for Irrigation in California. Div. Agr. Sci. Spec. Pub. No. 3215, University of California, Davis, 1978

[152] K.William Easter, Asia's Irrigation Management in Transition: A Paradigm Shift Faces High Transaction Costs, Review of Agricultural Economics, Volume 22, Number 2.Fall/Winter 2000

[153] Martha W. Gilliland, Gerald P. Wallin, and Ronald Smaus. Water and Water Rights Transfers: A New Policy for Nebraska. Water Resources Bulletin, Vol. 25, No. 1, February 1989

[154] Margriet Caswell and David Zilberman. The Choice of Irrigation

Technologies in California. American. J. Agr. Econ. May 1985

[155] Marino M & Kemper K E. Institutional frameworks in successful water markets. World Bank Technical Paper #427, Washington D.C.. 1999

[156] Martin E D & Yoder R. Institutions for irrigation management in farmer managed systems: Examples for the hills of Nepal. Research Paper #5, IIMI, Colombo, Sri Lanka. 1987

[157] Meinzen-Dick R & Mendoza M. Alternative Water allocation mechanisms Indian and international experiences. Economic and Political Weekly. 1996, 31, A25 ~ A30

[158] Meinzen-Dick R & Rosegrant M W. Water as an economic good: Incentives, institutions, and infrastructure. In M. Kay, T. Franks, & L. Smith (Eds.), Water: Economics, management, and demand, London: E&FN Spon. 1997

[159] Pejovich S. The Economics of Property Rights—towards a Theory of Comparative Systems, Kluwer Academic Publishers. 1990

[160] Perry C J, Seckler D & Rock M. Water as an economic good: a solution, or a problem? IIMI Research Report 14. Colombo: International Irrigation Management Institute. 1997

[161] Robert R Hearne K, William Easter. The economic and financial gains from water markets in Chile. Agricultural Economics. 1997(15)

[162] Robert A. Young. Why are there so few transactions among Water Users? Amer. J. Agr. Econ. 1996(12)

[163] Rosegrant, Mark W and Renato Gazmuri Scheleyer. Tradable Water Rights: Experiences in Reforming Water Allocation Policy, Irrigation Support Project for Asia and the Near East, Sponsored by the U.S. Agency for International Development. 1994

[164] Rosegrant Mark W and Renato Gazmuri Scheleyer & Yadav S N N. Water policy for efficient agricultural diversification: market- based approaches. Food Policy, 1995 (3): 202 ~ 223

[165] Shah T. Groundwater markets and irrigation development. Bombay: Oxford University Press. 1993

[166] Smith L E D, Franks T. & Kay M. Water an economic good? Theory and practice. ICID Journal. 1997 (2): 1 ~ 14

[167] Singh, Chhatrapati. Water Rights and Principles of Water Resources Management, India Law Institute. 1991

[168] Thobani M. Formal water markets: Why, when, and how to introduce tradable water rights. World Bank Research Observer. 1997, 12(2), 161 ~ 182

[169] Vermillion D L. Impacts of irrigation management transfer: A review of the evidence. Research Report #11, IIMI, Colombo, Sri Lanka. 1997

[170] Wade R. The management of common property resources. Cambridge Journal of Economics. 1987 (11): 95 ~ 106

[171] Weinberg M, Kling C L & Wile J E. Water markets and water quality. American Journal of Agricultural Economics. 1993 (72): 278 ~ 291

[172] Wichelns D. Economic issues regarding tertiary canal improvement programs. Irrigation and Drainage Systems. 1998 (12): 227 ~ 251

[173] Williamson O E. Markets and Hierarchies: Analysis and Antitrust Implications. New York, Free Press. 1975

[174] Wim H Kloezen. Water markets between Mexican water user associations. Water Policy 1998 (1): 437 ~ 455

[175] Zilberman, David, Ujjayant Chakravorty and Farhed Shah. Efficient Management of Water in Agriculture. In Douglas Parker and Yacov Tsur (eds.). Decentralization and Coordination of Water Resource Management. Boston: Kluwer Academic Publishers. 1997